purchased in
Paris, France in June 1985
for Reet at:
Edgar Soete
librairie de Gastronomie
5, Quai Voltaire
75007

for your love of cooking!
much love,
Karen — XO

Dominique WEBER

les bonnes recettes des provinces de France

avec la collaboration de Vincent WEBER

Bordas

Conception éditoriale de l'ouvrage, rédaction des commentaires marginaux des recettes, de l'*Inventaire des spécialités régionales* et de l'*Atlas savoureux* : Jacques Boudet

Cartographie : Serge Sazonoff

Photographies en noir et blanc : Jean-Loup Charmet, Michel Didier, Jeanbor.
Documentation iconographique : Jean-Loup Charmet, *Immédiate 2 :* Monique Trémeau. Nous remercions la Bibliotèque des Arts décoratifs, Paris, la Bibliothèque Nationale, Paris, la Bibliothèque du Ministère de l'Agriculture, Paris, et le Cabinet des estampes du Musée Carnavalet, Paris, de leur aimable collaboration.

Maquette et réalisation technique : Jean-Michel Fréguin

© BORDAS, PARIS, 1979.
N° d'éditeur : 014 079 2009
I.S.B.N. 2-04-010440-2

Table des matières

ATLAS SAVOUREUX DE LA FRANCE

AVERTISSEMENT

Cet atlas savoureux de la France s'efforce de localiser les principaux produits et les spécialités, qui restent privilèges incontestés des terroirs français, même si quelques-uns, hélas! sont menacés ou en voie de disparition. Il est évident que le rayonnement de certains d'entre eux s'étend bien au-delà des villes et des bourgs où, pour la commodité, nous avons dû les situer. On sait que le camembert est produit ailleurs que dans le village de Camembert et que la noix de Grenoble ne se récolte pas dans la ville. De façon générale, les « campagnes » ont su préserver les recettes régionales mieux que les agglomérations urbaines. Certains noms de spécialités appartiennent au vieux parler français ou à des langues régionales : ils sont, soit expliqués par le détail des recettes qui constituent la partie principale de ce livre, soit définis par l'« inventaire » des pages 6 et 12.

On remarquera qu'une grande partie de la cuisine régionale était, jusqu'à une date récente, fondée sur la préparation des poissons d'eau douce. Ceux-ci, malgré les efforts des sociétés de pêche et des entreprises de pisciculture, sont, hélas! en notable régression, à cause de la captation des eaux, de la pollution, ou de l'industrialisation des cours d'eau. Les traditions culinaires demeurent cependant, même si les produits – écrevisses, saumons, etc... – doivent être importés.

Abréviations de nos cartes :

(V.) suivant un nom de produit ou de spécialité signifie : *Voir la recette détaillée dans le livre, en consultant si nécessaire l'index alphabétique, en fin de volume.*
(S.) signifie : *Spécialité, propre au lieu ou à sa région.*

INVENTAIRE DES SPÉCIALITÉS RÉGIONALES

On trouvera ici la définition de spécialités dont les appellations dialectales ou provinciales signalées par un astérisque, dans les cartes de l'« Atlas savoureux », peuvent déconcerter certains utilisateurs (trices). On en a ajouté une quarantaine d'autres, pour donner un recensement encore plus complet des richesses culinaires françaises. Toutefois cet « inventaire » ne prétend pas être complet : les fromages ou les vins, en particulier, sont trop nombreux pour être répertoriés ici. Il en est de même pour les innombrables confiseries locales typiques, ou toutes les recettes régionales, qui ne diffèrent parfois que par quelque succulence ingénieuse. Au surplus, l'index des recettes contenues dans cet ouvrage, et placé en fin de volume, renvoie aux pages, où plus de 250 autres spécialités sont détaillées de façon à ce qu'on puisse les mettre aisément en cuisine.

AILLADE
Midi. Ailloli monté avec une base composée de nois réduites en pâte (Toulouse).

ALIGOT
Centre. Purée de pommes de terre travaillée avec de la tomme fraîche (spécialité répandue à partir du département du Cantal).

AMAUGUETE
Aquitaine. Panse, tripes et pieds de mouton cuits au pot.

ANCHOÏOLLE
Méditerranée. Purée d'anchois additionnée d'une sauce hollandaise aillée, montée à l'huile d'olive, servie comme la fondue avec des croûtons (Var).

AURIQUETTE
Est. Sorte de pain au lait (Lunéville).

BARIGOULE (A la)
Méditerranée. Artichauts, à demi-arasés, blanchis, farcis avec des champignons, des oignons étuvés, du lard frais, de l'ail et du persil hachés, puis enveloppés de bardes de lard et cuits à feu doux à l'huile d'olive (Provence jusqu'au Languedoc).

BERGAMOTTE
Est. Bonbon carré au miel (Nancy).

BÊTISE
Nord. Bonbon à la menthe (Cambrai).

BIGOUDENS
Bretagne. Galettes bretonnes très riches en beurre.

BIGUENÉE
Pays de Loire. Pâte à crêpe versée dans une poêle recouverte d'une tranche de jambon, nappée à nouveau de pâte à crêpes et cuite des deux côtés.

BISTORTO
Midi. Brioche en forme de couronne, colorée au safran et incrustée d'anis (Ariège).

BOUGNETTE
Midi. Crépinette dont la farce est surtout faite de viande hachée et de poitrine de porc (Tarn).

BOULLINADA
Midi. Bouillabaisse catalane (Pyrénées Orientales).

BOULON
Nord. Chocolat en forme de boulon, intérieur praliné ou garni de framboise ou de mirabelle (Ardennes).

BOURDELOT
Normandie. Sorte de chausson à la poire ou à la pomme entière.

BRAOU BOUFFAT
Midi. Soupe aux choux et au riz (Pyrénées Orientales).

BRASSADEAUX ou CORDILLONS
Méditerranée. Petites couronnes en pâte sucrée, pochées à l'eau bouillante, séchées puis cuites au four (Provence).

BREJAUDE
Centre. Soupe aux choux avec lard et bréjau (morceau de couenne) (Limousin).

BRESI

Est. Viande de bœuf salée et durcie, découpée en tranches fines (Franche-Comté, Luxeuil).

BRUCCIO

Méditerranée. Fromage de lait de chèvre ou de brebis, consommé frais et utilisé en cuisine frais, ou durci pour être râpé (Corse).

CABASSOL, CABESSAL ou CHABESSOL.

En occitan, ce nom signifie « tête » et devait désigner à l'origine une préparation de tête de mouton. Il recouvre aujourd'hui des spécialités très diverses : à Limoges et à Figeac, une préparation farcie de lièvre « en chabessol » ou « en cabessal » et le nom cabessal désignerait ici une serviette tordue, et disposée en couronne. A Limoux, c'est une préparation de tripes d'agneau. A Lodève, une sorte de pot-au-feu, unissant des abats d'agneau à du jarret de veau, du jambon, des légumes. A Resquista (Aveyron), c'est un ragoût de têtes de brebis au vin blanc.

CABECOU

Aquitaine. Petit fromage rond de lait de chèvre (Rodez, Aveyron).

CAILLEBOTTE

Ouest-Atlantique. Fromage frais sucré, de lait de vache en Aunis et Saintonge, de lait de chèvre en Aunis et Poitou. Coagulé grâce à de la fleur d'artichaut (Chardonnette).

CAILLETTE

Rhône-Alpes. Crépinette farcie d'un hachis d'épinards, d'herbes et de chair à saucisse au foie de porc (Drôme, Ardèche).

CALISSON

Méditerranée. Petit gâteau de forme losangique en pâte d'amande (Aix-en-Provence).

CANOLES

Centre. Petits gâteaux secs, dont l'origine remonterait à la Guerre de Cent Ans et à l'Anglais Knolles (Rochechouart, Haute-Vienne).

CARBONADE

Nord-Loire. Ragoût de morceaux de bœuf et d'oignons cuits dans de la bière en Flandres. Ragoût de viande et de sang en Orléannais.

CARGOLADE

Midi. En occitan, « cagarole » signifie escargot. Il s'agit ici d'une recette roussillonnaise d'escargots au gril, roulés dans un

Ailloli. Huit villes languedociennes ont des recettes particulières d'escargots et l'Ouest-Atlantique (où les escargots sont des lumas) en a lui-même plusieurs, malgré sa richesse en poissons de mer (on dit aussi « cagouilles » en Charente).

CASSE-MUSEAU

Ouest-Atlantique. Gâteau dur, servant de projectile lors de la fête des Rogations (Poitou).

CATIGOT

Méditerranée. Sauté de morceaux d'anguille à l'huile d'olive, avec des aromates et des oignons, ensuite additionné de vin rouge, piment et ail (Arles). Sorte de matelote de poissons dans la vallée du Rhône (Condrieu).

CAUDRÉE

Nord. Soupe de petits poissons de mer (Berck). V. Chaudrée, ci-après.

CHABICHOU

Ouest-Atlantique. Fromage de lait de chèvre cylindrique et tronçonnique (Poitiers).

CHABROT ou CHABROL

Centre. Vin rouge mêlé dans l'assiette ou le bol aux dernières cuillerées ou lampées de soupe. Aussi usité dans l'Ouest-Atlantique. On dit : « faire chabrot ».

CHARBONNÉE

Ile-de-France. Ragoût de bœuf avec carottes, oignons, aromates, mouillé au vin rouge et lié au sang de porc (Paris).

CHAUDRÉE

Ouest-Atlantique. Matelote marine, dont les poissons coupés en tronçons et cuits avec du vin et du fumet, sont consommés séparément du bouillon (La Rochelle).

CHICHIFREGI

Méditerranée. Cercle de pâte levée frit en beignet, puis roulé dans du sucre.

CHOCART

Bretagne. Chausson aux pommes (Yffiniac, Côtes-du-Nord).

CIVELLE, PIBALE

Ouest-Atlantique, Aquitaine. Petite anguille (ou grand alevin) capturée avant sa remontée en eau douce.

COIHU

Est. Brioche allongée sucrée (Lorraine).

COMTÉ

Est. Fromage à pâte sèche cuite et pressée. Produit avec du lait de vache de race montbéliarde et pie rouge de l'Est; il fait partie des gruyères français (Franche-Comté).

COPPA

Méditerranée. Salaison. Faux-filet de porc salé, lavé au vin blanc, mis sous boyaux, ficelé, pressé et séché (Corse).

CORNIOTTE

Bourgogne. Petit triangle en pâte à choux, parfois additionnée de fromage blanc, à coins rabattus (Chagny).

COURQUINOISE

Nord. Matelote au vin blanc, de crabes, moules, congre, grondin, poireaux, gratinée au four (Calais).

COUSINAT

Aquitaine. Préparation de jambon et de légumes, cuite au saindoux (Bayonne).

COUVE

Rhône-Alpes. Galette pascale en forme de poule, parfumée au citron (Crest, Drôme).

CROTTIN

Centre. Petit fromage rond de lait de chèvre (Sancerrois).

CRUCHADE

Aquitaine. Gâteau de semoule de maïs froid, découpé, puis traité à la friture, accompagné de confiture ou de gelée.

DEMOISELLE

Normandie. Petit homard au court-bouillon, servi dans son jus ou cuit au four et nappé de beurre blanc.

DIOTS

Rhône-Alpes. Saucisse au vin blanc ou au vin rouge (Savoie).

DODINE

Aquitaine. Canard désossé, farci, rôti, consommé en gelée (Agenais).

ESCUEDELLA

Midi. « E. de Nadal ». Pot-au-feu catalan avec du bœuf, des œufs, un hachis de pâte et de viande (Pyrénées-Orientales).

ESTOFICADO

Méditerranée. Préparation provençale, et particulièrement niçoise, de morue sèche (stockfish) en ragoût, ou frite (à Marseille), et fortement relevée. On dit aussi en provençal « stoficado ». Mais le Rouergue (Aveyron) a ses recettes pour l'« estofinat », stockfish émietté et travaillé avec des pommes de terre.

ESTOUFFAT

Midi. La Provence connaît l'estouffade de bœuf (V. la recette); le Sud-Ouest prépare l'estouffat aussi, avec du lièvre, mais surtout avec de la couenne de lard, du jarret de porc, et des haricots.

FALLETTE

Aquitaine. Poitrine de mouton farcie de blettes, lard, mie de pain, avec lait et œufs (Espalion).

FASSUM

Midi. Chou farci, cuit dans un bouillon avec un jarret de veau et des légumes (Provence, Nice).

FARCIDURE

Centre. 1. – Boulette faite de pâte de sarrasin et d'un hachis d'« herbes » (Guéret). 2. – Pâte levée cuite dans le bouillon du pot-au-feu au porc salé (Quercy).

FARÉE

Charente. Boules de chou à l'oseille, au lard et à la mie de pain cuites dans un bouillon gras.

FOUASSE

Galette en pâte à pain, pâtisserie la plus rustique de l'ancienne France, de Millau à Caen. Se dénomme également fouace, fouée (v. recette) et fougasse (dans le Gard). Rabelais a immortalisé celle de la région de Loire dans la guerre pichrocholine.

FOURME

Centre. C'est quasiment le nom de tous les fromages auvergnats. On fait remonter aux Gaulois la fourme du Cantal, dite « tomme » lorsqu'elle est fraîche, grosse meule fabriquée à partir du lait de vaches de race Salers, et deux fois pressée. Il ne faut pas la confondre avec la fourme d'Ambert, haut cylindre à pâte persillée, dont l'origine est toute aussi ancienne.

FRICANDEAU

Centre. Pâté de porc, cuit enveloppé de crépine (Auvergne, Rouergue, Cévennes).

FRICASSON

Centre. Tête, langue, cervelle, fraise de porc cuites, détaillées, sautées au beurre additionnées de morceaux de sang de porc caillé et cuit, crémées et légèrement vinaigrées (Bourbonnais).

FRICAUDE

Rhône-Alpes. Spécialité stéphanoise, faite d'abats de porc.

GARFOU
Aquitaine. Couronne ou pain en pâte levée parfumé à l'anis (Béarn).

GARGOUILLAU
Centre. Gâteau de poires (Montluçon).

GAUDE
Est. Bouillie de farine de maïs (Franche-Comté, et aussi de Bourgogne). Appelée également Gaudine, ce nom désigne parfois l'épi de maïs.

GATIS
Aquitaine. Brioche à la fondue de Cantal et de Roquefort (Saint Affrique, Aveyron).

GAUVUE
Est. Pâte à pain additionnée de pommes reinettes, mise en forme de petit pain, cuite au four (Lorraine).

GÉNÉPY
Rhône-Alpes. Alcool dans lequel ont macéré longuement des plantes de montagne.

GÉROMÉ
Est. Fromage à base de lait de vache à pâte molle, fabriqué à Gérardmer (Vosges).

GIGORIT
Ouest-Atlantique. Préparation de viande et de sang de porc au vin (La Rochelle).

GOGUE
Loire. Crépinette d'« herbes », de lard gras et de sang de porc (Anjou).

GOURGUENIOCHE
Ouest-Atlantique. Volaille en tourte, avec des œufs (La Roche-sur-Yon).

GRIMOLLE ou GOUERON
Vendée. Crêpes épaisses sucrées avec dés de pommes, cuites au four sur un nid de feuilles de chou à peine étuvées.

GRUOTTE
Bourgogne. Ragoût de fressure de marcassin au vin blanc avec croûtons sautés au beurre.

HOCHEPOT
Nord. Pot-au-feu.

IMBRUCCIATA
Méditerranée. Tarte au fromage blanc (Corse).

JAILLES
Alpes. Compote d'échine de porc coupée en dés avec aromates et addition à mi-cuisson, de pommes reinettes, de pain et d'un filet de vinaigre.

JÉSUS
Est. Gros saucisson de porc (spécialité de Morteau, Doubs, mais aussi de Lyon, de Suisse).

JUDRU
Bourgogne. Gros saucisson (Chagny).

JURANÇON
Aquitaine. Vin blanc moelleux (Béarn).

KNEPFLE
Est. Quenelles en pâte ou de pommes de terre, pochées dans du bouillon (Alsace).

LICHOUNERIE
Centre. Bonbon au miel (Châteauroux, Indre).

LIVAROT
Normandie. Fromage à base de lait de vache, pâte molle et croûte lavée.

LONZU
Méditerranée. Maigre de porc salé, lavé au vin blanc, mis sous boyaux, ficelé, pressé et séché (Corse).

MANOULS
Centre-Aquitaine. Tripes de mouton en paquets, très longuement mijotées avec des aromates (Rouergue). Tripes de veau farcies (Languedoc).

MARKKNEPFLE
Est. Quenelles de moëlle pochées dans un bouillon de viande ou de volaille (Alsace).

MARMITE
Normandie. Spécialité dieppoise, de poissons fins, moules, petits légumes, cuits avec crème et vin blanc.

MARQUISETTE
Nivernais. Sorte de bûche au chocolat (Clamecy).

MASSACANAT
Midi. Omelette plate garnie de dés de veau sautés au beurre. Peut aussi être garni avec des tranches de boudin de viande ou de saucisses (Pyrénées).

MATEFAIM
Bourgogne-Lyonnais-Centre. Grosse crêpe épaisse particulièrement nourrissante (capable de mater la faim).

MILLA
Aquitaine-Auvergne. Ce nom, transformé aussi en millard et millasse, recouvre diverses spécialités. Le milla est une crème aux jaunes d'œufs et à la farine avec des blancs

battus; à Périgueux, la millasse est une tartelette, garnie de crème aux œufs et parfumée à l'amande amère; le millasson est fait de farine de maïs et de raisins à l'eau de vie. Mais le milla peut être aussi une tarte au potiron. La millière de l'Anjou est une bouillie à base de millet. En Auvergne, comme à Levroux (Indre), aussi bien que dans le Gard, le millard est un clafoutis aux cerises noires.

MINGOTS
Loire-Atlantique. Dessert rennais composé de crème fouettée additionnée de meringue cuite sur le feu, ou d'œufs en neige, accompagné de fraises ou de framboises.

MOUCLADE
Ouest-Atlantique. Préparation de moules au vin blanc, crémée, et liée aux jaunes d'œufs.

MOURTAIDOL OU TUSSET
Midi. Tranches de pain imbibées d'un bouillon de volaille safrané et gratinées au four.

NIEULES
Auvergne. Sorte de craquelins (v. la recette) détaillés en triangles et cornés.

NIFLETTES
Normandie-Ile-de-France. Gâteau traditionnel en Brie le jour de la Toussaint, en pâte feuilletée garnie de crème frangipane.

NIOLO
Méditerranée. Fromage de chèvre cubique, mais à angles arrondis (Corse).

NONNETTE
Est. Sorte de petits pains d'épices ronds glacés en blanc et en rose (Remiremont).

OREILLETTES
Midi. Rectangles de pâte sucrée frits à l'huile d'olive (Montpellier).

OUILLADE
Midi. Sorte de potée avec un « garro » (jarret de porc sec) et du « sagi », graisse de porc un peu rance, conservée autrefois en vessie. Soupe typique de la Cerdagne, garnie de boudin catalan.

OULADE
Aquitaine. Soupe à la graisse d'oie (Rouergue).

OULLIAT ou TOURI
Midi. Soupe composée de tomates, oignons, ail et graisse d'oie, au gouillon de bœuf (Béarn), appelée aussi toulia (Bigorre).

OYONNADE
Centre. Civet de jeune oie.

PAN BAGNAT
Méditerranée. Pain long ou rond, huilé et garni de tomates, oignons, poivrons, céleri, olives noires, anchois, œuf dur (Nice).

PANISSE
Méditerranée. Bouillie de farine de pois chiches frite en beignets (Menton, panizzi corses).

PANZAROTTI
Méditerranée. Beignets parfumés à l'eau de vie, contenant une farce au fromage citronné (Corse).

PAPETON
Méditerranée. Préparation d'aubergines (Avignon).

PASCADE
Midi. Sorte de crêpe au lard et aux oignons, persillée. Se fait également avec des pruneaux.

PASSARELLES
Midi. Raisins secs passerillés (Frontignan).

PATRENQUE
Centre. Préparation de mie de pain au lait et de fromage, cuite au beurre (Auvergne).

PÉLARDON
Midi. Fromage de chèvre à pâte molle, en galette (Cévennes).

PICODON
Rhône-Alpes-Centre. Fromage fermier de chèvre, à pâte molle.

PIEDS ET PAQUETS
Méditerranée. Morceaux de tripes de mouton farcies au petit salé, ail et persil, ficelés en petits paquets, et cuits longuement au bouillon et vin blanc, avec des pieds de mouton. (Marseille).

PISSALA, PISSALAT
Méditerranée. Purée de poisson cru macéré utilisée pour aromatiser les crudités.

PISSALADIÈRE
Méditerranée. Tarte en pâte à pain garnie d'oignons, anchois, olives (Nice).

PLISSON
Ouest-Atlantique. Crème très épaisse cuite, obtenue en faisant chauffer du lait frais à plusieurs reprises, sans jamais le faire bouillir, retirée et servie bien sucrée (Poitou).

POIRÉ
Normandie. Boisson de jus de poire fermenté.

POMPE
Centre-Méditerranée. Chausson aux pommes (Rhône, Thiers) ou brioche avec fruits confits. Pompe à huile de carême : mince abaisse de pâte à pain, arrosée d'huile de noix, salée, et cuite au four (Provence).

POUTINE, NONATS
Méditerranée. Alevins de poissons et principalement de sardines et d'anchois, utilisés en beignets ou en soupe (Nice, Provence).

RABOTTE
Champagne. Pomme fruit en croûte.

RADISSE
Rhône-Alpes. Grosse brioche (Lyon).

RAVIOLE
Rhône-Alpes. Carré de pâte farci d'herbes et de fromage frais de chèvre (Drôme); rayole ou raïole sur la Côte-d'Azur.

REBLOCHON
Rhône-Alpes. Fromage de lait de vache, à pâte molle non cuite (Savoie, Haute-Savoie).

RIGOTTE
Rhône-Alpes. Petit fromage rond assez haut à base de lait de vache (Lyonnais, Condrieu).

RISSOLLE
Centre. Chausson de pâte feuilletée (ou crépine de porc) farci et frit (Auvergne, mais aussi Bugey).

ROIGABRAGELTI
Est. Couches de rondelles de pommes de terre crues alternées avec des couches d'oignons étuvées, mouillées au bouillon ou à l'eau, beurrées et cuites au four.

RONCIN
Est. Flan aux fruits; dans certaines régions, désigne une brouillade au fromage blanc.

ROSETTE
Rhône-Alpes-Bourgogne. Saucisson sec, fait avec le rectum rosé du porc (Lyon, Nivernais).

SANCIAUX
Centre. Petites crêpes salées ou sucrées (Bourbonnais).

SANQUET, SANGUETTE
Rhône-Alpes-Midi. Sang de volaille cuit avec de la mie de pain, des aromates, puis légèrement vinaigré (Saint-Étienne, Montpellier).

SOCCA
Méditerranée. Semoule de pois chiches légèrement gratinée (Nice).

STORZAPRETTI
Méditerranée. Préparation d'épinards ou de bettes aux œufs et fromage frais (Corse).

STUFATU, STUFFATO
Méditerranée. Ragoût composé de plusieurs viandes : bœuf, mouton, pigeons, jambon, lard, oignons, ail, aromates, tomates, mouillé au vin et au bouillon et cuit à l'étouffée (Corse).

SUISSE
Rhône-Alpes. Effigie en pâte à brioche ou en pâte sucrée (Valence).

TARTOUILLAT
Bourgogne. Crêpes épaisses sucrées aux cerises, cuites au four.

TIAN
Méditerranée. Mot provençal désignant un large plat de terre allant au four : tian de morue (Carpentras), tian d'aubergines (Provence).

TOURIFAS
Centre. Tranches fines de pain rôties, garnies d'un hachis de jambon, lard, champignons, persil, ciboule, farine, puis panées et frites (Auvergne).

TOURIN
Aquitaine. Soupe à l'oignon, liée aux jaunes d'œufs et versée sur du pain (Bordeaux).

TOURON
Aquitaine. Pâte d'amande parfumée, garnie de fruits confits, pistaches ou avelines. Spécialité d'origine espagnole (pays Basque).

TOURTON
Centre. Galette de blé noir (Tulle).

TRENEL
Aquitaine. Sorte de tripou (v. ci-après), cuisiné à partir de l'estomac de mouton, cuit avec du vin blanc et des tomates (aussi en Auvergne).

TRESCAT, GALUTRES
Midi-Pyrénées. Tripes liées aux jaunes d'œufs. Les trescats sont vendus tressés, d'où leur nom.

TRIPOU
Auvergne-Aquitaine. Petit coussin ou petit boudin d'estomac de mouton, farci de chair et de pied de mouton ou d'un hachis de produits variés selon les localités (Cantal, Aveyron).

TRIPOTCHA

Aquitaine. Boudin fait avec des abats de veau (Pays Basque).

TRUCHA

Méditerranée. Omelette plate aux épinards et bettes (Nice).

TRUFFIAT

Centre. Pâté de pommes de terre cuit au four et crémé (Limousin, Berry).

VACHERIN

Rhône-Alpes-Est. Fromage de lait de vache à pâte si molle qu'on doit la ceinturer d'écorce (Savoie, Jura; vacherin Mont-d'Or sur le versant suisse et aussi vacherin fribourgeois). Ne pas confondre avec le dessert meringué et glacé qui porte le même nom.

VÉRITÉ

Centre. Appellation, à caractère humoristique, d'une sorte de caramel mou au café et au chocolat, fabriqué à Lapalisse.

VIOLETTE

Midi. Violette candie, fabriquée à Toulouse, dont cette fleur est l'emblème.

WATERZOI

Nord. Grosse soupe de poissons d'eau douce. Se dit également pour un ragoût de poulet (Flandres).

ZIMINU

Méditerranée. Bouillabaisse corse.

Nord

ARTOIS

BOULONNAIS

FLANDRE

PICARDIE

Tout ce pays-là n'est pas français depuis très long-temps. La Picardie est restée zone frontière jusque sous Louis XIV. Il a même fallu que le roi épousât une prin-cesse espagnole pour que l'Artois, pourtant réuni à la couronne de France par Philippe Auguste dès 1180, devînt français en 1659 ; il fallut encore bien des batail-les pour qu'en 1668 la Flandre le devînt à son tour.

Mais le « Nord » n'avait pas attendu l'heure française pour se couvrir de beffrois et vivre un destin laborieux, actif... joyeux. Les comtes de Flandre avaient fait en sorte que, dès le XIᵉ siècle, ils fussent vassaux à la fois de l'empereur d'Allemagne et du roi de France : surcroît d'obligations, mais aussi multiplication des libertés. Un peuple de paysans, de tisserands et de marins était assez expansif pour garder son originalité et son goût de l'indépendance sous des souverains aussi divers, fastueux ou tyranniques que les ducs de Bourgogne ou l'empereur germanique, qui était aussi roi d'Espagne.

Aucun obstacle naturel ne défend ce courageux pays contre les envahisseurs du nord, du sud, ou de l'est : ni vraie montagne ni vrai fleuve. On l'a bien vu encore en 1914-1918 et en 1939-1945. Mais cette fragilité est aussi une chance, quand sonnent les heures, Dieu merci, plus nombreuses, de la paix. Elle devient ouverture nécessaire aux autres ; elle oblige à se serrer les coudes, à s'unir pour la vie quotidienne, pour le travail, pour la fête, en familles en guildes, en syndicats, en associations de tireurs à l'arc, de colombophiles, de fumeurs de pipes, de buveurs de bière, ou de coureurs cyclistes. Elle oblige à vivre ensemble, à rire ensemble, à manger ensemble.

Autant dire que le Nord pratique une cuisine simple, loyale, « de bonne compagnie », de sympathique convi-viabilité. Jamais ces mots n'ont été de meilleur usage qu'ici. Compagnie : qui partage le même pain. Convive : qui vit avec... Mais à la pâte brisée ou feuilletée de la flamiche ajoutez les ressources qu'une mer prolifique et une terre généreuse ont toujours dispensées : poissons et fruits de mer venus aussi bien de la Manche que du plateau atlantique ou du nord arctique, bovins, moutons et porcs, et ces légumes rustiques, produits par le plat pays : pommes de terre génératrices de frites croustil-lantes, choux, poireaux, gibier des estuaires.

Curnonsky constatait que « la cuisine de la Flandre et de l'Artois établit la transition avec la cuisine belge, qui est sans doute la meilleure cuisine d'Europe après la cui-sine française ».

LES BONNES RECETTES DU NORD

COURQUI-
GNOISE *
BISCUIT
BRASSERIE
CONSERVERI

CALA

HARENG
MAQUEREAU
TURBOT
FLETAN
SAINT-PIERR
CABILLAUD
MOULE
BOULOGNE CONSERVER
FRITE

SOLE FARCI
(S)

LE TOUQUET ALGUES
CONFITES

ANGUILLE
BROCHET
ÉTAPLES BECASSE

BERCK MONTRE

CAUDREE
FEVE
MATELOT
DE CONG
LE CROTOY

BAIE DE SOMM
ABBEVILLE

COQUE
CARRELET
HARENG
SOLE
MOUTON

CREVETTE
GRISE
MULET
BECASSE
CANARD
OIE

ARTOIS FLANDRE

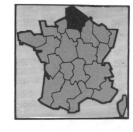

DUNKERQUE

HARENG FUME
BRIOCHE
AU RAISIN
TERRINE
DE VIANDE
GENIEVRE
GAUFRES (V)

BERGUES

BOURBOURG

FROMAGE

CHICOREE
COURGETTE

BEURRE

CASSEL

ANGUILLE
AU VERT (V)
CARBONADE
COQ
A LA BIERE
HOCHEPOT *
FRITE
WATERZOOI *
BOUDIN (V)

LILLE

DE CALAIS_62

RAMEQUIN (V)
CHOU
ENDIVE

ANDOUIL-
LETTE

NORD 59

SAINT-POL-SUR-TERNOISE

ARRAS

DOUAI

SDIN

ANDOUIL-
LETTE
GATEAU
A LA NOIX

ANDOUIL-
LETTE
HOCHEPOT *
SOUPE
A LA BIERE
ENDIVE
FLAMIQUE (V)
PAIN D'EPICES
LANGUE
FUMEE

VALENCIENNES

GOYERE (V)
LAPIN AUX
PRUNEAUX (S)
CHICOREE
LANGUE
FUMEE

CAMBRAI

PATE
DE CANARD (S)
PATE
DE POISSON
EPINARD
BISCUIT
MACARON

POIREAU
ANDOUIL-
LETTE
TRIPES
BETISE *

(S)

S O M M E 80

PICARDIE BOULONNAIS

ARTOIS

FLANDRE

PICARDIE

BOULONNAIS

Est

LES
VOSGES,
COMME
UN SOLEIL
DE SAVEURS
VARIÉES

ALSACE

LORRAINE

FRANCHE
COMTE

Ces provinces de l'Est ont connu des destins divers, mais tous très influencés par les longs tiraillements entre le monde français et le monde germanique. Cœur de l'Occident, l'Alsace fut jusqu'au XVIIIᵉ siècle liée à l'Allemagne, non pas à l'Allemagne unie de Bismarck, mais à la mosaïque allemande des centaines de souverainetés : évêchés, duchés, comtés, marquisats, villes libres. L'Alsace était d'abord rhénane. Réunie à la France en 1681, elle n'abandonna ni ses privilèges, ni ses coutumes, ni son dialecte. Devenue l'enjeu de la très triste et très sanglante rivalité franco-allemande, elle ne pouvait que devenir le carrefour national de la réconciliation européenne.

La Lorraine garda longtemps le souvenir confus de ce royaume de Lotharingie artificiellement créé à la mort de Charlemagne en 843, pour servir d'État tampon entre la France et la Germanie. Les ducs de Bourgogne, bénéficiant de la guerre de Cent Ans, voulurent ressusciter cet État (voir Bourgogne), mais les Suisses et les ducs de Lorraine leur barrèrent la route. Charles le Téméraire, devenu « grand-duc d'Occident », perdit la vie devant Nancy. Bien mal placée sur les chemins belliqueux de la rivalité franco-allemande, la Lorraine ne devint française qu'en 1766, par les unions, par la diplomatie, par héritage.

La Franche-Comté était au Moyen Age un fief germanique et « féminin » (qui se transmettait par les femmes). Cela lui valut de passer en 1477 dans le domaine hispano-autrichien des Habsbourgs. Il fallut attendre 1678 pour que deux guerres, et surtout le mariage espagnol de Louis XIV, rendissent française Besançon, « vieille ville espagnole » et citadelle imprenable.

La cuisine de l'est de la France n'a pas d'uniformité. Les Vosges en son milieu y sont comme un soleil de saveurs variées. Qui dit Lorraine dit mariage savant et simple de la crème, du beurre et du lard, mais aussi potées, quiches, pâtés de viande, tourtes et tartes, mirabelles et myrtilles. Qui dit Alsace dit riche panoplie de vins, foie gras, choucroute, pâtés de gibier, charcuteries, fromage de Munster, bières, kirsch, questches, innombrables pâtisseries : kugelhopf, knepfes, bretzels... Qui dit Franche-Comté dit gaude, riche plateau de fromages : fondue, cancoillotte, comté, matelotes; repas du cochon, etc... cinq couleurs de vin.

POISSONS
DUN

ESCARGOT
DRAGEE

MEUSE_55

MEURTHE
ET
MOSELLE
_54

THIONVILLE

POISSONS
BRASSERIE
PATES

VERDUN

MOSELLE_57

BAS_RHIN 67

COCHON
DE LAIT (S)
CHOU
ROUGE (S)
MATELOTE (S)
PIED
DE PORC (S)
QUICHE (V)
POTEE
PATISSERIE

SOUPE (S)
CHOUCROUTE

FOIE GRAS
PORCELET

QUETSCHE

BOULAY

METZ

SARREGUEMINES

MACARON (S)

CHARCUTERIE
QUICHE (V)
VINS

CHATEAU-SALINS

CHOUCROUTE
CHARCUTERIE
BRASSERIE

HAGUENAU

SAVERNE BRUMATH

ASPERGE

SAINT-MIHIEL

POTEE (V)
QUICHE (V)
BOUDIN
CHARCUTERIE
FUMEE
PATISSERIE
BERGAMOTE *
MIRABELLE (V)

COCHON
DE LAIT (S)
EAU DE VIE

MARMOUTIER

HOERDT

LE-
AR-
UC

TRUITE (V)

SARREBOURG

STRASBOURG

COMMERCY

MADELEINE (S)

NANCY

TOUL

OIGNON

WASSELONNE

FOIE GRAS
CHOUCROUTE
SAUCISSE
MATELOTE

BLAMONT

PORCELET

MOLSHEIM

POTEE
QUICHE
CONFITURE (S)

CHARCUTERIE
POTEE (V)
QUICHE (V)
EAU DE VIE

LUNÉVILLE

VINS

OBERNAI

ERSTEIN

LEGUMES

POISSONS

CHOUCROUTE
MYRTILLE
CONFISERIE

SAUCISSE
A L'ANIS (S)
POULET
A LA CREME

QUICHE (V)
POTEE (V)

PATE
LORRAIN
AURIQUETTE *
MIRABELLE (V)

SAINT-DIÉ

SÉLESTAT

VITTEL

RIBEAUVILLÉ

RIQUEWIHR

VINS

VOSGES_

88

ÉPINAL

COLMAR

QUICHE (V)
POISSONS

AMMERSCHWIHR

GLACE (S)

MUNSTER

CHARCUTERIE
CHOUCROUTE
KUGELHOPF (V)
BIERE
EAU DE VIE

ORRAINE

EAU DE VIE
LIQUEURS

REMIREMONT

WINTZENHEIM

NONNETTE *

SALAISONS
BRESI *

PLOMBIÈRES

FOUGEROLLES

THANN

GUEBWILLER

FROMAGE
TRUITE

LUXEUIL

SAUCISSON
VINS

MULHOUSE

HAUTE SAONE_70

LURE

BELFORT (T. DE)

VINS
FRUIT

POISSONS
PAUCHOUSE (V)
TIMBALE * (S)

VEAU (S)

CHOUCROUTE
BIERE

CHARCUTERIE
KUGELHOPF (V)
BIERE
EAU DE VIE

GRAY

MORTEAU

POISSONS

JESUS *

MARNAY

GAUDE *
MATELOTE
GIBIER

PONT-DE-ROIDE

HAUT_RHIN

POISSONS

68

TRUITE (S)
VOLAILLE
FAISAN AU
CAQUELON (V)

BOVINS
CHARCUTERIE
FUMEE
MATEFAIM

BESANÇON

ORNANS

QUENELLE
COQ AU VIN
MIEL
SEL

DOLE

POISSONS

MONTBÉLIARD

POISSONS
VINS

SALINS

DOUBS_25

FONDUE
COMTE *

JURA_39

ARBOIS

PONTARLIER

ALSACE

GAUDE *
LANGUE
DE BŒUF (V)
VOLAILLES
GRASSES
CHAMPIGNONS
GIBIER
FROMAGE

POLIGNY

CHAMPAGNOLE

CHARCUTERIE
POISSONS
FROMAGES

LONS-LE-SAULNIER

CLAIRVAUX

MOREZ

VACHERIN *

FRANCHE-
COMTE

POISSONS

SAINT-CLAUDE

FONDUE (S)
RAMEQUIN (V)

CHARCUTERIE
MORILLE (V)
FROMAGE

ALSACE

FRANCHE COMTÉ

LORRAINE

LES BONNES RECETTES DE L'EST

ALSACE
(Bas-Rhin, Haut-Rhin)

FRANCHE-COMTÉ
(Doubs, Jura, Haute-Saône)

LORRAINE
(Meurthe-et-Moselle, Meuse, Moselle)

Ile-de-France

DES
PRODUITS
ET DES
CUISINIERS
IMPOSÉS
AU MONDE
ENTIER

L'histoire de l'Ile-de-France se confond-elle avec celle de la France ? Oui et non. L'Ile-de-France est ce domaine que les rois capétiens choisirent d'habiter et de défendre parce qu'il leur paraissait admirablement centré sur la Seine : entre la Loire, la mer du Nord et le Rhin. Ses limites, qui incluaient Paris, ont souvent varié, prenant la Brie et Meaux à la Champagne, la Thiérache à la Picardie. Elle comptait en 1789, treize unités administratives (bailliage) : Chaumont-en-Vexin, Beauvais, Clermont, Senlis, Crépy-en-Valois, Villers-Cotterêts, Soissons, Laon, Melun, Nemours, Montfort-l'Amaury, Mantes, Meulan-Rieu.

A cet énoncé, on comprend que les Français d'Ile-de-France ont eu, à côté de l'« histoire de France », leur histoire à eux, régionale, locale, tout comme Paris a la sienne propre, même si, durant les grands moments, derrière cette histoire particulière affleurait la « grande histoire ». Faut-il rappeler Jeanne Hachette défendant Beauvais en 1472 ; Versailles, séjour de la monarchie absolue, les batailles de 1870, les batailles de la Marne, etc ?

Les Français d'Ile-de-France ont-ils eu pour autant une cuisine régionale ? Paris, depuis longtemps, nous l'a fait oublier. Déjà dans son Almanach des gourmands, le grand écrivain culinaire Grimod de La Reynière écrivait : « Paris est l'endroit de l'univers où l'on fait la meilleure chère, et le seul en état de fournir d'excellents cuisiniers à toutes les nations policées du monde. Quoique par elle-même, elle ne produise rien, car il n'y croît pas un grain de blé, il n'y naît pas un agneau, il ne s'y récolte pas un chou-fleur. C'est un centre où tout vient aboutir de tous les coins du globe, parce que c'est le lieu où l'on apprécie le mieux les qualités respectives de tout ce qui sert à la nourriture de l'homme ». Cet éloge de 1803 reste vrai. Il faut y ajouter ceci :

– Paris est la capitale gastronomique de la France, mais point de l'Ile-de-France ; alors qu'il y a incontestablement une cuisine lyonnaise, une cuisine marseillaise, il n'y a pas de « cuisine parisienne » régnant de façon originale sur sa « région »;

– La première, longue et ancienne royauté gastronomique de Paris tient à la variété et à la qualité sans cesse améliorée des produits de l'Ile-de-France, à l'habileté de ses jardiniers, de ses maraîchers, de ses éleveurs de moutons, de volailles, au savoir de ses fromagers, des gardes de ses étangs poissonneux ou forêts giboyeuses, tout autant qu'à la proximité des « marées » de Boulogne, ou

ILE DE FRANCE

des vins de Champagne. C'est Versailles et La Quintinie, avocat devenu le merveilleux jardinier du Grand Siècle, qui imposèrent les asperges, les petits pois, les fraises au goût royal, c'est-à-dire national, puis international. Faut-il évoquer aussi la crème « à la Chantilly »; le chasselas de Fontainebleau ; les apprêts « à la Montmorency » avec leurs cerises incandescentes ; les bries de Meaux, Coulommiers, Melun, les fontainebleaux...?

Partout dans les châteaux, les plus grands artisans de la casserole, de la broche et du pot, rivalisaient d'adresse et les fermiers qui les fournissaient, rivalisaient de qualité. C'est cela, la cuisine régionale d'Ile-de-France.

LES BONNES RECETTES D'ILE-DE-FRANCE

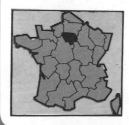

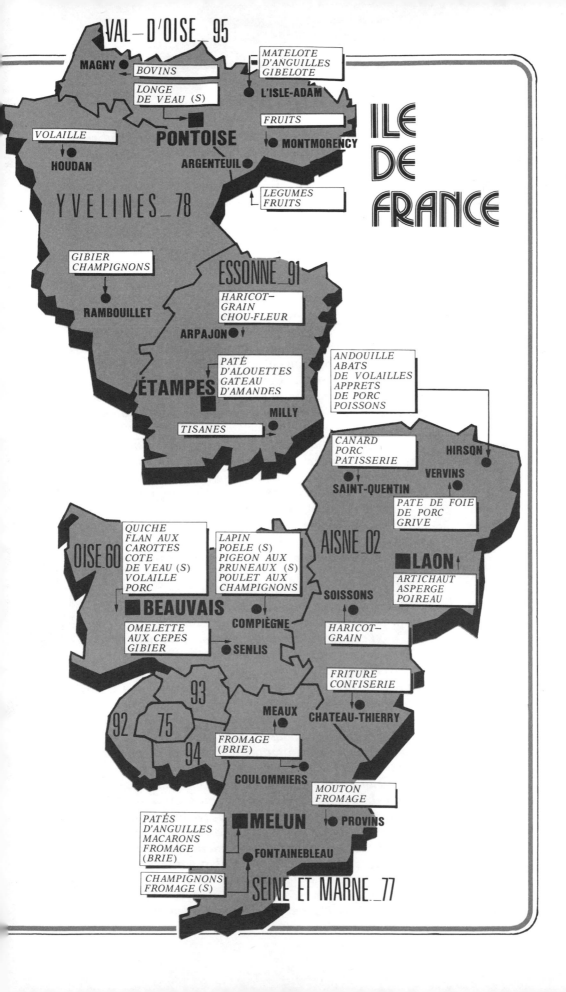

Champagne

En s'y faisant baptiser en 496, Clovis avait déjà attiré l'attention sur la Champagne. Elle fut l'un des grands et puissants fiefs de la France médiévale. Le comte Henri II devint même roi de Chypre et de Jérusalem. Ses successeurs régnèrent tout autant sur la Champagne – qui comprenait la Brie – que sur la Navarre. Les six grandes foires qu'organisaient les Champenois attiraient alors les marchands de toute l'Europe. Le mariage de la comtesse Jeanne Iʳᵉ avec le roi Philippe le Bel amorça la réunion de la province à la France, réalisée en 1361. On ne sait plus guère aujourd'hui que Troyes la drapière était sa capitale historique, depuis que Reims, déjà ville des sacres royaux, est devenue au XIXᵉ siècle, la capitale d'un certain vin moussant qui n'a pas d'égal. Si la Champagne, depuis qu'elle est française, n'a plus guère d'histoire, sinon celle des envahisseurs venant de l'est qui, à plusieurs reprises, l'ont traversée pour se ruer sur Paris, le vin de Champagne a, lui, une histoire pétillante.

Vers 1660, on savait déjà que le vin blanc issu de raisins noirs ou blancs peu fermentés ou très chargés en sucre garde une partie de son sucre et, si on le met en bouteille au moment des premières chaleurs printanières, fermente à nouveau en prenant de la mousse. Mais cette mousse était un accident, très passagèrement heureux puisque, si l'on ne buvait vite le vin, elle cassait les bouteilles et se perdait, laissant, au mieux, derrière elle, un liquide âpre et plat.

Restait à domestiquer cette sauvage, cette capricieuse. On peut légitimement en attribuer l'initiative aux moines de l'abbaye d'Hautvillers, gros propriétaires de vignobles, et surtout à leur cellérier dom Pérignon. Fort de l'expérience de ses prédécesseurs ou de ses confrères, celui-ci travailla de 1668 à 1715 à étudier la conservation du vin de Champagne, son séjour en cave froide, son sucrage, son bouchage et le mariage des cuvées, dans le propos unique de stabiliser, à la fin, sa mousse et sa liqueur. La champagnisation était inventée, non sans casse ; Voltaire n'avait plus qu'à versifier : « De ce vin frais l'écume pétillante/De nos Français est l'image brillante. » L'invention de dom Pérignon avait rendu les cuvées de l'abbaye d'Hautvillers célèbres, mais elles n'étaient qu'une « marque », une recette ne profitant qu'à l'abbaye productrice. Un chanoine de la cathédrale de Reims, le père Godinot, qui n'était pas tenu au même secret et n'avait pas de gros vignobles à gérer, retrouva un à un tous les procédés de dom Pérignon pour « gouverner les vins ». Il sut néanmoins si bien en faire profiter sa ville qu'elle put s'offrir... l'eau courante. Il ne

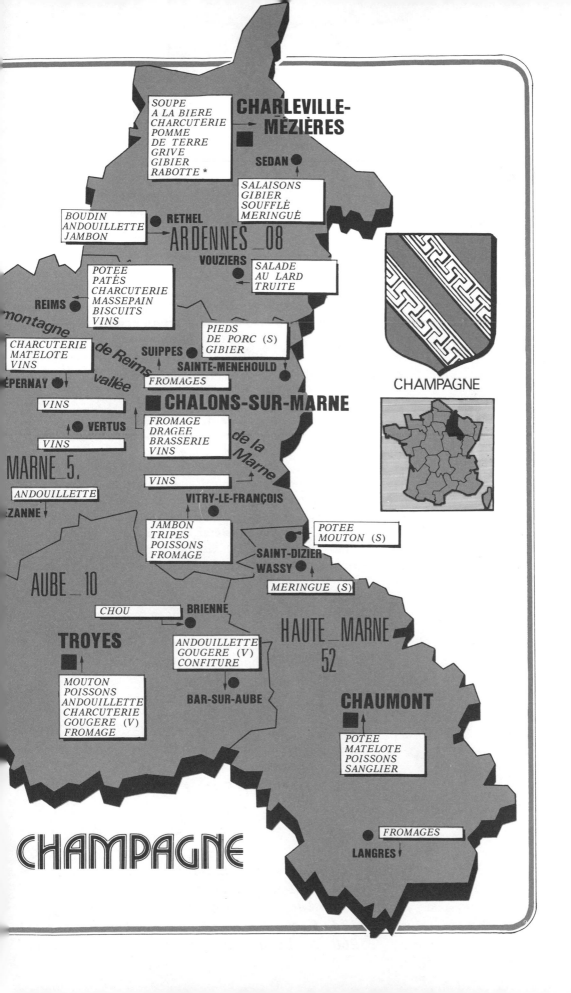

SOUPE
A LA BIERE
CHARCUTERIE
POMME
DE TERRE
GRIVE
GIBIER
RABOTTE *

CHARLEVILLE-MÉZIÈRES

SEDAN

SALAISONS
GIBIER
SOUFFLÈ
MERINGUÈ

BOUDIN
ANDOUILLETTE
JAMBON

RETHEL

ARDENNES _08

VOUZIERS

SALADE
AU LARD
TRUITE

POTEE
PATÈS
CHARCUTERIE
MASSEPAIN
BISCUITS
VINS

REIMS

montagne

de Reims

PIEDS
DE PORC (S)
GIBIER

CHARCUTERIE
MATELOTE
VINS

SUIPPES

SAINTE-MENEHOULD

ÉPERNAY

vallée

FROMAGES

VINS

CHALONS-SUR-MARNE

VERTUS

FROMAGE
DRAGEE
BRASSERIE
VINS

de la
Marne

VINS

MARNE _5.

VINS

ANDOUILLETTE

VITRY-LE-FRANÇOIS

ZANNE

JAMBON
TRIPES
POISSONS
FROMAGE

POTEE
MOUTON (S)

SAINT-DIZIER

WASSY

AUBE _10

MERINGUE (S)

CHOU

BRIENNE

HAUTE _MARNE
52

TROYES

ANDOUILLETTE
GOUGERE (V)
CONFITURE

MOUTON
POISSONS
ANDOUILLETTE
CHARCUTERIE
GOUGERE (V)
FROMAGE

BAR-SUR-AUBE

CHAUMONT

POTEE
MATELOTE
POISSONS
SANGLIER

CHAMPAGNE

FROMAGES

LANGRES

CHAMPAGNE

restait qu'à « laïciser » tout à fait la production et le commerce du vin de Champagne. Ce fut d'abord l'affaire d'un vigneron, voisin de l'abbaye d'Hautvillers, Claude Moët, né en 1683.

Le nom de Moët n'avait, certes, rien de champenois. Son aïeul était un Hollandais, au service de la France pendant la guerre de Cent Ans. A chaque coup dur, ce spécialiste des commandos hurlait : « Het Moët zoo zyn », que l'on pourrait traduire par : « Allez-y comme ça (doit être)! » Le surnom lui en était resté. Moët avait tout fait pour que Jeanne d'Arc pût entrer à Reims en 1429 faire sacrer Charles VII. Le roi, reconnaissant tardivement, attendit dix-sept ans pour l'anoblir. Les Moët ne s'intéressaient pas seulement à la bagarre ou au vin. Une Nicole Moët avait donné naissance en 1651 à Jean-Baptiste de La Salle, qui distribua son bien aux pauvres et fonda la congrégation des Frères des écoles chrétiennes.

Le génie de Claude Moët – et tout autant celui de Nicolas Ruinart, neveu d'un cellérier d'Hautvillers et fabricant, lui aussi, de « champagne » – fut de comprendre que leur produit n'était ni régional ni national, mais largement international. René Ruinart alla le présenter au tsar; Jean-Remy Moët parcourut l'Europe. D'autres fabricants, souvent immigrés, s'installèrent et firent de même. Le champagne était si connu et si réputé que les alliés russes et allemands de la coalition antinapoléonienne, qui envahirent la Champagne en 1814, pillèrent copieusement (plusieurs centaines de milliers de bouteilles) les caves de Reims ou d'Épernay. Jean-Remy Moët, maire d'Épernay, conclut en souriant : « Je me fais autant de commis voyageurs ». La veuve Barbe-Nicole Cliquot, tout autant spoliée, fut encore plus laconique. « Ils boivent, ils paieront », dit-elle.

Ils n'ont pas cessé de payer...

LES BONNES RECETTES DE CHAMPAGNE

Normandie

AU
PAYS
DE LA
CUISINE
AU BEURRE
ET DU
TROU
NORMAND

La Normandie comptait plusieurs villes importantes dès l'époque gallo-romaine. Elle était assez riche et séduisante pour que les Vikings, hommes du Nord, Nordmen – Normands, pirates et navigateurs, mais plus civilisés qu'on ne l'a dit, en fissent leur terrain de pillage favori. Ils s'y plurent tant qu'ils s'y installèrent durablement au IXe siècle. Leur chef Rollon obtint en 911 que le roi de France, Charles III le Simple, lui reconnût un duché et lui accordât la main de sa fille. Le duc de Normandie Guillaume réussit en 1066 à conquérir l'Angleterre. Sa dynastie régnait à Londres, tout en étant vassale du roi de France pour la Normandie. Situation féodale normale, mais tout autant ambiguë, confuse, plus confuse encore durant la guerre de Cent Ans. Les Normands, amis des libertés régionales, surent en profiter longtemps. En 1665, cependant, l'absolutisme monarchique finit par les absorber dans le grand ensemble français. Désormais, et jusqu'au 6 juin 1944, date du débarquement sur ses plages des forces alliées, la Normandie, pays heureux, fut sans histoire autre que locale.

Sauf en de rares heures, il est vrai, la Normandie n'est entrée ni tôt ni complètement dans la grande et difficile vie industrielle, même si elle a su faire fleurir le grand artisanat textile et céramique. Polyculture et production herbagère (élevage) sont sa richesse; ses nombreux ports petits et grands ont toujours favorisé la pêche, et, également, l'aventure maritime, avant le tourisme. Les terroirs y sont variés : Cotentin, Bocage, Avranches, pays d'Auge, Coutançais, pays Caennais, pays d'Ouche, Bessin, pays de Caux ont chacun leur individualité, l'Alençonnais (Perche) aussi.

Si la cuisine à la crème et la qualité du beurre sont, plus encore que le cidre ou le calvados, leurs grands dénominateurs communs, ces « pays » ont gardé leurs gastronomies particulières, d'autant que chacun a été, de longue date, capable de se suffire à soi-même. N'y a-t-il pas en Normandie trente-deux fromages, dont un grand nombre de très grande réputation? ici la soupe à la graisse de Saint-Lô, ailleurs la matelote ou la sole, ailleurs encore, le poulet « vallée d'Auge »? Le « trou normand », interrompant par le milieu les longs repas, scelle mieux, il est vrai, l'unité de la province que n'a jamais pu le faire aucun décret de Colbert. Même si l'on a quelque difficulté à discerner ses trois temps : rincette, rincinette, rincelurette...

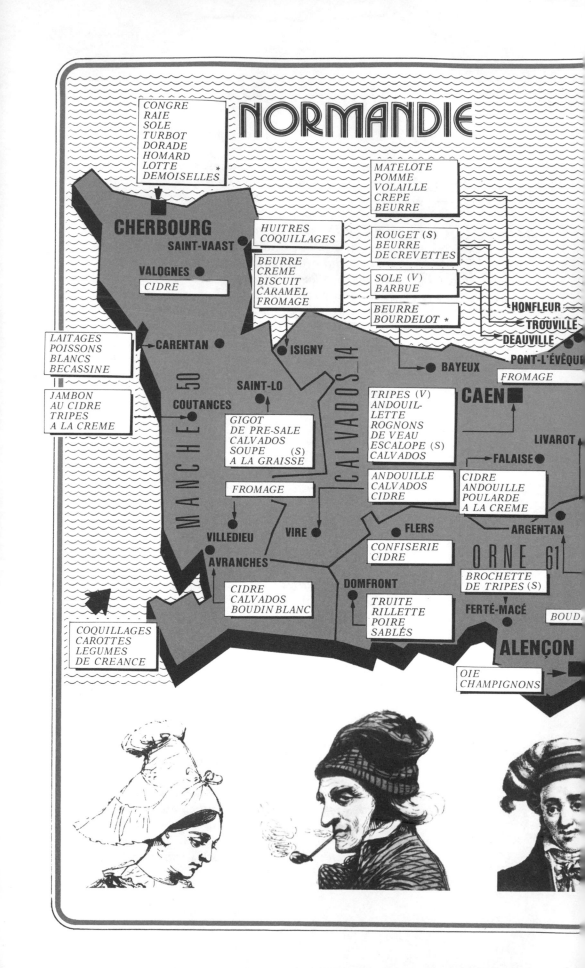

NORMANDIE

CONGRE
RAIE
SOLE
TURBOT
DORADE
HOMARD
LOTTE
DEMOISELLES *

MATELOTE
POMME
VOLAILLE
CREPE
BEURRE

CHERBOURG

SAINT-VAAST

HUITRES
COQUILLAGES

ROUGET (S)
BEURRE
DE CREVETTES

VALOGNES ●

CIDRE

BEURRE
CREME
BISCUIT
CARAMEL
FROMAGE

SOLE (V)
BARBUE

BEURRE
BOURDELOT *

HONFLEUR
TROUVILLE
DEAUVILLE
PONT-L'ÉVÊQUE

LAITAGES
POISSONS
BLANCS
BECASSINE

← **CARENTAN** ●

● **ISIGNY**

→ **BAYEUX**

FROMAGE

CAEN ■

JAMBON
AU CIDRE
TRIPES
A LA CREME

COUTANCES ●

SAINT-LO ●

GIGOT
DE PRE-SALE
CALVADOS
SOUPE   (S)
A LA GRAISSE

TRIPES (V)
ANDOUIL-
LETTE
ROGNONS
DE VEAU
ESCALOPE (S)
CALVADOS

LIVAROT

→ **FALAISE** ●

CIDRE
ANDOUILLE
POULARDE
A LA CREME

M
A
N
C
H
E
_
5
0

C
A
L
V
A
D
O
S
_
1
4

FROMAGE

ANDOUILLE
CALVADOS
CIDRE

VILLEDIEU ●

VIRE ●

● **FLERS**

ARGENTAN

AVRANCHES ●

CONFISERIE
CIDRE

O R N E   61

CIDRE
CALVADOS
BOUDIN BLANC

DOMFRONT

BROCHETTE
DE TRIPES (S)

TRUITE
RILLETTE
POIRE
SABLÉS

FERTÉ-MACÉ ▼

BOUD.

COQUILLAGES
CAROTTES
LEGUMES
DE CREANCE

ALENÇON

OIE
CHAMPIGNONS →

MAQUEREAU
SOLE
CABILLAUD
HARENG
COQUILLE
SAINT-
JACQUES
MARMITE *
MURISSERIE
DE BANANES

DIEPPE

SEINE-MARITINE _76

FÉCAMP

CABILLAUD
HARENG
CHOU
LIQUEURS

BEURRE
CHARCUTERIE
CANARDS
POIREAU
POMMES
POIRES
DOUILLON (V)
BOURDELOT *
CIDRE

AUMALE

LAITAGES

NEUFCHATEL-EN-BRAY

FROMAGE
VEAUX DE LAIT
BRIOCHE
CIDRE

MOULES
CRUSTACES

E HAVRE

ROUEN

GOURNAY

BEURRE
FROMAGE

PONT-AUDEMER

CHARCUTERIE
CIDRE
CALVADOS

seine

E U R E _27

GISORS

PATE
DE LAPIN
DE GARENNE(S)
TRUITE (S)
GALETTE (S)
LAITAGES

LOUVIERS

IEUX

BOVINS PORCS

LES ANDELYS

BERNAY

LAITAGES
POULET
« VALLEE
D'AUGE » (V)

BEURRE
POULARDE

FROMAGE

EVREUX

EMBERT

OMAGE

CHICOREE
CHOU
RIS DE VEAU(S)
FEUILLETE
D'ESCARGOTS(S)

OMELETTE
AUX NOIX (S)
POULET(S)
AUX NOUILLES
RILLETTES
DE LAPIN
DE GARENNE(S)

PIEDS DE PORC
GRILLES (S)
OMELETTE
TRUITE (S)

MORTAGNE

BELLÈME

BOUDIN BLANC
MACARON
MIEL

NORMANDIE

LES BONNES RECETTES
DE NORMANDIE

Bretagne

LES
MARÉES
COULEUR
D'ÉMERAUDE
FINISSENT
PAR
L'EMPORTER

Parmi les pays de France continentale, la Bretagne constitue un monde à part, le seul sans doute dont toutes les richesses séculaires ont survécu à l'usure provoquée par le temps, les hommes et le mondialisme du XXe siècle.

Six siècles avant notre ère, les Gaulois – ou Celtes – qui s'éparpillaient un peu partout en Europe, de la Galicie polonaise au pays de Galles, ou à la Galice espagnole, durent arrêter leur marche vers l'ouest dans le « promontoire » breton. Ils y remplacèrent un très ancien peuplement, probablement tombé en décadence, mais qui avait lui-même couvert l'Europe de menhirs, dolmens et mégalithes. Cette situation et cet isolement à l'extrême pointe de l'Europe, leur permirent de conserver, mieux que d'autres, les fruits nombreux de leur civilisation celtique à travers les forêts et les landes, et le long des côtes.

Un de leurs peuples, les Vénètes, parvint à aligner (vainement!) deux cent vingt gros voiliers contre la flotte de Jules César. La colonisation romaine s'imposa donc, tant bien que mal, là comme ailleurs et pendant plus de quatre siècles, jusqu'à ce qu'elle succombât dans tout l'Occident, morceau par morceau, sous les coups des peuples envahisseurs venus de l'est ou du nord. Ce grand déplacement de populations, qui ne se fit pas sans d'interminables difficultés sociales, économiques, politiques, militaires et religieuses, tourna providentiellement au bénéfice de la Bretagne. Au lieu d'être colonisée à nouveau par des « étrangers » venus d'Europe centrale ou des mers nordiques, elle fut submergée par les débarquements des Brittons, ces « cousins » celtes chassés de Grande-Bretagne par les envahisseurs anglais et saxons. Les Brittons avaient pu, eux, garder toutes leurs traditions celtiques, mais fortement christianisées. Elles se réincarnaient d'autant mieux en Bretagne que, là comme ailleurs, le vieux fond celto-gaulois n'avait jamais pu être annihilé par la civilisation romaine. Soumise par Charlemagne, mais victorieuse de Charles le Chauve, la Bretagne put, au cours du Moyen Age, se constituer en un puissant duché souverain. Vassal du roi de France, mais en théorie seulement, il connut sa période la plus éclatante au XVe siècle. Le mariage de sa duchesse Anne aux deux rois de France successifs, Charles VIII et Louis XII, le mariage de la fille d'Anne avec un autre roi, François Ier, et surtout la fin de l'Europe féodale, modifièrent le statut politique breton, ancien de sept siècles. En 1532, c'était l'union de la Bretagne et de la France. Depuis, bien des Bretons se sont levés pour assurer qu'union n'était pas annexion. Aussi le parlement de Rennes fut-il le premier en 1764 à entamer contre l'abso-

lutisme monarchique et centralisateur une lutte, dont le processus révolutionnaire ne s'acheva qu'en 1793. Mais le centralisme révolutionnaire et jacobin ne devait pas même satisfaire les Bretons... en 1832, la duchesse de Berry complotait encore à Nantes..., et c'est seulement à la fin du XIXe siècle que le renouveau breton put déboucher sur des réalités culturelles solides et enviables.

La table bretonne ne s'embarrasse pas de recettes sophistiquées; elle utilise des produits marins et rustiques de bon aloi. 2 500 km de façade maritime lui fournissent des réserves inépuisées de poissons, de crustacés et de mollusques, où les marées couleur d'émeraude l'emportent, malgré les vents, sur les marées noires.

Productrice de petits pois, choux-fleurs, artichauts, haricots verts destinés à l'exportation, la Bretagne préfère déguster ses galettes de blé noir (ou sarrasin) et ses crêpes de froment, arrosées de cidre ou, plus richement, de muscadet nantais; elle préfère ses pommes de terre, ses choux. Il est vrai qu'ici l'industrie et ses pollutions ne sont entrées qu'à pas comptés : on préfère toujours dire « confiserie » de sardines, plutôt que conserverie.

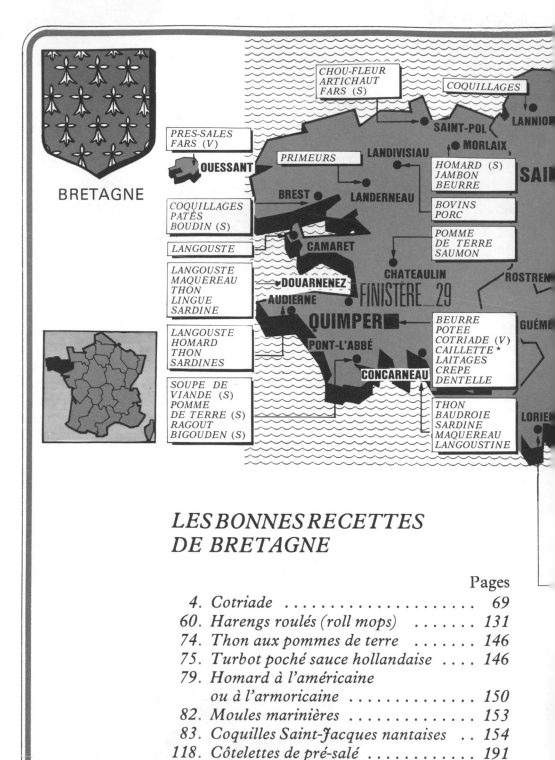

BRETAGNE

CHOU-FLEUR
ARTICHAUT
FARS (S)

COQUILLAGES

SAINT-POL

LANNIO

MORLAIX

PRES-SALES
FARS (V)

LANDIVISIAU

PRIMEURS

OUESSANT

HOMARD (S)
JAMBON
BEURRE

SAI

BREST

LANDERNEAU

COQUILLAGES
PATÉS
BOUDIN (S)

BOVINS
PORC

LANGOUSTE

CAMARET

POMME
DE TERRE
SAUMON

LANGOUSTE
MAQUEREAU
THON
LINGUE
SARDINE

DOUARNENEZ

CHATEAULIN

ROSTREN

AUDIERNE

FINISTÈRE 29

QUIMPER

LANGOUSTE
HOMARD
THON
SARDINES

PONT-L'ABBÉ

BEURRE
POTEE
COTRIADE (V)
CAILLETTE *
LAITAGES
CREPE
DENTELLE

GUÉM

SOUPE DE
VIANDE (S)
POMME
DE TERRE (S)
RAGOUT
BIGOUDEN (S)

CONCARNEAU

THON
BAUDROIE
SARDINE
MAQUEREAU
LANGOUSTINE

LORIEN

LES BONNES RECETTES DE BRETAGNE

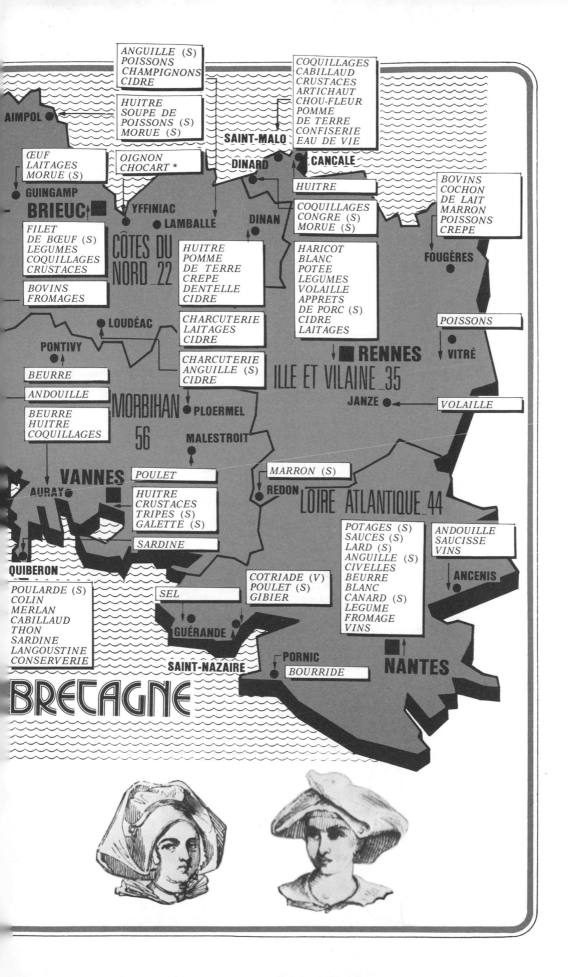

ANGUILLE (S)
POISSONS
CHAMPIGNONS
CIDRE

COQUILLAGES
CABILLAUD
CRUSTACES
ARTICHAUT
CHOU-FLEUR
POMME
DE TERRE
CONFISERIE
EAU DE VIE

HUITRE
SOUPE DE
POISSONS (S)
MORUE (S)

AIMPOL

SAINT-MALO

ŒUF
LAITAGES
MORUE (S)

OIGNON
CHOCART *

DINARD   **CANCALE**

HUITRE

BOVINS
COCHON
DE LAIT
MARRON
POISSONS
CREPE

GUINGAMP

BRIEUC   **YFFINIAC**

COQUILLAGES
CONGRE (S)
MORUE (S)

LAMBALLE   **DINAN**

FILET
DE BŒUF (S)
LEGUMES
COQUILLAGES
CRUSTACES

HUITRE
POMME
DE TERRE
CREPE
DENTELLE
CIDRE

HARICOT
BLANC
POTEE
LEGUMES
VOLAILLE
APPRETS
DE PORC (S)
CIDRE
LAITAGES

FOUGÈRES

CÔTES DU
NORD 22

BOVINS
FROMAGES

LOUDÉAC

CHARCUTERIE
LAITAGES
CIDRE

POISSONS

PONTIVY

RENNES   **VITRÉ**

BEURRE

CHARCUTERIE
ANGUILLE (S)
CIDRE

ILLE ET VILAINE 35

ANDOUILLE

JANZE   VOLAILLE

BEURRE
HUITRE
COQUILLAGES

MORBIHAN
56

PLOERMEL

MALESTROIT

VANNES

POULET

MARRON (S)

AURAY

REDON   LOIRE ATLANTIQUE 44

HUITRE
CRUSTACES
TRIPES (S)
GALETTE (S)

POTAGES (S)
SAUCES (S)
LARD (S)
ANGUILLE (S)
CIVELLES
BEURRE
BLANC
CANARD (S)
LEGUME
FROMAGE
VINS

ANDOUILLE
SAUCISSE
VINS

SARDINE

QUIBERON

ANCENIS

POULARDE (S)
COLIN
MERLAN
CABILLAUD
THON
SARDINE
LANGOUSTINE
CONSERVERIE

SEL

COTRIADE (V)
POULET (S)
GIBIER

GUÉRANDE

PORNIC

NANTES

SAINT-NAZAIRE   BOURRIDE

BRETAGNE

Ouest-Atlantique

FILLES
DE
LA TERRE
ET
DE L'EAU

Faisons le compte des envahisseurs ou colonisateurs divers. Le Poitou (aujourd'hui Deux-Sèvres, Vienne, Vendée) fut romain, wisigoth jusqu'à la bataille de Vouillé (Vienne) en 507 ; il eût été « arabe » sans la bataille dite de Poitiers, qui se déroula à Maupertuis en 732 ; il fut français, anglais, français, puis de nouveau anglais, avant que Du Guesclin n'en assurât la reconquête en 1369/1372, ce qui conduisit à le rattacher à la couronne de France en 1422. L'Angoumois (qui comprenait jadis le département de la Charente et une partie de la Dordogne) n'eut pas une histoire plus sereine. Si Charles V l'annexa en 1373 et si le roi François Ier eut pour lui une sympathie affirmée, il souffrit affreusement des guerres de Religion. Ne connurent un meilleur sort, ni la Saintonge, partie méridionale de notre Charente-Maritime, ni l'Aunis, révolté contre les Anglais en 1371, contre l'autorité de Louis XIII et Richelieu de 1622 à 1628, et dont la capitale, La Rochelle, résista durant un siège de quatorze mois !

L'histoire a voulu que cette région, entre Loire et Gironde, dont la géographie est paisible, fût une terre de longs affrontements entre le Nord et le Midi, entre Anglais et Français, entre catholiques et protestants, entre paysans et pouvoir absolu, entre monarchistes et révolutionnaires. Terre des déchirements et lieu de contrastes, elle tient, par chaque bout, à de grandes civilisations régionales très dynamiques, la bretonne d'un côté, l'aquitaine de l'autre, tandis que la mer, où ses navigateurs excellèrent, offre un très puissant climat de diversion à ce que le pays poitevin a de profondément paysan. Pour bien montrer que le mariage de l'eau et de la terre est possible, de surprenantes étendues « mixtes » : le Marais vendéen, dit aussi breton, où volent et nagent au printemps 450 000 canards, et le Marais poitevin, non moins riche d'anguilles ; des îles aimables : Noirmoutier, Ré, Oléron, également mais différemment filles de la terre et de l'eau.

La nature et l'opiniâtreté des hommes ont vengé tous les malheurs du passé. On raconte que Mgr Coussot, évêque d'Angoulême, se trouvait un jour à Rome à une réunion d'évêques étrangers, et qu'il lui fut demandé quel diocèse il administrait. Croyant se faire mieux comprendre, il ne donna pas le nom de son lieu d'habitation, comme c'est l'habitude ecclésiastique, mais celui du département : la Charente. Devant l'ignorance générale, il ajouta : « J'ai Cognac dans mon diocèse ». Ses interlocuteurs de s'écrier : « Cognac, Cognac! oh! le superbe évêché. »

LES BONNES RECETTES
DE L'OUEST-ATLANTIQUE

ANGOUMOIS

ANGOUMOIS
(Charente)

AUNIS
(Nord de la Charente-Maritime)

AUNIS

POITOU
(Deux-Sèvres, Vendée, Vienne)

POITOU

SAINTONGE

SAINTONGE
(Sud de la Charente-Maritime)

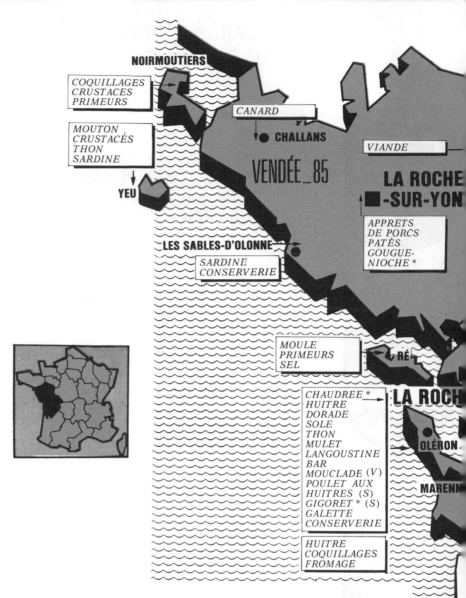

NOIRMOUTIERS

COQUILLAGES
CRUSTACES
PRIMEURS

CANARD

● CHALLANS

MOUTON
CRUSTACÉS
THON
SARDINE

VIANDE

VENDÉE_85

**LA ROCHE
■ -SUR-YON**

YEU

APPRETS
DE PORCS
PATÉS
GOUGUE-
NIOCHE *

● LES SABLES-D'OLONNE

SARDINE
CONSERVERIE

MOULE
PRIMEURS
SEL

RÉ

CHAUDREE *
HUITRE
DORADE
SOLE
THON
MULET
LANGOUSTINE
BAR
MOUCLADE (V)
POULET AUX
HUITRES (S)
GIGORET * (S)
GALETTE
CONSERVERIE

LA ROCH

OLÉRON

MARENN

HUITRE
COQUILLAGES
FROMAGE

POITOU

AUNIS

SAINTONGE

POICOU AUNIS

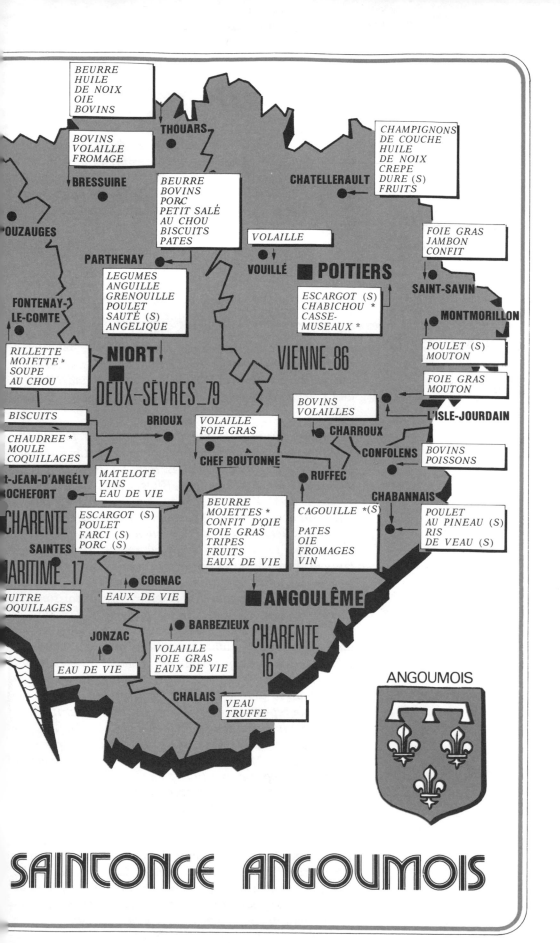

BEURRE
HUILE
DE NOIX
OIE
BOVINS

THOUARS

CHAMPIGNONS
DE COUCHE
HUILE
DE NOIX
CREPE
DURE (S)
FRUITS

BOVINS
VOLAILLE
FROMAGE

BRESSUIRE

CHATELLERAULT

BEURRE
BOVINS
PORC
PETIT SALÉ
AU CHOU
BISCUITS
PATES

OUZAUGES

VOLAILLE

FOIE GRAS
JAMBON
CONFIT

PARTHENAY

VOUILLÉ

POITIERS

SAINT-SAVIN

LEGUMES
ANGUILLE
GRENOUILLE
POULET
SAUTÉ (S)
ANGELIQUE

ESCARGOT (S)
CHABICHOU *
CASSE-
MUSEAUX *

MONTMORILLON

FONTENAY-
LE-COMTE

POULET (S)
MOUTON

RILLETTE
MOJETTE "
SOUPE
AU CHOU

NIORT

DEUX-SÈVRES_79

VIENNE_86

FOIE GRAS
MOUTON

L'ISLE-JOURDAIN

BISCUITS

BRIOUX

BOVINS
VOLAILLES

VOLAILLE
FOIE GRAS

CHARROUX

CONFOLENS

CHAUDREE *
MOULE
COQUILLAGES

CHEF BOUTONNE

BOVINS
POISSONS

-JEAN-D'ANGÉLY
OCHEFORT

MATELOTE
VINS
EAU DE VIE

RUFFEC

CHABANNAIS

CHARENTE

ESCARGOT (S)
POULET
FARCI (S)
PORC (S)

BEURRE
MOJETTES *
CONFIT D'QIE
FOIE GRAS
TRIPES
FRUITS
EAUX DE VIE

CAGOUILLE *(S)

PATES
OIE
FROMAGES
VIN

POULET
AU PINEAU (S)
RIS
DE VEAU (S)

SAINTES

ARITIME_17

COGNAC

HUITRE
OQUILLAGES

EAUX DE VIE

ANGOULÊME

JONZAC

BARBEZIEUX

CHARENTE
16

VOLAILLE
FOIE GRAS
EAUX DE VIE

EAU DE VIE

CHALAIS

VEAU
TRUFFE

ANGOUMOIS

SAINTONGE ANGOUMOIS

Pays de Loire

UN
BERCEAU
POUR
QUELQUES-
UNS
DES
MEILLEURS
PRODUITS
FRANÇAIS

On peut se demander pourquoi les Angevins, qui naissaient dans le « jardin » le plus savoureux qui fût, s'en allèrent conquérir le monde, quitte à le regretter comme le poète diplomate Joachim Du Bellay clamant tristement à Rome qu'il préfère son « Loire gaulois au Tibre latin ».

C'est un fait, les Angevins ont donné les Plantagenêts au trône d'Angleterre (ce qui les fit anglais, un moment !). Ils régnèrent sur Jérusalem, sur l'Italie méridionale et la Provence, sur l'Empire latin de Constantinople. C'est de l'Orléanais que les Robertiens partirent au Xe siècle, pour devenir les rois de Paris, puis les rois capétiens de toute la France. Il est vrai que, bien avant tous ces événements, un Pannonien (c'est-à-dire un « Hongrois ») nommé Martin était venu prendre la tête de l'évêché de Tours, où il acquit une réputation universelle.

Autant dire que le Val de Loire est un prodigieux tremplin, mais aussi un prodigieux creuset. Les superbes châteaux qu'y installèrent les rois, les princes, ou les dames de France (Chambord, Blois, Cheverny, Amboise, Chenonceaux, Valençay, Azay, Ussé, etc.), ont été les « laboratoires » où furent expérimentés, d'abord venus d'Italie, quelques-uns des meilleurs fruits français : « Messieurs les Melons », la prune reine-claude, la poire bon-chrétien. Mais des ressources indigènes ne devinrent pas moins illustres : pommes, croquantes à souhait; pâtés, nés des grandes forêts giboyeuses ; poissons de Loire : brochet, anguille, truite, saumon; et des vins, les vins fameux dont les noms chantent : vouvray, montlouis, bourgueil, chinon, saumur, coteaux - du - layon. Il y eut toujours quelque poète ou quelque voyageur pour en porter la renommée aux quatre coins d'Europe. C'est que « tout se tient » lorsqu'il s'agit de faire une solide et durable réputation à une spécialité régionale. Il y faut plus que l'imagination d'un « chef de produit » et dix séquences de publicité télévisée. Un seul exemple ? La piété de Saint-Martin fit inscrire Tours sur l'itinéraire médiéval du grand sanctuaire de Compostelle; les pèlerins de Compostelle arborèrent une coquille Saint-Jacques comme signe de reconnaissance ; l'église Saint-Jacques d'Illiers (Eure-et-Loir) devint une étape vers Tours; les pâtissiers d'Illiers, comme bien d'autres, fabriquèrent des biscuits en forme de coquille... immortalisés par Marcel Proust, lorsqu'il évoque dans A la recherche du temps perdu ses souvenirs de Combray (Illiers) : « ... Un de ces gâteaux courts et dodus, appelés petites madeleines, qui semblent avoir été moulés dans la valve rainurée d'une coquille de Saint-Jacques. »

LES BONNES RECETTES DU PAYS DE LOIRE

ANJOU

MAINE

ORLÉANAIS

TOURAINE

MAINE ANJOU

GALANTINE
DE VOLAILLES
PORC
VEAU

MAYENNE

MAMERS

RILLETTE
VOLAILLE

FROMAGE
LAITAGE

PORC
PORCELET
BOVINS
POISSONS

MAYENNE 53

SARTHE 72

ÉVRON

FRICASSEES
DE POULET
CHAPON
RILLETTE
BOUDIN
BLANC
OIE
BOVINS
POMME
CIDRE

LAVAL

POULET

RILLETTE
POISSONS
GATEAU
AUX AMANDES

COSSE

OIE

LOUÉ

LE
MANS

OIE
PORC
BISCUIT
ANISÉ

CRAON

SABLÉ

QUENELLE
CHAPONS
SABLÉ

ANDOUILLET
TRUITE (S)

CHATEAU-GONTIER

LA FLÈCHE

RILLETTE
CIDRE

ŒUFS EN
MEURETTE (S)
POULARDE
CHARCUTERIE
FOUACE *

LA CHA

SÉGRÉ

MAINE ET LOIRE 49

BAUGÉ

INDR
LOIRE

ANGERS

ROGNONS (V)
VOLAILLE
PATÉ
DE PRUNES
VINS

TOURS

BOUILLETURE
(V)
POISSONS
GOGUE *
PATÉ
DE PRUNES
TARTE AUX
POIRES (V)
FRUITS
VINS
LIQUEURS

MONTSOREAU

BOURGUEIL

LANGEAIS

CUL DE VEAU
(V)

SAUMUR

CHINON

SAINTE-MA

VINS

RICHELIE

CHOLET

RILLETTE
POISSONS
CHAMPIGNONS
ASPERGE
CAILLEBOTE
FRAISE
VINS

POULET
POELÉ (S)
BOVINS
FRAISE
CONSERVERIE

MAINE

ANJOU

BROCHET (V)
POISSONS
LEGUMES
FOUACE *
VINS

RILLETTE
ANDOUILLE
CHAMPIGN
DE COUCH

VOLAILLE
VEAU

FROMAGE

TOURAINE ORLEANAIS

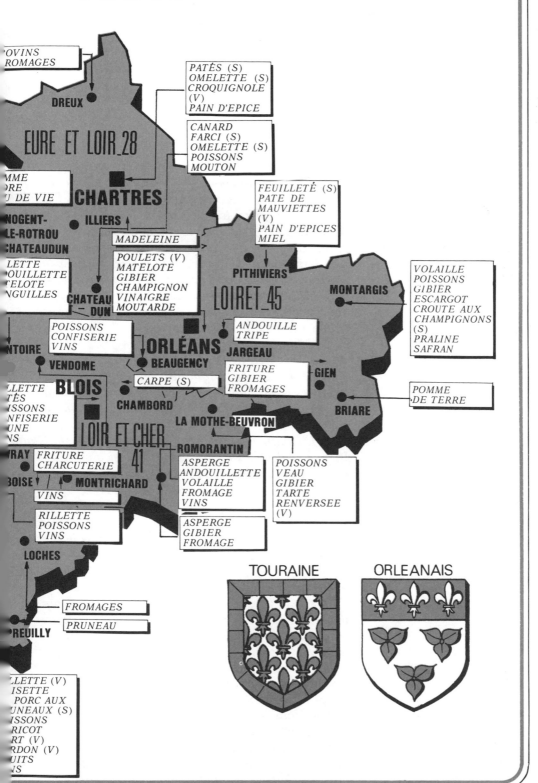

OVINS
ROMAGES

PATÉS (S)
OMELETTE (S)
CROQUIGNOLE
(V)
PAIN D'EPICE

DREUX

CANARD
FARCI (S)
OMELETTE (S)
POISSONS
MOUTON

EURE ET LOIR_28

MME
ORE
U DE VIE

FEUILLETÉ (S)
PATE DE
MAUVIETTES
(V)
PAIN D'EPICES
MIEL

CHARTRES

ILLIERS

NOGENT-
LE-ROTROU
CHATEAUDUN

MADELEINE

VOLAILLE
POISSONS
GIBIER
ESCARGOT
CROUTE AUX
CHAMPIGNONS
(S)
PRALINE
SAFRAN

LETTE
OUILLETTE
TELOTE
NGUILLES

POULETS (V)
MATELOTE
GIBIER
CHAMPIGNON
VINAIGRE
MOUTARDE

PITHIVIERS

LOIRET_45

MONTARGIS

CHATEAU
— DUN

POISSONS
CONFISERIE
VINS

ANDOUILLE
TRIPE

NTOIRE

ORLÉANS

JARGEAU

VENDOME

BEAUGENCY

FRITURE
GIBIER
FROMAGES

GIEN

CARPE (S)

BLOIS

LLETTE
TÉS
ISSONS
NFISERIE
UNE
NS

CHAMBORD

POMME
DE TERRE

BRIARE

LA MOTHE-BEUVRON

LOIR ET CHER
41

ROMORANTIN

VRAY

FRITURE
CHARCUTERIE

ASPERGE
ANDOUILLETTE
VOLAILLE
FROMAGE
VINS

POISSONS
VEAU
GIBIER
TARTE
RENVERSEE
(V)

BOISE

MONTRICHARD

VINS

RILLETTE
POISSONS
VINS

ASPERGE
GIBIER
FROMAGE

LOCHES

FROMAGES

PRUNEAU

REUILLY

TOURAINE

ORLEANAIS

LLETTE (V)
ISETTE
PORC AUX
UNEAUX (S)
ISSONS
RICOT
RT (V)
RDON (V)
UITS
NS

Centre

TIRER,
DES
PRODUITS
RUSTIQUES,
LEUR
PLUS GRANDE
SAVEUR

L'Auvergne (Cantal, Puy-de-Dôme, Brioude), peut-être parce qu'elle est située au cœur de l'hexagone, a été beaucoup disputée entre ses puissants voisins. Se battant quelque soixante-dix années contre les Romains, donnant Vercingétorix à la résistance gauloise, les ancêtres arvernes ont montré qu'ils avaient l'opiniâtreté chevillée au corps. L'Auvergne dut attendre 979 pour devenir comté... vassal de l'Angleterre. Coupée, par la suite, en deux, elle n'entra dans le domaine du roi de France que sous Louis XIII et Louis XIV. Proche d'elle, le Bourbonnais (Allier et une partie du Cher, du Puy-de-Dôme et de la Creuse) fut le berceau d'une grande famille qui a régné à travers toute l'Europe. Son jeune souverain, Charles VIII, vainqueur à Marignan, avait été fait connétable à vingt-six ans par le roi François Ier. Est-il vrai qu'il méprisa les avances de Louise de Savoie, la reine mère ? Il est sûr, en tout cas, qu'il passa à l'ennemi et fut vainqueur de son roi à Pavie. Arguant de la trahison, le roi avait déjà annexé le Bourbonnais à la Couronne. Le Berry, grand pays gaulois, fut un comté mérovingien. Son prince le vendit un jour au roi de France pour financer la Croisade. La couronne de France l'attribua dès lors à divers membres de la famille royale ; elle se l'appropria définitivement en 1601. La Marche (Creuse et partie de la Haute-Vienne) fut un petit comté, d'abord vassal de l'Aquitaine et qui, au hasard des mariages ou héritages féodaux, changea souvent de maîtres jusqu'à ce que François Ier le rattachât au domaine royal.

Le Limousin (partie de la Corrèze et Sud de la Haute-Vienne) « descend » vers l'ouest. Ainsi appartint-il aux comtes d'Aquitaine et, du même coup, passa-t-il deux siècles sous la domination anglaise. Henri IV ne put le franciser qu'en 1607.

Ces pays du Centre n'ont pas le climat aimable de la Normandie ou de la Provence. Mais, comme le Berry, ils sont toutefois dotés de ressources naturelles riches et variées : fruits, moutons, volailles, gibier, poissons, fromages de chèvre, champignons, vins de Saumur. Comme l'Auvergne, ils ont su mettre en valeur la saveur gourmande de ce qu'ils produisent. Ils ont varié les recettes du chou, des pommes de terre, mis la tomme fraîche dans bien des apprêts, fait des hachis gras et maigres sans nombre, utilisé le porc de la tête aux pieds, tiré parti de tous les abats, multiplié les recettes des poissons d'eau douce. Quand ils ont disposé de moins de ressources comme dans le Limousin, ils ont imaginé maintes variations gourmandes sur la soupe aux choux, le salé, les châtaignes, les pâtisseries rustiques. La corporation des bouchers de Limoges a des traditions qui datent de... 930 et s'appuient sur le fabuleux cheptel du plateau de Mille vaches.

AUVERGNE

BERRY

BOURBONNAIS

LIMOUSIN

MARCHE

LES BONNES RECETTES DU CENTRE

AUVERGNE
(Cantal, Puy-de-Dôme)

BERRY
(Cher, Indre)

BOURBONNAIS
(Allier)

LIMOUSIN
(Corrèze, partie de la Haute-Vienne)

MARCHE
(Creuse, partie de la Haute-Vienne)

AUVERGNE BERRY MARCHE

AUBIG

POTEES
POULET EN
BARBOUILLE
GIBIER

VALENÇAY

VIERZON

C

AUVERGNE

EPIGRAMMES
(V)
FROMAGE

POULET EN
BARBOUILLE
(V)
CLAFOUTIS

LEVROUX

ISSOUD

AGNEAUX
POISSONS
TETE DE VEAU
POULET
AUX HERBES
CERISE
CLAFOUTIS

FROMAGE
MILLAS *

CHATEAUROU

PATES DE
CITROUILLES
(S)
COQ EN
BARBOUILLE
(V)
LICHOUNE-
RIES *

INDRE_36

LE BLANC

LA CHA

CHARCUTERIE
VOLAILLE
GIBIER

BERRY

HAUTE-VIENNE_87

LE DORET

CREUSE_23

BONNAT

POISSONS

CHARCUTERIE
CHATAIGNE

GUÉRET

TETE DE VEAU
FARCIDURE *
GARGOUILLAU
*

BELLAC

BREJAUDE *
CANETON (S)
LIEVRE EN
CABASSOL * (S)
CLAFOUTIS

BOURGANEUF

BOVINS
POISSONS

AUBUSS

ROCHECHOUART

LIMOGES

EYMOUTIERS

TOMATE
CEPE
CLAFOUTIS

MARCHE

PATÉS (S)
CANOLES *

VOLAILLE

PATÉS
CANARD
POISSONS
GIBIER
CEPE

TRUITE (S)
ASPERGE
CHATAIGNE
NOIX

CHALUS

US.

VEAU DE LAIT
SALAISONS

CHARCUTERIE
MADELEINE

SAINT-YRIEIX

UZERCHES

ÉGLETONS

NEUV

BOUDIN AUX
CHATAIGNES

VEAU DE LA
POISSONS

CORREZE_19

TULLE

MAUR

PORC
FARCIDURE *
TOURTON *
FLOGNARDE
(V)

BRIVE-LA-GAILLARDE

CHARCUTERIE
CONFIT
FOIE GRAS
CASSOULET
TRUFFE

BOURBONNAIS LIMOUSIN

BOVINS
POISSONS
PAIN D'EPICE

CROTTIN *
NOIX
VINS

SANCERRE

ROGNONS DE
MOUTON (S)
COQ AU VIN
ŒUFS AU VIN
HARICOTS-
GRAINS
PRIMEURS

OURGES

GATEAU
DE POMMES
DE TERRE
CIVET D'OIE
TOURTE
DE VIANDE
ANDOUILLETTE

CONFISERIE

SAINT-AMAND-MONTROND

PATE
DE POMMES
DE TERRE (S)
TOURTE
A LA VIANDE
FLOGNARDE
(V)

BOURBON-L'ARCHAMBAULT

MOULINS

CHARCUTERIE
VOLAILLE
FROMAGES

DINDE

MONTMARAULT

FROMAGE

ALLIER 03

LE DONJON

LAPALISSE

MONTLUÇON

CAROTTES (S)
MILLARD *
CONFISERIE

DINDE
VERITES *

VICHY

LE MAYET

ZANCES

SALAISONS
CONSERVERIE

RANDAN

VEAU
PORC

NOIX
DE VEAU (S)
COQ AU VIN (V)
TOURTE
DE VIANDE
POTEE
LENTILLE
CHATAIGNE
PATE
DE FRUITS

RIOM

**CLERMONT
-FERRAND**

THIERS

BOVINS
VOLAILLE

CHARCUTERIE
POMPE *
AUX POMMES

OMELETTE
BRAYAUDE (V)
GIGOT
BRAYAUDE (S)
ECHAUDE (V)

PUY-DE-
DOME 63

SAINT-NECTAIRE

MONT-DORE

COQ AU VIN

ISSOIRE

AMBERT

FROMAGE

ORT

BOVINS
POTEE

POISSONS
FOURME *
CHEVRETON *

POISSONS
FRAMBOISE

JAMBON
PETIT SALE
AUX CHOUX
FOURME *

PATRENQUE *
FOURME *

SALERS   MURAT

SAINT-FLOUR

GIGOT
BRAYAUDE (S)
RISSOLE *
FRICANDEAU *
TRUFFADE (S)
TRIPOUX (S)

FOURME *

TARTE (S)

CANTAL 15

VIC

AURILLAC

ALIGOT *
TRUFFADE
PATRENQUE *
FOURME *

CHAUDES-AIGUES

ALIGOT *
TRIPOUX *
POISSONS

BOURBONNAIS

LIMOUSIN

Bourgogne

MIEUX
QUE
SON DUC,
SON BŒUF
A CONQUIS
L'EUROPE

Le duché de Bourgogne (aujourd'hui Côte-d'Or, Saône-et-Loire, Yonne et Ain), créé en 877 et gouverné dès le XIᵉ siècle par des princes de la famille de France, eut, à partir de 1363, une histoire mouvementée et connut son siècle de gloire. Le trop bon roi de France, Jean II le Bon, le donna à son quatrième fils Philippe, bien nommé « le Hardi ». Celui-ci acquit, en se mariant, non seulement la riche Flandre et l'Artois, mais aussi la Franche-Comté. Profitant de tous les malheurs de la guerre de Cent Ans, Philippe, son fils Jean, bien nommé « sans Peur », et son petit-fils Philippe le Bon essayèrent de créer un royaume d'Occident qui, intercalé entre l'Empire allemand et la France, eût uni la mer du Nord au golfe de Gênes. Ils parvinrent à conquérir ou acheter jusqu'aux Pays-Bas, et il s'en fallut de peu qu'ils ne réussissent leur extraordinaire entreprise. Ils trouvèrent les Suisses en travers de leur chemin ; les Lorrains, aidés par Louis XI, achevèrent ce que ceux-ci avaient commencé.

Le dernier grand-duc d'Occident, Charles le Téméraire, mourut dans les glaces hivernales de Nancy en 1477. Il ne laissait qu'une fille. C'était assez pour que la Bourgogne devînt complètement française et pour que tous les pays bourguignons du Nord allassent, par mariage, à l'Empire hispano-autrichien... source d'un conflit qui allait durer presque deux cents ans, jusqu'au mariage de Louis XIV avec une princesse espagnole en 1659. Mais au Moyen Age, les grands-ducs d'Occident avaient su rassembler dans leurs États tout ce qu'il y avait alors d'artistes, de musiciens, de lettrés, voire de cuisiniers et de gastronomes; ils avaient donné le modèle de la décentralisation : le roi Louis XI dut instituer à Dijon un parlement qui joua un grand rôle jusqu'en 1789.

Des historiens sérieux assurent que l'on doit à Philippe le Bon le développement du pain d'épices, insinuent que Louis XI ne tenait tant à la Bourgogne qu'à cause de son goût personnel pour la moutarde, rappellent que Jean sans Peur se nommait déjà lui-même « duc des bons vins ». La simple gastronomie est forte ici de beaucoup plus que cela : elle compte des terroirs aussi variés, riches d'autant de saveurs originales que la Bresse, les Dombes, le Morvan (Nivernais). L'eau poissonneuse et le vin généreux se marient chez elle pour donner le meilleur; elle transforme le jambon, métamorphose le veau, virilise l'escargot, fait du bœuf bourguignon un instrument de conquête européen moins éphémère que l'étendard de Charles le Téméraire.

LES BONNES RECETTES DE LA BOURGOGNE ET DU NIVERNAIS

BOURGOGNE

BOURGOGNE
(Ain, Côte-d'Or, Saône-et-Loire, Yonne)

NIVERNAIS

NIVERNAIS
(Nièvre)

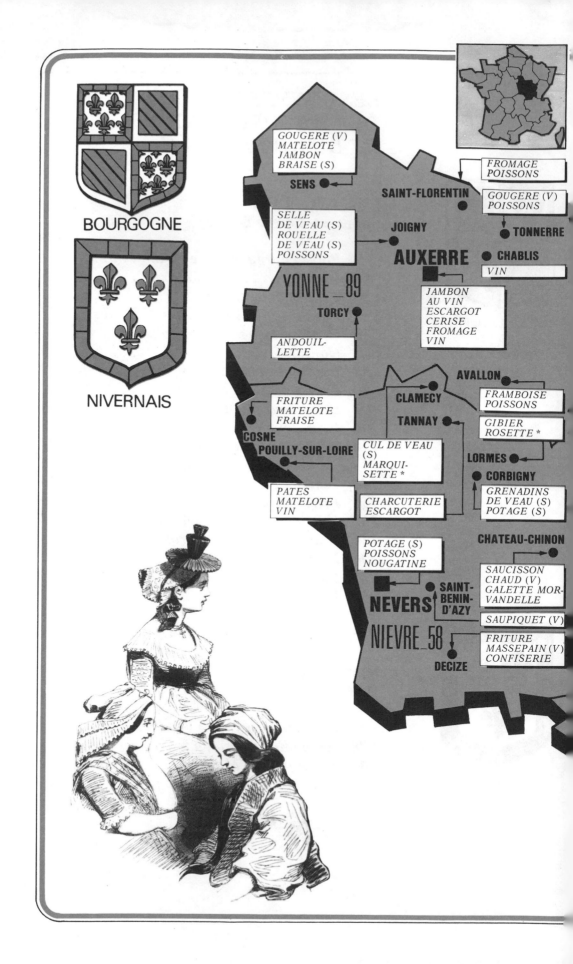

BOURGOGNE

NIVERNAIS

GOUGERE (V)
MATELOTE
JAMBON
BRAISE (S)

SENS

SAINT-FLORENTIN

FROMAGE
POISSONS

GOUGERE (V)
POISSONS

TONNERRE

JOIGNY

SELLE
DE VEAU (S)
ROUELLE
DE VEAU (S)
POISSONS

AUXERRE

CHABLIS

VIN

YONNE _ 89

JAMBON
AU VIN
ESCARGOT
CERISE
FROMAGE
VIN

TORCY

ANDOUIL-
LETTE

AVALLON

CLAMECY

FRAMBOISE
POISSONS

FRITURE
MATELOTE
FRAISE

TANNAY

GIBIER
ROSETTE *

COSNE
POUILLY-SUR-LOIRE

CUL DE VEAU
(S)
MARQUI-
SETTE *

LORMES

CORBIGNY

PATES
MATELOTE
VIN

CHARCUTERIE
ESCARGOT

GRENADINS
DE VEAU (S)
POTAGE (S)

CHATEAU-CHINON

POTAGE (S)
POISSONS
NOUGATINE

SAUCISSON
CHAUD (V)
GALETTE MOR-
VANDELLE

NEVERS

SAINT-
BENIN-
D'AZY

SAUPIQUET (V)

NIEVRE _ 58

FRITURE
MASSEPAIN (V)
CONFISERIE

DECIZE

BOURGOGNE NIVERNAIS

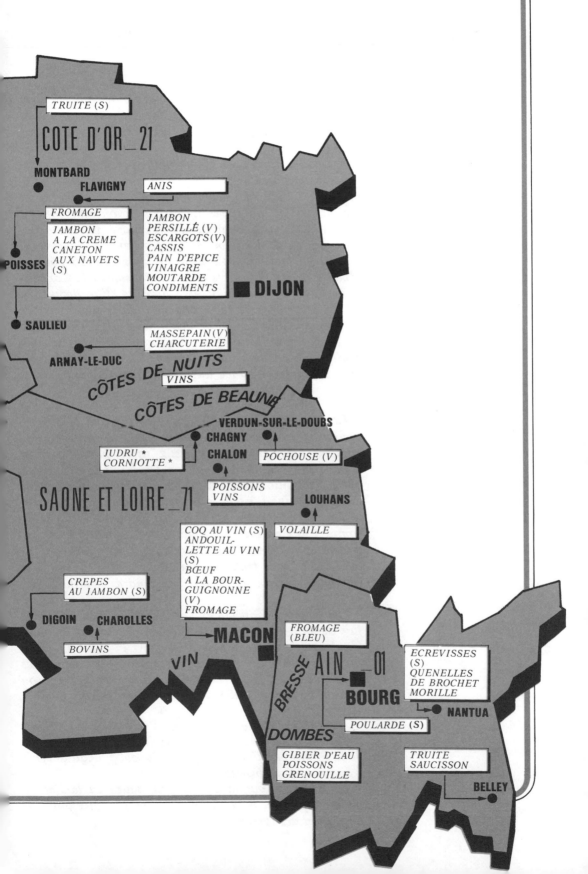

TRUITE (S)

COTE D'OR _ 21

MONTBARD

FLAVIGNY — ANIS

FROMAGE

JAMBON
A LA CREME
CANETON
AUX NAVETS
(S)

POISSES

JAMBON
PERSILLÉ (V)
ESCARGOTS (V)
CASSIS
PAIN D'EPICE
VINAIGRE
MOUTARDE
CONDIMENTS

■ DIJON

SAULIEU

MASSEPAIN (V)
CHARCUTERIE

ARNAY-LE-DUC

CÔTES DE NUITS

VINS

CÔTES DE BEAUNE

VERDUN-SUR-LE-DOUBS

CHAGNY

CHALON

POCHOUSE (V)

JUDRU *
CORNIOTTE *

SAONE ET LOIRE _ 71

POISSONS
VINS

LOUHANS

COQ AU VIN (S)
ANDOUIL-
LETTE AU VIN
(S)
BŒUF
A LA BOUR-
GUIGNONNE
(V)
FROMAGE

VOLAILLE

CREPES
AU JAMBON (S)

DIGOIN   CHAROLLES

BOVINS

MACON

FROMAGE
(BLEU)

ECREVISSES
(S)
QUENELLES
DE BROCHET
MORILLE

VIN

BRESSE

AIN _ 01

BOURG

NANTUA

DOMBES

POULARDE (S)

GIBIER D'EAU
POISSONS
GRENOUILLE

TRUITE
SAUCISSON

BELLEY

Rhône-Alpes

*DE LA
CAPITALE
DES GAULES
A LA
CAPITALE
DE LA
GASTRONOMIE*

Trois anciens pays composent cette grande région : le Lyonnais (Rhône), la Savoie (Haute-Savoie, Savoie), le Dauphiné (Isère, Hautes-Alpes, partie de la Drôme); ils ont eu des destins divers, que le relief alpin explique en partie.

Lyon, ville carrefour entre le Nord et le Midi, l'Est et l'Ouest, l'Italie, l'Helvétie et la France, a toujours bénéficié de cette position. Elle fut capitale gauloise, puis grande capitale gallo-romaine. Elle souffrit de la décadence de l'Empire romain, mais elle participa à la puissance française dès qu'elle eut été rattachée à la Couronne, en 1312. Un édit royal consacra la vocation européenne de ses foires annuelles. Lyon redevint, au XVIe siècle, grande capitale économique et intellectuelle. Les guerres de Religion et l'expansion de Genève lui firent tort, mais elle se crut assez forte en 1793 pour se révolter contre l'autarcie et le centralisme de la Convention. Vaincue, elle faillit être détruite. Elle devint au XIXe siècle une grande métropole industrielle, dans des conditions difficiles qui condamnaient ses artisans à la prolétarisation. Malgré ce handicap, elle sut devenir capitale gastronomique de la France, grâce à la dextérité de ses « mères », grâce aussi à la qualité des produits nombreux qui fleurissent à ses portes.

Les comtes de Vienne prirent, au XIe siècle, le titre de dauphins et leur domaine s'appela Dauphiné. Ils tenaient tellement à ce curieux titre, que le dernier d'entre eux, Humbert II, céda ses terres à la France en 1349, à condition que le fils et successeur du roi s'appelât aussi dauphin. L'usage s'en maintint jusqu'à la Révolution. Entre-temps, le roi Louis XI avait rattaché le comté à la Couronne. Le Dauphiné chaleureux et vif d'idées, se rallia vite aux idées de 1789, et s'ouvrit volontiers aux progrès techniques. Il demeure le pays des gratins de toutes sortes et des noix tendres sous la cosse.

Les Romains appelaient Sapaudia – d'où nous avons fait Savoie – le pays des sapins en dessous du Léman. Un des seigneurs régionaux, Humbert 1er Blanche-main, fonda en 1003 une dynastie puissante qui sut régner des deux côtés des Alpes et même jusqu'à Nice, avec ou contre la Suisse, l'Italie et la France, ses voisins.

En 1860 seulement, le roi de Piémont-Savoie admit qu'il valait mieux régner sur l'Italie unifiée avec l'aide de la France, et il convint que la Savoie pouvait devenir française par plébiscite.

La France y gagna une cuisine vouée au lait et au beurre alpestres, à la viande des alpages, aux poissons des lacs et des torrents.

LES BONNES RECETTES
DE LA RÉGION RHONE/ALPES

DAUPHINÉ

DAUPHINÉ
(Hautes-Alpes, partie de la Drôme, Isère)

LYONNAIS

LYONNAIS
(Loire, Rhône)

SAVOIE

SAVOIE
(Savoie, Haute-Savoie)

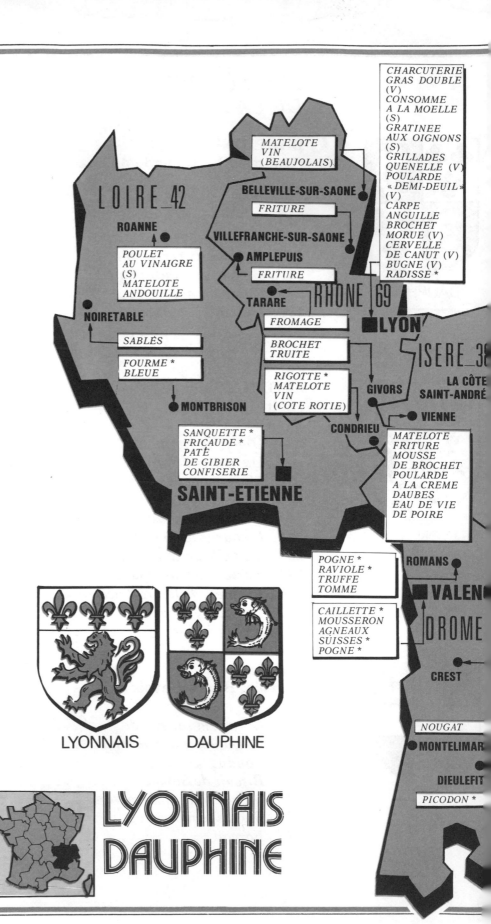

LOIRE_42

ROANNE

POULET
AU VINAIGRE
(S)
MATELOTE
ANDOUILLE

NOIRETABLE

SABLÈS

FOURME *
BLEUE

MONTBRISON

MATELOTE
VIN
(BEAUJOLAIS)

BELLEVILLE-SUR-SAONE

FRITURE

VILLEFRANCHE-SUR-SAONE

AMPLEPUIS

FRITURE

TARARE

RHONE_69

FROMAGE

BROCHET
TRUITE

RIGOTTE *
MATELOTE
VIN
(COTE ROTIE)

CHARCUTERIE
GRAS DOUBLE
(V)
CONSOMME
A LA MOELLE
(S)
GRATINEE
AUX OIGNONS
(S)
GRILLADES
QUENELLE (V)
POULARDE
« DEMI-DEUIL »
(V)
CARPE
ANGUILLE
BROCHET
MORUE (V)
CERVELLE
DE CANUT (V)
BUGNE (V)
RADISSE *

LYON

ISERE_38

LA CÔTE
SAINT-ANDRÉ

GIVORS

VIENNE

CONDRIEU

SANQUETTE *
FRICAUDE *
PATÉ
DE GIBIER
CONFISERIE

MATELOTE
FRITURE
MOUSSE
DE BROCHET
POULARDE
A LA CREME
DAUBES
EAU DE VIE
DE POIRE

SAINT-ETIENNE

POGNE *
RAVIOLE *
TRUFFE
TOMME

CAILLETTE *
MOUSSERON
AGNEAUX
SUISSES *
POGNE *

ROMANS

VALEN

DROME

CREST

NOUGAT

MONTELIMAR

DIEULEFIT

PICODON *

LYONNAIS

DAUPHINE

LYONNAIS
DAUPHINE

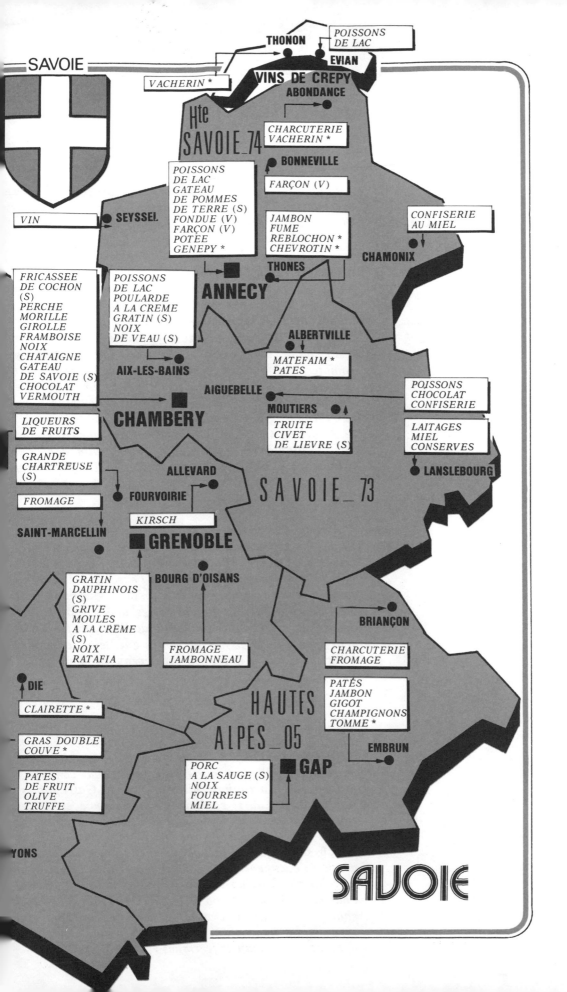

SAVOIE

THONON

POISSONS DE LAC

EVIAN

VACHERIN *

VINS DE CREPY

ABONDANCE

Hte SAVOIE_74

CHARCUTERIE
VACHERIN *

BONNEVILLE

POISSONS
DE LAC
GATEAU
DE POMMES
DE TERRE (S)
FONDUE (V)
FARÇON (V)
POTEE
GENEPY *

FARÇON (V)

CONFISERIE
AU MIEL

VIN

SEYSSEL

JAMBON
FUME
REBLOCHON *
CHEVROTIN *

CHAMONIX

THONES

FRICASSEE
DE COCHON
(S)
PERCHE
MORILLE
GIROLLE
FRAMBOISE
NOIX
CHATAIGNE
GATEAU
DE SAVOIE (S)
CHOCOLAT
VERMOUTH

POISSONS
DE LAC
POULARDE
A LA CREME
GRATIN (S)
NOIX
DE VEAU (S)

ANNECY

ALBERTVILLE

AIX-LES-BAINS

MATEFAIM *
PATES

AIGUEBELLE

POISSONS
CHOCOLAT
CONFISERIE

LIQUEURS
DE FRUITS

CHAMBERY

MOUTIERS

TRUITE
CIVET
DE LIEVRE (S)

LAITAGES
MIEL
CONSERVES

GRANDE
CHARTREUSE
(S)

ALLEVARD

SAVOIE_73

LANSLEBOURG

FROMAGE

FOURVOIRIE

KIRSCH

SAINT-MARCELLIN

GRENOBLE

GRATIN
DAUPHINOIS
(S)
GRIVE
MOULES
A LA CREME
(S)
NOIX
RATAFIA

BOURG D'OISANS

BRIANÇON

FROMAGE
JAMBONNEAU

CHARCUTERIE
FROMAGE

DIE

PATÉS
JAMBON
GIGOT
CHAMPIGNONS
TOMME *

CLAIRETTE *

HAUTES
ALPES_05

GRAS DOUBLE
COUVE *

EMBRUN

PATES
DE FRUIT
OLIVE
TRUFFE

PORC
A LA SAUGE (S)
NOIX
FOURREES
MIEL

GAP

YONS

SAVOIE

Aquitaine

LE
FOIE GRAS
RÈGNE
AU PAYS
D'ALIÉNOR

Pour les Romains, l'Aquitaine couvrait tout le quart sud-ouest de l'hexagone. Ce nom est resté dans le vocabulaire administratif d'aujourd'hui, mais l'Aquitaine, qui s'appelait, sous l'ancienne monarchie, Guyenne, était elle aussi plus vaste que la « région économique » d'aujourd'hui. Elle englobait plusieurs pays qui furent plus ou moins indépendants les uns des autres à plusieurs moments de l'histoire, mais qui eurent en commun d'être anglais pendant trois siècles, de 1154 à 1435, à la suite du mariage de leur souveraine, la belle et légère Aliénor d'Aquitaine, avec le roi Henri d'Angleterre. Sans y compter le Limousin – que nous avons délibérément rangé dans le Centre –, la Guyenne-Aquitaine compte le Périgord (Dordogne), le Quercy (Lot, Tarn-et-Garonne), la Gascogne (Gers, Landes), l'Agenais (Lot-et-Garonne), le Bordelais (Gironde). Le lointain Rouergue (Aveyron) était pratiquement indépendant, mais plutôt dans son orbite que dans celle de ses voisins le Languedoc et l'Auvergne.

A son flanc pyrénéen, la Guyenne avait deux petits États, longtemps ses vassaux : Béarn (Pyrénées-Atlantiques) et Bigorre (Hautes-Pyrénées), qui eurent à peu près le même destin. Tandis que l'ensemble de l'Aquitaine devenait française après la fin de la guerre de Cent Ans, Béarn et Bigorre étaient passés dans les possessions également pyrénéennes du comte de Foix ; ils ne devinrent français qu'en 1596, après que leur souverain, Henri de Navarre et Béarn, fut devenu lui-même roi de France.

Cette grande région composite, qui agrège des peuples aussi divers que les Basques et les Rouergats, aligne des noms de spécialités culinaires comme d'autres des noms de batailles. Elle a un suprême dénominateur commun : le foie gras. La capitale historique de la Gascogne est Auch, qui est aussi capitale de l'Armagnac et de ses eaux-de-vie. La garbure, le jambon de Bayonne ont porté loin le nom béarnais; le roi Henri voulait notamment asseoir son règne en démocratisant la poule au pot. Et de quoi s'occupent ici parfois les marchands de perles et de colliers ? C'est un bijoutier de Biarritz qui a inventé l'hameçon à cuillère pour appâter les thons ! Faut-il enfin insister sur la royauté des vins de Bordeaux ? ou sur celle des diamants noirs du Périgord, que Mme Sand appelait des « pommes féeriques », les truffes ?

LES BONNES RECETTES DE L'AQUITAINE

BÉARN

BIGORRE

GASCOGNE

GUYENNE

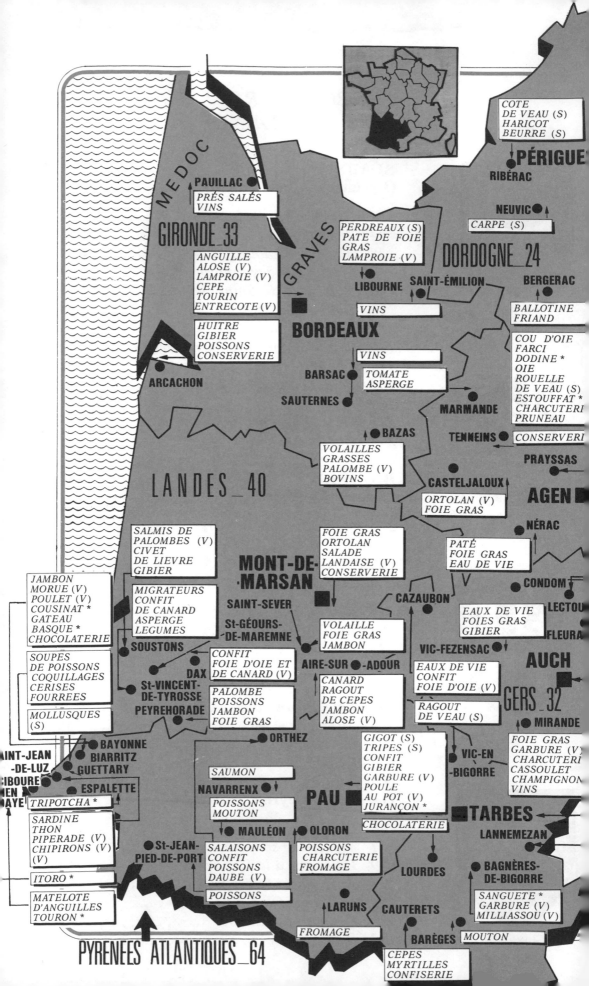

COTE DE VEAU (S)
HARICOT BEURRE (S)

PÉRIGUE
RIBÉRAC

MEDOC

PAUILLAC
PRÉS SALÉS
VINS

GIRONDE_33

GRAVES

NEUVIC
CARPE (S)

PERDREAUX (S)
PATE DE FOIE GRAS
LAMPROIE (V)

DORDOGNE_24

BERGERAC

ANGUILLE
ALOSE (V)
LAMPROIE (V)
CEPE
TOURIN
ENTRECOTE (V)

LIBOURNE   SAINT-ÉMILION

BALLOTINE
FRIAND

VINS

HUITRE
GIBIER
POISSONS
CONSERVERIE

BORDEAUX

COU D'OIE
FARCI
DODINE *
OIE
ROUELLE
DE VEAU (S)
ESTOUFFAT *
CHARCUTERI
PRUNEAU

ARCACHON

VINS

BARSAC

TOMATE
ASPERGE

SAUTERNES

MARMANDE

BAZAS

VOLAILLES
GRASSES
PALOMBE (V)
BOVINS

TENNEINS

CONSERVERI

PRAYSSAS

CASTELJALOUX

AGEN

LANDES _40

ORTOLAN (V)
FOIE GRAS

NÉRAC

SALMIS DE
PALOMBES (V)
CIVET
DE LIEVRE
GIBIER

FOIE GRAS
ORTOLAN
SALADE
LANDAISE (V)
CONSERVERIE

MONT-DE-
MARSAN

PATÉ
FOIE GRAS
EAU DE VIE

CONDOM

LECTOU

JAMBON
MORUE (V)
POULET (V)
COUSINAT *
GATEAU
BASQUE *
CHOCOLATERIE

MIGRATEURS
CONFIT
DE CANARD
ASPERGE
LEGUMES

SAINT-SEVER

St-GÉOURS-
DE-MAREMNE

CAZAUBON

EAUX DE VIE
FOIES GRAS
GIBIER

FLEURA

VOLAILLE
FOIE GRAS
JAMBON

VIC-FEZENSAC

AUCH

SOUPES
DE POISSONS
COQUILLAGES
CERISES
FOURREES

SOUSTONS

DAX

St-VINCENT-
DE-TYROSSE

PEYREHORADE

CONFIT
FOIE D'OIE ET
DE CANARD (V)

AIRE-SUR- -ADOUR

EAUX DE VIE
CONFIT
FOIE D'OIE (V)

GERS _32

MOLLUSQUES
(S)

PALOMBE
POISSONS
JAMBON
FOIE GRAS

CANARD
RAGOUT
DE CEPES
JAMBON
ALOSE (V)

RAGOUT
DE VEAU (S)

MIRANDE

BAYONNE
BIARRITZ
GUETTARY

ORTHEZ

GIGOT (S)
TRIPES (S)
CONFIT
GIBIER
GARBURE (V)
POULE
AU POT (V)
JURANÇON *

FOIE GRAS
GARBURE (V)
CHARCUTERI
CASSOULET
CHAMPIGNON
VINS

AINT-JEAN
-DE-LUZ

IBOURE
EN
AYE

SAUMON

NAVARRENX

PAU

VIC-EN
-BIGORRE

TARBES

ESPALETTE

TRIPOTCHA *

POISSONS
MOUTON

CHOCOLATERIE

LANNEMEZAN

SARDINE
THON
PIPERADE (V)
CHIPIRONS (V)
(V)

MAULÉON   OLORON

SALAISONS
CONFIT
POISSONS
DAUBE (V)

POISSONS
CHARCUTERIE
FROMAGE

BAGNÈRES-
DE-BIGORRE

ITORO *

St-JEAN-
PIED-DE-PORT

LOURDES

MATELOTE
D'ANGUILLES
TOURON *

POISSONS

SANGUETE *
GARBURE (V)
MILLIASSOU (V)

LARUNS   CAUTERETS

MOUTON

PYRENEES ATLANTIQUES_64

FROMAGE

BARÈGES

CEPES
MYRTILLES
CONFISERIE

GUYENNE GASCOGNE

GUYENNE

BEARN BIGORRE

OLAILLES
GRASSES
→ ● THIVIERS

● EXCIDEUIL

POMME

FOIE GRAS (V)
CONFIT
CEPE
LIEVRE A
LA ROYALE (S)
CONSERVERIE

● MONTIGNAC

POULET EN
COCOTTE (S)
CHATAIGNE
NOIX

MARTEL

FOIE GRAS
MIQUE (V)
TRUFFE (V)
BECASSINE (S)
POMME
DE TERRE (S)
NOIX
→ ● SARLAT

TRUFFE
NOIX

VIN

VILLEFRANCHE-DU-P.

● GOURDON

LOT _46

MUR-DE-BAREZ

FROMAGE

LOT &
GARONNE

OIE
CHATAIGNE
NOIX
FROMAGE

COU D'OIE
FARCI
PINTADE (S)
CHARCUTERIE
GIBIER
AIL
FRUITS
NOIX

FOIE GRAS

● CONQUES

TRUFFE
CHASSELAS

CAHORS ■

FOIE GRAS
MARRON
ESTOFINADE *

ESPALION ●

TRIPES
FOIE GRAS

● LALBENQUE

● VILLEFRANCHE-
DE-ROUERGUE

RODEZ ■

● LAISSAC

POISSONS
CHASSELAS
FRUITS

TRUFFE

BOVINS
AGNEAU
PORC

● MOISSAC

● CAUSSADE

MONTAUBAN

AVEYRON _12

● MILLAU

OULADE *
TRIPOUX *
MANOULS *
APPRETS
DE PORC
CABECOU *

TRENEL *
FOUASSE *
FROMAGE

VOLAILLE

VOLAILLES
GRASSES
CONFIT D'OIE

FAUX DE VIE
(ARMAGNAC)
CANARD (S)
DAUBE
DE CEPES (S)

CASSOULET
PRIMEURS
FRUITS

CHARCUTERIE
LIEVRE (S)
GATIS *
FROMAGE

SAINT
-AFFRIQUE

FROMAGE

ROQUEFORT

EAUX DE VIE

BALLOTINE
DE DINDE
CONFIT
FOIE D'OIE (V)
CEPE

TARN ET GARONNE _82

GARBURE (V)
CONFIT D'OIE
CHARCUTERIE
CHAMPIGNONS

MOUTON

HAUTES
PYRENEES _65

BEARN

GASCOGNE

BIGORRE

Midi

La division économico-administrative « Midi-Pyrénées » « casse » aujourd'hui en deux l'ancien Languedoc. Pour cet atlas, le simple nom « Midi » reprend le territoire entier de cette ancienne province, de Montpellier à Toulouse, et y ajoute les deux « pays » qu'elle avait sur son flanc sud : Foix et Roussillon.

Grâce à ses seigneurs, le comté de Foix (Ariège) devint au Moyen Age un beau pays raffiné où fleurissaient les esprits lettrés, mais son penchant pour l'hérésie albigeoise lui attira bien des ruines. Gaston Phoebus, si éloigné de Paris qu'il fût, en devint au XIVe siècle un des princes les plus fastueux. En 1484, Catherine, héritière de Navarre et de Foix, fit passer ses biens dans la famille d'Albret, qui allait donner à la France son roi Henri IV. Celui-ci apporta le comté de Foix à la Couronne en 1607.

Le Roussillon voisin (Pyrénées-Orientales) fut romain, très brièvement arabe, puis franc, mais surtout espagnol. Le mariage espagnol de Louis XIV le rendit à la France, qui l'avait déjà un moment « loué » (sous Louis XI). Son nom coloré cache tout ce qu'il doit au peuplement catalan, qui compte quatre provinces outre-Pyrénées. La Catalogne et la Provence furent bénéfiquement unies plus d'un siècle (1123-1245), et nous devons aux Catalans d'avoir introduit dans l'hexagone la gastronomie catalane et espagnole.

Le Languedoc est fait de trois mondes différents : celui du rebord du Massif central : Gévaudan (Lozère), Vivarais et Velay (Ardèche), Albigeois. Les Cévennes (Alès) font la transition avec le monde méridional de la Méditerranée et du Rhône, qui comprend Nîmes (Gard), Montpellier, Béziers (Hérault) et la grande plaine à vins; mais déjà Carcassonne (Aude) « regarde » vers Toulouse (Haute-Garonne).

Province narbonnaise de l'Empire romain, Septimanie wisigothe conquise par Charles Martel, le Languedoc partagea au Moyen Age le grand destin du comté de Toulouse, foyer de la rayonnante civilisation occitane. Les barons du Nord le mirent en pièces au moment de l'hérésie albigeoise, et il fut rattaché manu militari à la France en 1271. Il adhéra en partie, mais véhémente-

ment, au protestantisme, façon de résister au centralisme monarchique et à sa religion d'État. A maintes reprises et sous différentes formes politiques, intellectuelles ou sociales, sa volonté de protester s'est fait encore sentir.

La cuisine de ce « Midi »-là est influencée à l'est par celle de la Provence et de la Méditerranée, à l'ouest, par le terroir aquitain, au sud par l'Espagne, au nord par l'Auvergne ; c'est dire qu'elle est multiple. Elle a, notamment, donné au monde deux trésors : la brandade et le cassoulet.

LES BONNES RECETTES DU MIDI

LANGUEDOC

ROUSSILLON

COMTÉ DE FOIX
(Ariège)

TARN 8

ALBI ■

CASSOULET
SAUCISSE
OIE
FOIE GRAS
AILLADE *
VIOLETTE *

VOLAILLE
CHARCUTERIE
POISSONS
GIMBLETTE (V)

FOIE GRAS
BOUGUETTE *

BOUDIN

TOULOUSE ■

HAUTE GARONNE 31

VILLEFRANCHE-DE-LAURAGAIS

DOURG

MANOULS *
CASSOULET

CASTELNAUDARY

SALAISONS
HARICOT
GRAIN
ESCARGOT

CASSOULET (V)

LEGUMES

SAINT-GAUDENS

PAMIERS

LANGUEDOC

SAINT-GIRONS

MIREPOIX

LIMOUX

AUDE

ARIEGE 09

FOIX ■

FOIE
DE CANARD
CABASSOL *
VINS

AX

CHAMPIGNONS
CHARCUTERIE

CASSOULET
CONFIT D'OIE

VINS
OLIVE

ROUSSILLON

HARICOT
GRAIN
ESTOUFFADE
(S)

FRUITS
PRIMEURS

CERISES

COMTE DE FOIX

LAPEREAU (V)
ŒUFS (S)
FOIE GRAS
GIBIER
BISTORTO *

PRATS-DE-MOLLO

POISSONS
GIBIER

FRUITS
BRAOU
BOUFFAT *

CHAMPIGNONS
BOVINS
MOUTON

CHAMPIGNONS
GIBIER

NOUGAT

POISSONS
PRIMEURS
FRUITS
CHAMPIGNONS

CHARCUTERIE
POISSONS

LA CHAISE-DIEU   CRAPONNE

BRIOUDE   ANNONAY

HAUTE-LOIRE_43

POISSONS
FROMAGE

LANGEAC   LE PUY   YSSINGEAUX   TOURNON

SAINT
-AGRÈVE   LAMASTRE   CORNAS

LENTILLE
ASPERGE
CARDON
FROMAGE
LIQUEUR

CHARCUTERIE
FRAMBOISE
MYRTILLE

VINS

VIANDES

TRUITE
ECREVISSE
GRENOUILLE
VEAU
GRIVE

CHATAIGNE
BOVINS
OVINS

PRIVAS

CHARCUTERIE
PICODONS *
TARTE AUX
MYRTILLES

SAINT-CHÉLY-D'APCHER   LANGOGNE

CAILLETTE *
POIRE
CHATAIGNE
POISSONS

MARRON
GLACÉ
PELARDON *
FRUITS

CHARCUTERIE
CHAMPIGNONS
FROMAGE

MARVEJOLS

AUBENAS

CHATAIGNE
TRUFFE
RAISIN

CHARCU-
TERIES
GIBIER
CEPE
CHATAIGNE
PELARDON *

MENDE

LOZÈRE_48

FLORAC

ARDÈCHE
07   VALLON

BRANDADE
DE MORUE (V)
BŒUF
GARDIANE (S)
LEGUMES
RAISIN
VINS

POISSONS
VIANDES
GIBIER

TRIPES
FRUITS

CERISE

CHARCUTERIE
POISSONS
GIBIER
FRUITS

LE VIGAN   ANDUZE

ALÈS

UZÈS   ROQUEMAURE

CHARCUTERIE
PELARDON *

SAUVE

GANGES   GARD_30   NIMES

LEGUMES
FRUITS

CHARCUTERIE

RAISINS
VINS

VINS
MOUTON

AGNEAUX
TRUFFE
REGLISSE

LACAUNE   LODÈVE

SOMMIÈRES

CABASSOL *
OLIVE
FROMAGE
CERISE

GIGNAC

CLERMONT
L'HÉRAULT

LUNEL   VAUVERT

MONT
PELLIER   AIGUES-MORTES

LEGUMES
FRUITS

STRES   SAINT-PONS   HÉRAULT_34

AGDE   FRONTIGNAN

ASPERGE
SEL

CAS
ONNE

SALAISONS
TRUITE
CEPE

SÈTE

ESCARGOT
HUILE
D'OLIVE
AMANDE
VINS

LEGUMES
FRUITS

BÉZIERS

FRUITS
VINS

LÉZIGNAN   NARBONNE

ESCARGOTS
(S)
EAU DE VIE
VINS

BOURRIDE
CRUSTACES
THON
SOLE (S)
SARDINE
MAQUEREAU
VERMOUTH

AIGO
BOUIDO (V)
SANQUET *
VINS

SEL   SIJEAN

SSOULET
RGOLADE *
APON
RCI
ULARDE (S)

DURBAN
MIEL

BOUILLA-
BAISSE (V)

PASSARELLES *
VINS

PAUL-DE-FENOUILLET   MILLAS   PERPIGNAN

CASSOULET
BOUILLA-
BAISSE (V)
ESCARGOT (S)
LEGUMES
FRUITS
SEL
VINS

LANGUEDOC
ROUSSILLON

RADES

ARGELÈS
COLLIOURE

ESCARGOT
HARICOT
GRAIN

CÉRET   PORT-
VENDRES   BANYULS   PYRENEES-ORIENTALES_66

CUEDELLA
NADAL *
ILLADE *
RJOLADE *
RDREAU (S)
NARD (V)
ELETTE (S)
UTON (S)
UITS

VINS

SARDINE
THON (V)
MAQUEREAU

BOULLINADA *
ANCHOIS
LANGOUSTE
(V)

Méditerranée

Balcon fleuri ? Clair portail de la France méridionale ? Depuis le fond des âges, la Provence a ouvert, entre Italie et Espagne, sa belle façade sur la mer. Du plus lointain des siècles, les peuples ont couru vers elle : les Grecs, qui fondèrent Massalia (Marseille); puis les Massaliotes, qui fondèrent Antibes et Nice; les Romains, qui firent naître d'autres villes et tracèrent la voie Aurélienne; les Sarrasins qui, non sans horions, s'installèrent dans les Maures. Elle fut terre des comtes de Toulouse, puis des comtes de Barcelone. Le frère de saint Louis épousa une fille du comte de Barcelone. La voici en passe de devenir française. Elle le devient librement en 1486, et jusqu'au Var.

L'Est, qui penche vers le golfe de Gênes, connaîtra longtemps des jours différents. Des seigneurs de la famille Grimaldi achètent Monaco et Menton aux Génois. Nice se donne à la Savoie qui sera un État important entre Rhône et Pô. Mais Napoléon III et ses zouaves aident la maison de Savoie, restée puissante à Turin, à libérer l'Italie du Nord de l'occupation autrichienne. En guise de remerciement, le comté de Nice est autorisé en 1861 à plébisciter joyeusement son entrée dans la famille française. L'empereur en profite pour acheter Menton au prince de Monaco.

Ces temps n'ont pas connu seulement des heures de farandole : le beau portique maritime qui court de Menton-Garavan jusqu'au Rhône de Mistral a subi bien des mauvais coups, connu bien des peurs, qui expliquent ses oppida millénaires mais aussi ses villages perchés beaucoup plus récents. Les Maures, les Turcs, les Espagnols, les Barbaresques, voire les Anglais (Bonaparte les canonna en 1793), ne l'ont pas épargné. Mais la Provence, entre terre et mer, a reçu tout autant de dons. Ses marins, ses négociants ont navigué au plus près et au plus loin, sur toutes les mers du monde. Les Européens du Nord ont couru se réchauffer à son soleil dès que, vers 1887, fut lancée l'appellation « Côte d'Azur ».

Cependant, l'ancien pays provençal présente un relief accidenté, son enchevêtrement de montagnes, de plateaux, de vallées, de gorges le rend difficile à la communication. Les descendants des rudes bergers ligures qui inquiétèrent les légions de César se sont adoucis, mais, en cette fin d'un XXe siècle cosmopolite et mondialiste, ils ont pu garder mieux que d'autres tous les traits d'une culture et d'un esprit originaux, sans recourir aux orgues parfois grinçantes de la propagande régionaliste.

COMTÉ DE NICE

CORSE

PROVENCE

Culture et gastronomie sont tout un. En ce temps où la conservation par le froid et l'industrialisation de tous les produits alimentaires permettent au beurre normand, à l'endive flamande et à tous les surgelés de grimper, en plein mois d'août, jusqu'au plus petit village perché du Var ou du Paillon, la gastronomie provençale reste obstinément ancrée sur son héritage. Ses mystères et ses recettes restent fidèles à son terroir chaud et parfumé, à ses olives vertes ou noires, à ses vignes, à ses amandiers, à ses citronniers, à ses moutons et ses chèvres; à ses primeurs ensoleillées : tomates, poivrons, aubergines, blettes, aulx ; à ses fruits juteux : abricots, cerises, pêches, melons; à ses plantes aromatiques des garrigues : fenouil, sauge, thym, laurier, romarin, câpres, basilic ; au gibier odorant de ses maquis : lapins gorgés de serpolet, cailles, grives, becfigues. La Provence reste fidèle au butin coloré que lui apportent ses pêcheurs, par un effort que les temps rendent de plus en plus difficile : les « quarante-cinq poissons particuliers aux rivages de Provence » et d'autres, venus de plus loin : loups, daurades, rougets, rascasses, anchois, sardines, thons, merlans, morue nordique, mais aussi moules, oursins, encornets...

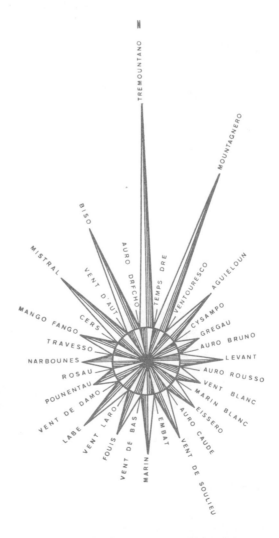

PROVENCE

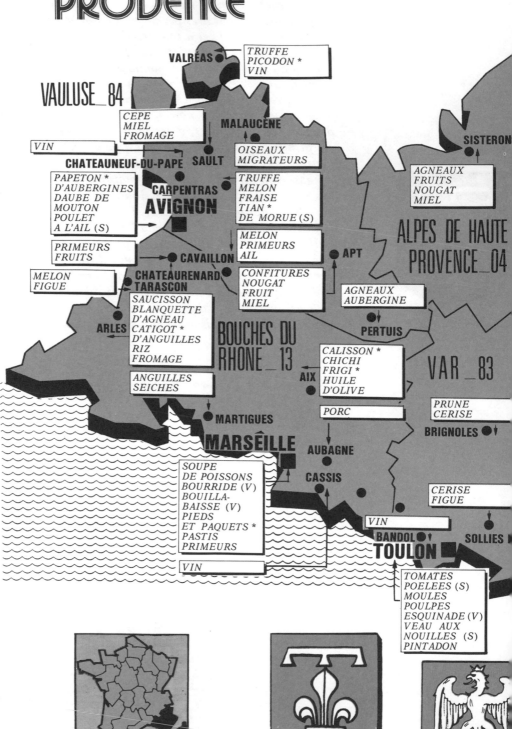

VALRÉAS

TRUFFE
PICODON *
VIN

VAULUSE_ 84

CEPE
MIEL
FROMAGE

MALAUCÈNE

VIN

CHATEAUNEUF-DU-PAPE SAULT

OISEAUX
MIGRATEURS

SISTERON

AGNEAUX
FRUITS
NOUGAT
MIEL

PAPETON *
D'AUBERGINES
DAUBE DE
MOUTON
POULET
A L'AIL (S)

CARPENTRAS
AVIGNON

TRUFFE
MELON
FRAISE
TIAN *
DE MORUE (S)

ALPES DE HAUTE
PROVENCE_04

PRIMEURS
FRUITS

MELON
PRIMEURS
AIL

CAVAILLON

APT

MELON
FIGUE

CHATEAURENARD
TARASCON

CONFITURES
NOUGAT
FRUIT
MIEL

AGNEAUX
AUBERGINE

SAUCISSON
BLANQUETTE
D'AGNEAU
CATIGOT *
D'ANGUILLES
RIZ
FROMAGE

ARLES

BOUCHES DU
RHONE_13

PERTUIS

CALISSON *
CHICHI
FRIGI *
HUILE
D'OLIVE

VAR_ 83

ANGUILLES
SEICHES

AIX

PORC

PRUNE
CERISE

BRIGNOLES

MARTIGUES

MARSEILLE

AUBAGNE

SOUPE
DE POISSONS
BOURRIDE (V)
BOUILLA-
BAISSE (V)
PIEDS
ET PAQUETS *
PASTIS
PRIMEURS

CASSIS

CERISE
FIGUE

VIN

VIN

BANDOL

SOLLIES

TOULON

TOMATES
POELEES (S)
MOULES
POULPES
ESQUINADE (V)
VEAU AUX
NOUILLES (S)
PINTADON

PROVENCE

COMTE DE N

COMTE DE NICE

ALPES
MARITIMES
_06

ENTREVAUX

CASTELLANE

GRASSE

CANNES

ANTIBES

NICE

SOSPEL

MENTON

CAP CORSE

DRAGUIGNAN

SAINT-TROPEZ

CORSE

CORSE_

BASTIA

CALVI

CORTE

ALÉRIA

AJACCIO

PROPRIANO

SARTÈNE

PORTO VECCHIO

BONIFACIO

CORSE

RIVE
TRUITE
TRUFFE
PRUNE
AMANDE
MIEL

IGNE

OMME

RUITE
IBIER
ROMATES

RATATOUILLE
SALADE
NIÇOISE (S)
*PISSALAT ***
TOURTE
DE BLEA (V)
PISTOU (V)
PISSALA-
*DIERE ***
*PAN BAGNA ***
OMELETTE (S)
ROUGET
LOUP
*POUTINE ***
*ESTOFICADO ***
ESTOUFFADE
DE BŒUF (V)

FRUITS
CONFITS

HUILE
D'OLIVE
TRUFFE
RAISIN
VIN

TRUITE

CITRON
*PANISSE ***

POISSONS
FIGUE

TOMATES
A L'ANTI-
BOISE (S)
ŒUFS A L'A (S)

ARTICHAUT
A LA
*BARIGOULE ***
*SOCCAS ***

LANGOUSTE
POISSONS
HUILE
D'OLIVE
FRUITS
BROCCIU

BOUILLA-
BAISSE (V)
VIN

SARDINES
*AU BROCCIU ***
*PANZAROTTI ***
*STORZAPRETI ***
CREPES

HUITRE
MOULE
VIN

*COPPA ***
*LONZU ***
*PRISUTTU ***
TRUITE
CHATAIGNE
*NIOLO ***
VIN

*U ZIMINU ***
TRIPES
SALMIS
DE RAMIER (S)
PATÉ
DE MERLE (S)
POISSONS
TARTE
AU FROMAGE

POISSONS

COCHON
DE LAIT

POISSONS
VIN
CEDRAT

*U ZIMINU ***
THON
ROUGET
CRUSTACES

LES BONNES RECETTES DE LA MÉDITERRANÉE

COMTÉ DE NICE

CORSE

PROVENCE

COMTÉ DE NICE
(Alpes-Maritimes)

CORSE

PROVENCE
(y compris comtat Venaissin, c'est-à-dire le Vaucluse)

Chapitre I

POTAGES ET SOUPES

1. Aïgo sau

Difficulté : ●●●
Coût : ●●
(variable suivant les poissons utilisés)

PROVENCE

Aïgo sau veut simplement dire en provençal : eau et sel. On voit qu'on est loin du compte. Ce potage-plat de résistance peut être préparé avec une seule ou plusieurs variétés de poissons blancs. Il est généralement accompagné de la sauce « rouille » (voir en fin de volume les recettes des préparations de base).

POUR 8 PERSONNES

Eléments principaux
1,5 kg de poissons blancs (daurade, loup, sar, severel...)
80 g d'oignons
100 g de tomates
20 g d'ail
1 cuillerée à potage de persil haché
500 g de pommes de terre (facultatif)
5 cl d'huile d'olive vierge.
Eléments de mouillement
2 l d'eau.

Elément de garniture
200 g de pain frais.

Assaisonnements et condiments
Sel, poivre fraîchement moulu, bouquet garni comprenant une branche de thym, une branche de fenouil, une branche de céleri, une feuille de laurier et quelques queues de persil, un petit morceau d'écorce d'orange.

1. Ebarber, écailler, vider et laver tous les poissons. Couper en morceaux les gros poissons et laisser entiers les petits.

2. Emincer les pommes de terre et les oignons. Peler, épépiner et concasser les tomates.

3. Faire bouillir l'eau.

4. Réunir dans une casserole les poissons, les légumes et l'huile. Verser dessus l'eau bouillante, assaisonner, ajouter le bouquet garni, l'ail broyé, l'écorce d'orange et faire cuire à feu très vif pendant 20 min à découvert.

5. Découper le pain en lamelles très fines.

6. Verser le bouillon dans une soupière à travers une passoire ; le poisson est servi à part.

On peut, soit présenter les lamelles de pain sur un plat, à charge pour les convives d'en user selon leur convenance, en les mettant eux-mêmes dans leur assiette, soit disposer ces lamelles dans la soupière avant ou après avoir passé le bouillon.

Vin blanc :
Côtes de Provence

2. *Bouillabaisse*

Difficulté : ●●●
Coût : ●●●●●
(avec langouste)

●●●●
(sans langouste)

PROVENCE

Le nom de la bouillabaisse viendrait de deux mots provençaux signifiant : « bouillir et abaisser » pour marquer sans doute la rapidité avec laquelle les pêcheurs de jadis entendaient confectionner ce plat, alors simple et peu coûteux. La variété des poissons « obligatoires » – ni coquillages ni langouste ne le sont – commande que la bouillabaisse soit prévue pour un nombre important de convives. Le safran « âme d'or de la bouillabaisse » passe à la fois, selon le Latin Pline, pour calmer la toux et « exciter à l'amour ».

POUR 8 PERSONNES

Eléments principaux
3 kg de poissons (rascasse, chapon, saint-pierre, congre (1), baudroie, rouget grondin, rouquier, vive, loup, merlan de palangre), crabes, langoustes ou langoustines (2).
200 g d'oignons
50 g de blancs de poireaux
300 g de tomates
40 g d'ail
1 cuillerée à potage de persil haché
1 g de safran
1 dl d'huile d'olive vierge.

Eléments de mouillement
3 l d'eau ou de bouillon de poisson de roche (3).

Elément de garniture
300 g de pain frais (4).

Assaisonnements et condiments
Sel, poivre fraîchement moulu, bouquet garni comprenant une branche de sarriette ou de thym, une feuille de laurier, une branche de fenouil et quelques queues de persil, un petit morceau d'écorce d'orange séchée.

1. Ebarber, écailler, vider et laver tous les poissons. Couper en morceaux les gros poissons et laisser entiers les petits. Réserver d'une part les poissons à chair ferme (rascasse, chapon, vive, grondin, congre, baudroie ou lotte, les crabes et les langoustes et d'autre part les poissons à chair tendre (merlan, rouquier, saint-pierre, loup).

2. Emincer finement les oignons et les blancs de poireaux. Peler, épépiner et concasser les tomates. Broyer l'ail.

3. Faire bouillir l'eau ou le bouillon de poisson de roche.

4. Réunir dans une casserole les oignons et les blancs de poireaux émincés, les tomates et le persil concassés, l'ail broyé, une forte pincée de safran, l'huile d'olive vierge, le bouquet garni et le morceau d'écorce d'orange. Placer sur les légumes, les crustacés; au-dessus de ceux-ci, les poissons à chair ferme.
Mouiller un peu plus qu'à couvert (à hauteur des poissons) avec l'eau ou le bouillon bien bouillant (5). Assai-

(1) Utiliser exclusivement la partie près de la tête et éliminer la queue qui comporte trop d'arêtes.
(2) A l'origine, la bouillabaisse ne comportait pas de langouste. Celle-ci est sans doute une « exagération » méridionale de la restauration de luxe.
(3) La bouillabaisse est bien plus riche avec du bouillon de poisson de roche. Le bouillon est réalisé sans faire revenir le poisson et sans matière grasse.
(4) A Marseille on emploie, pour la bouillabaisse, une baguette de pain appelée « Marette ».
(5) Le liquide doit être bien bouillant pour permettre une bonne liaison avec l'huile, autrement, celle-ci surnagerait à la surface. S'il y a des crustacés vivants, couvrir quelques secondes.

sonner de sel et de poivre fraîchement moulu. Cuire à feu très vif pendant 7 à 8 min à découvert. Ajouter les poissons à chair tendre et continuer de cuire toujours à grande ébullition pendant 5 min.

5. Découper le pain en tranches de un centimètre et demi d'épaisseur.

Ranger les tranches de pain sur un plat. Ne pas les griller ni les frire.

6. Retirer du feu et verser le bouillon de la bouillabaisse dans la soupière à travers une passoire.

Dresser les poissons sur un plat. Disposer les tronçons de langouste ou les langoustines tout autour du poisson. Servir simultanément le bouillon, les poissons, les tranches de pain à part.

7. Prévoir la possibilité de tenir les plats au chaud pendant le repas : bouillon et poissons.

8. La « rouille » (6) est souvent utilisée, mais n'est pas indispensable ici : l'arôme du safran est déjà fort.

(6) Voir en fin de volume les recettes des préparations de base.

Vin blanc : *Cassis.*

3. *Bourride marseillaise*

Difficulté : ●●●
Coût : ●●●
(variable suivant les poissons utilisés).

PROVENCE

La bourride moins connue, plus rare et peut-être plus raffinée, plus authentique désormais que la bouillabaisse, diffère complètement de celle-ci, grâce à son ailloli « odorant et cordial ».

POUR 8 PERSONNES

Eléments principaux
3 kg de poissons blancs (grondin, vive, loup, merlan, sar, pageau...)
150 g d'oignons
50 g de blancs de poireaux
20 g d'ail
500 g de pommes de terre (facultatif) ou 8 jaunes d'œufs
1 dl d'huile d'olive vierge
1 bouquet garni (queues de persil, laurier, thym avec une branche de fenouil, et un petit morceau d'écorce d'orange séchée).

Elément de mouillement
2 l d'eau.

Eléments de l'ailloli
20 g d'ail
6 jaunes d'œufs
1/2 dl d'huile d'olive non fruitée.

Assaisonnements et condiments
Sel, piment de Cayenne.

1. Préparer l'ailloli (1), 2 cuillerées à potage par personne.

2. Ebarber, écailler, vider et laver tous les poissons.

(1) Voir en fin de volume les recettes des préparations de base.

Couper en tronçons les gros poissons ; laisser les petits entiers.

Emincer les oignons, les blancs de poireaux et les pommes de terre.

3. Mettre dans une sauteuse les poissons, les légumes et l'huile. Versez au-dessus 2 l d'eau bouillante, assaisonner de sel, de piment de Cayenne (avec modération), et ajouter le bouquet garni et l'ail broyé.

Porter vivement à ébullition et laisser cuire ensuite à simple frémissement pendant 15 min.

4. Découper le pain en tranches fines et les ranger sur un plat.

5. Passer le bouillon au tamis (passoire fine).

Réserver les poissons au chaud sur un plat.

Retirer les légumes.

6. Adjoindre à l'ailloli 8 jaunes d'œuf (uniquement si la composition ne comprend pas de pommes de terre). Ajouter le bouillon peu à peu sur l'aïoli et battre vivement avec un fouet.

Remettre la crème dans la sauteuse sur *un feu très doux* et laisser épaissir sans cesser de remuer avec une spatule en bois *sans jamais faire bouillir* sinon la bourride est irrémédiablement tournée.

La crème est au point lorsqu'elle nappe la spatule. Mettre les tranches de pain dans la soupière ou les présenter séparément.

Verser la soupe au-dessus. Disposer les poissons sur un plat et servir bien chaud.

Vin blanc :
*Côtes de Provence,
Palette, Cassis.*

4. Cotriade

Difficulté : ●●●
Coût : ●●

BRETAGNE

Si vous n'êtes pas breton, sachez que cotriade veut simplement dire potée, contenu d'un pot. On a pris l'habitude de réserver ce nom, qui pourrait aussi bien désigner une potée au chou, à ce pot-au-feu de poisson... plat national breton, comme la bouillabaisse est un plat national de Provence.

POUR 4 PERSONNES

Eléments principaux
1,5 kg de poisson (congre, grondin, saint-pierre, merluchon)
150 g d'oignons
600 g de pommes de terre
100 g de saindoux ou de beurre

1 bouquet garni

Elément de mouillement
2 l d'eau.

Assaisonnements et condiments
Sel, poivre.

1. Ebarber, écailler, vider, laver et tronçonner les poissons.

2. Faire revenir et légèrement colorer au saindoux ou au beurre, les oignons coupés en quartiers.

Mouiller avec deux litres d'eau.

Ajouter les pommes de terre coupées en tranches épaisses et un fort bouquet garni.

Assaisonner de sel et de poivre fraîchement moulu.

Faire bouillir, écumer et disposer au-dessus les tronçons de poisson. (Ajouter les poissons suivant leur temps de cuisson et dans l'ordre : congre, grondin, saint-pierre et merluchon.) Faire cuire à feu vif.

3. Servir séparément les poissons et les pommes de terre sur un grand plat. Verser le bouillon sur des tranches de pain dans une soupière (ou présenter le pain à part).

Cidre sec ou Muscadet

5. Soupe d'écrevisses

Difficulté : ●●●
Coût : ●●●●

FRANCHE-COMTÉ

Jadis le Breuchin qui baigne Luxeuil, était renommé – comme les rivières lozériennes – pour ses pêches aux écrevisses. Hélas, ces savoureux crustacés nous viennent, actuellement, plutôt de l'Europe orientale. Ce n'est pas une raison pour s'en priver totalement.

POUR 4 PERSONNES

Eléments principaux
8 écrevisses
60 g de beurre
30 g d'échalotes
80 g d'oignons
80 g de carottes
1 cuillerée à potage de farine.

Eléments de mouillement
1 dl de vin jaune.
1 l de fumet de poisson ou,

à défaut, 1 l d'eau
1 bouquet garni.

Eléments de liaison
2 jaunes d'œufs
1 dl de crème fraîche épaisse

Assaisonnements et condiments
Sel, poivre blanc, noix muscade.

1. Tailler en fine brunoise (1) les oignons et les carottes. Ciseler les échalotes.

Faire suer les légumes au beurre sans coloration.

2. Châtrer les écrevisses (2) et les faire sauter et colorer au beurre avec les légumes.

Saupoudrer d'une cuillerée à potage de farine et remuer. Ajouter le vin jaune, le fumet de poisson (3) et le bouquet garni. Faire cuire pendant 10 min à découvert.

3. Retirer les écrevisses, les décortiquer et réserver les queues.

(1) Tailler en tout petits dés.
(2) Arracher la nageoire caudale (queue) centrale, en entraînant le boyau intestinal.
(3) Utiliser un fumet de poisson d'eau douce (voir en fin de volume les recettes des préparations de base).

4. Piler finement les carcasses et le thorax et les joindre à la soupe.

Faire cuire pendant une demi-heure puis passer la soupe au chinois (passoire fine).

5. Délayer dans un bol les jaunes d'œufs avec la crème fraîche et ajouter le tout à la soupe bouillante. Ne plus faire bouillir.

Laisser frémir quelques minutes et passer à nouveau la soupe au chinois.

Adjoindre les queues d'écrevisses et servir très chaud avec du pain légèrement grillé et frotté à l'ail.

6. *Aïgo bouïdo*

Difficulté : ●
Coût : ●

PROVENCE

« Aïgo bouïdo » veut simplement dire « eau bouillie »... Le petit quelque chose qu'on y ajoute fait toute la différence, et les Méridionaux disent volontiers (en provençal) : « L'eau bouillie sauve la vie ». En tous les cas, elle constitue, à elle seule, un vrai repas complet pour le soir.

POUR 4 PERSONNES

Eléments principaux
100 g de blancs de poireaux
 50 g d'oignons
100 g de tomates
400 g de pommes de terre
 3 gousses d'ail
 5 cl d'huile d'olive
 1 bouquet garni (queues de persil, thym, laurier avec une branche de fenouil et un petit morceau d'écorce d'orange séchée).

Elément de mouillement
 1 l d'eau.

Eléments de garniture
 4 œufs très frais
 4 tranches épaisses de pain
 2 cuillerées à café de persil haché.

Assaisonnements et condiments
Safran, sel, poivre.

1. Emincer finement les blancs de poireaux et les oignons. Peler, épépiner et concasser les tomates. Broyer les gousses d'ail. Emincer les pommes de terre.

2. Faire blondir à l'huile d'olive les poireaux et les oignons émincés. Adjoindre les tomates concassées et l'ail broyé. Mouiller avec 1 litre d'eau.

Ajouter les pommes de terre, le bouquet garni avec le fenouil et l'écorce d'orange, le sel, le poivre et le safran. Porter vivement à ébullition et laisser cuire à couvert en maintenant à un simple frémissement pendant quinze minutes.

3. Retirer le bouquet garni après la cuisson. Pocher dans le bouillon un œuf frais par personne pendant 3 min. Réserver sur une assiette. Dresser les tranches de pain sur un plat et les arroser légèrement de bouillon. Mettre les pommes de terre sur un autre plat. Placer les œufs pochés au-dessus. Saupoudrer de persil haché. Servir le reste de la soupe dans une soupière.

7. Garbure béarnaise

Difficulté : ●●
Coût : ●●●

BÉARN

Ce nom de garbure
vient peut-être
de l'espagnol garbias
qui signifie « ragoût ».
La garbure béarnaise
est caractérisée, par opposition
avec d'autres garbures
régionales françaises,
par le confit
de porc ou d'oie.

POUR 4 PERSONNES

Eléments principaux
*500 g de confit d'oie (1) ou
de porc*
*100 g de poitrine de porc
maigre*
100 g de navets
300 g de pommes de terre
100 g de chou vert
*200 g de haricots blancs
frais écossés (2)*
*2 branches blanches de
céleri*
2 gousses d'ail
1 bouquet garni.

**Elément
de mouillement**
2 l d'eau.

**Eléments
complémentaires**
*Tranches fines de pain rassis
ou légèrement torréfié.*

**Assaisonnements
et condiments**
Sel, poivre.

1. Ecosser les haricots blancs.
Emincer les pommes de terre, les navets et le céleri en paysanne (tailler en bâtonnets, puis couper ceux-ci en fines tranches). Débarrasser les feuilles de chou de leurs grosses côtes et les tailler en fines lanières.

2. Disposer dans une casserole en terre, le lard, le confit d'oie, les légumes, l'ail écrasé et un bouquet garni.
Mouiller avec 2 l. d'eau.
Saler très peu.
Poivrer. Faire cuire tout doucement sur un feu doux pendant 1 h 30 environ.

3. Dresser les légumes avec le confit et le lard en petits morceaux dans une cocotte en terre.
Disposer au-dessus de fines tranches de pain.
Arroser d'un peu de bouillon et faire mitonner et gratiner lentement pendant un quart d'heure au four.
Verser le bouillon dans une soupière et présenter les légumes à part.

(1) 500 g de confit d'oie ou moitié confit d'oie, moitié jambon cru; peut se faire avec du porc salé.
(2) Hors saison, utiliser des haricots secs qu'il faut faire tremper à l'eau froide depuis la veille.

8. Potage Saint-Germain aux croûtons

Difficulté : ●●
Coût : ●

ILE-DE-FRANCE

Ce potage élégant, créé dans les restaurants parisiens, est devenu une grande spécialité culinaire française. Il est parfois crémé, ce qui lui donne une certaine onctuosité mais ternit sa belle couleur verte.

POUR 4 PERSONNES

Eléments principaux
450 g de petits pois frais écossés (1)
50 g d'oignons
100 g de verts de poireaux
50 g de feuilles vertes de laitue
50 g de poitrine de porc salé
100 g de beurre
1 bouquet garni.

Elément de mouillement
1,5 l d'eau ou de bouillon.

Eléments de garniture
50 g de petits pois frais écossés, quelques croûtons frits au beurre, pluches de cerfeuil.

Assaisonnements et condiments
Sel, poivre.

1. Emincer le vert des poireaux, ciseler les oignons et les feuilles de laitue.
Couper le lard en petits dés.

2. Faire fondre 50 g de beurre dans une casserole.
Ajouter le lard.
Laisser suer sans coloration.
Adjoindre les poireaux, les oignons et la laitue.
Remuer et colorer légèrement.
Mouiller avec un litre d'eau ou de bouillon.
Ajouter les petits pois (en conserver 50 g pour la garniture) et le bouquet garni.
Assaisonner et laisser cuire après ébullition, sans précipitation.

3. Mettre à l'eau bouillante salée, les petits pois de la garniture et les faire cuire à découvert à forte ébullition.
Rafraîchir à l'eau courante au terme de leur cuisson.
Egoutter et réserver dans un bol.

4. Retirer le bouquet garni et passer le potage au chinois ou au moulin à légumes.
Remettre le potage sur le feu et le porter lentement à ébullition.
Incorporer au moment de servir 50 g de beurre. Rectifier l'assaisonnement et verser le potage dans la soupière. Ajouter les petits pois frais de la garniture et quelques pluches de cerfeuil.
Servir avec des croûtons présentés à part.

(1) En hiver peut être fait avec des petits pois surgelés.

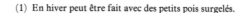

9. Potée bourguignonne

Difficulté : ●●
Coût : ●

BOURGOGNE

Bourguignonne, la potée n'est qu'une soupe, mais quelle soupe! Ce qui explique l'usage qu'on y fait du pain. Il n'y avait pas, jadis, de soupe sans pain trempé : on disait d'ailleurs « tremper la soupe », mais aussi « trancher la soupe ».

POUR 4 PERSONNES

Eléments principaux

350 g de porc salé
150 g de jarret de porc
100 g d'oignons
100 g de carottes
100 g de navets
100 g de blancs de poireaux
100 g de chou
250 g de pommes de terre.

Elément de mouillement
1,5 l d'eau
1 bouquet garni
2 gousses d'ail.

Elément de garniture
160 g de pain bis.

**Assaisonnements
et condiments**
Sel, poivre.

1. Emincer les carottes, les navets, les oignons, les poireaux et le chou. Hacher l'ail.

2. Réunir dans une casserole en terre ou une marmite tous les ingrédients, sauf les pommes de terre et la garniture.
Assaisonner modérément de sel et de poivre.

3. Cuire à simple frémissement pendant trois bonnes heures.
Ajouter les pommes de terre à mi-cuisson.

4. Tailler le pain en fines tranches.
Servir la soupe dans la casserole en terre avec le pain bis présenté à part.

10. Soupe ardennaise

Difficulté : ●
Coût : ●

CHAMPAGNE

L'endive donne une note de finesse et de légèreté à la spécialité d'une région robuste.

POUR 4 PERSONNES

Eléments principaux
250 g de pommes de terre
150 g de blancs de poireaux
150 g d'endives
80 g de beurre.

Elément de mouillement
1 l de lait.

Elément de garniture
Quelques lamelles de flûtes de pain.

**Assaisonnements
et condiments**
Sel, poivre blanc ou de Cayenne, noix muscade.

1. Emincer finement les poireaux et les endives et les faire suer dans la moitié du beurre sans coloration.

Mouiller avec le lait.

Emincer également les pommes de terre en tranches fines et les ajouter. Assaisonner de sel, de poivre blanc fraîchement moulu et de quelques râpures de noix muscade.

2. Porter à ébullition puis laisser cuire ensuite à simple frémissement pendant 20 min environ.

3. Faire griller très légèrement les lamelles de pain et les mettre dans la soupière (1).

4. Beurrer et remuer délicatement la soupe; la verser sur les croûtons.
Servir bien chaud.
Soupe agréable et légère à laquelle on ajoute, suivant le goût, un peu de fromage râpé.

(1) Ou servir les lamelles de pain à part.

11. Soupe à l'oignon

Difficulté : ●
Coût : ●

ALSACE

La soupe à l'oignon est devenue plat national. C'est surtout un mets nocturne. Un bon chroniqueur gastronomique (aujourd'hui disparu) disait plaisamment : « Comme le hibou, comme le débardeur des Halles et le tueur à gages, elle ne commence à vivre qu'après le coucher du soleil pour mourir tous les matins à l'aube ». Il ajoutait : « Malgré sa simplicité, elle n'est pas un plat de ménage... mais de bistrot ». Prouvez le contraire.

POUR 4 PERSONNES

Eléments principaux
350 g de gros oignons
100 g de beurre.

Eléments de garniture
200 g d'emmenthal rapé
100 g de baguette de pain.

Elément de mouillement
1 l de bon bouillon (1).

Assaisonnements et condiments
Sel, poivre.

1. Emincer finement les oignons.
Mettre à fondre le beurre. Ajouter les oignons et les faire cuire pendant une demi-heure, sur un feu doux. Remuer de temps à autre.

2. Préparer la garniture pendant la cuisson des oignons : tailler le pain en 12 fines tranches.
Faire dessécher les tranches à four doux et les réserver.
Râper le fromage.

3. Ajouter le bouillon aux oignons cuits. Porter à ébullition et laisser encore la soupe 5 min sur le feu.
Rectifier l'assaisonnement.

(1) Il n'y a pas de bonne soupe à l'oignon sans bon bouillon. L'eau ne peut en aucun cas remplacer le bouillon. On peut à la rigueur utiliser le bouillon concentré vendu dans le commerce. Le résultat ne sera pas le même qu'avec un bon bouillon fait chez soi, mais la soupe sera meilleure qu'avec de l'eau.

4. Verser la soupe, passée ou non, dans la soupière (2). Disposer au-dessus le pain séché.
Recouvrir de fromage râpé.
Faire gratiner vivement sous le gril.
Servir bien chaud.

(2) Ou dans des bols individuels supportant la chaleur du gril ou du four.

12. Soupe au pistou

Difficulté : ●●
Coût : ●●

COMTÉ DE NICE

« Pistou » ne veut pas dire « basilic » en provençal, mais plutôt « pâte lisse », confectionnée au mortier à coups de pistoun, pilon (piston!), et dont le basilic est l'aromate principal. Le succès grandissant de la « soupe au pistou » fait pourtant que, désormais, sur les marchés, « acheter du pistou », c'est acheter du basilic! Cette plante odorante, considérée jadis comme sacrée, chasse les moustiques, guérit la migraine et combat les spasmes.

POUR 4 PERSONNES

Eléments principaux
100 g de carottes
100 g de navets
100 g de blancs de poireaux
300 g de pommes de terre
100 g d'oignons
200 g de petits pois
200 g de petites fèves fraîches
200 g de haricots en grains frais
100 g de haricots verts
250 g de tomates
100 g de courgettes
100 g de blancs de céleri
100 g de chou vert.

Eléments de mouillement
1,5 l d'eau

5 cl d'huile d'olive.

Eléments de garniture
150 g de poitrine de porc salée
100 g de fromage râpé (facultatif).

Eléments du pistou
2 gousses d'ail
12 feuilles de basilic lavées et séchées pendant 24 h
5 cl d'huile d'olive.

Assaisonnements et condiments
Sel, poivre fraîchement moulu.

1. Faire blanchir fortement la poitrine salée (la mettre dans l'eau froide, porter à ébullition et laisser cuire à très léger frémissement).

2. Ecosser et égrener les petits pois, les fèves et les haricots en grains.
Emincer les oignons, le poireau, le céleri et le chou vert.
Détailler en petits cubes les carottes, les navets, les courgettes, les haricots verts et la moitié des pommes de terre. (Réserver les courgettes et les pommes de terre à part.)

3. Faire bouillir 1,5 l d'eau dans une marmite.
Ajouter 5 cl d'huile d'olive dans l'eau bouillante, une ou deux pommes de terre entières, et tous les légumes sauf les courgettes, les pommes de terre en dés et les tomates. Assaisonner.

4. Retirer le lard blanchi, le découper en petits cubes d'un demi centimètre de côté et l'adjoindre au potage.

5. Peler, épépiner et concasser les tomates.

Ajouter les tomates concassées et les pommes de terre à mi-cuisson (15 min environ) et les courgettes, 5 à 6 min avant la fin de la cuisson.

Retirer ensuite les pommes de terre entières, les écraser, et lier le potage.

6. Piler dans un mortier, au moment de servir, le basilic avec l'ail en une pâte lisse et verser peu à peu l'huile d'olive en travaillant en pommade avec une spatule en bois.

7. Mettre le pistou dans la soupière avec un peu de bouillon. Fouetter.

Ajouter le reste de bouillon bien chaud, et mélanger délicatement.

Rectifier l'assaisonnement si nécessaire.

Servir avec du fromage râpé (facultatif).

13. Soupe au potiron

Difficulté : ●●
Coût : ●●

FRANCHE-COMTÉ

Pour Cendrillon, la fée transformait une citrouille en carrosse. Soyez fée vous-même, transformez un potiron en soupière; faîtes manger à vos amis... la soupière, avec tout ce qu'on a pu mettre dedans. C'est une idée ingénieuse, féérique, qui nourrira... la conversation.

POUR 8 PERSONNES

Eléments principaux
1 potiron entier de 3 kg environ (1)
200 g de comté
500 g de pommes de terre
200 g d'oignons
200 g de blancs de poireaux
50 g de beurre.

Eléments de mouillement
1,5 l de lait

5 dl de crème fraîche épaisse.

Eléments de garniture
Quelques croûtons de pain légèrement grillés.

Assaisonnements et condiments
Sel, poivre blanc, noix muscade.

1. Couper un couvercle en haut du potiron.
Eliminer soigneusement, à l'aide d'une cuillère, les graines et les filaments.
Tailler les pommes de terre en tout petits dés.
Râper le fromage.

2. Ciseler finement les oignons et les poireaux et les faire suer au beurre sans coloration.
Mouiller avec la moitié du lait. Remuer et ajouter, hors du feu, les pommes de terre. Mélanger délicatement tous les éléments.

3. Remplir complètement le potiron de couches successives de légumes et de fromage râpé.
Assaisonner chaque couche, de sel, poivre fraîchement moulu et quelques râpures de noix muscade.
Ajouter la crème fraîche et compléter avec l'autre moitié de lait.

4. Disposer le potiron fermé avec son couvercle dans un récipient le contenant amplement et faire cuire à four moyen pendant une heure et demie.
Servir la soupe dans le potiron avec des croûtons de pain légèrement grillés.

(1) Le potiron sert de soupière. Il est donc nécessaire de le choisir avec soin.

Chapitre II

SALADES
ET ENTRÉES CHAUDES

M^d DE SALADE. En voulez-vous
de la salade !

14. Salade landaise

Difficulté : ●●
Coût : ●●●●

GASCOGNE

Les Landais, amis d'une certaine lenteur contemplative, ont un tour de main très rapide pour mêler des haricots verts encore tièdes à du foie gras frais. La salade landaise est un mets de contrastes gourmands.

POUR 4 PERSONNES

Eléments principaux
1 kg de haricots verts frais
200 g de foie gras de canard.

Eléments de garniture
20 tranches de pain de mie taillées en cœurs
60 g de beurre.

Eléments de la vinaigrette

1 dl d'huile
3 cuillerées à potage de vinaigre fin à l'estragon.

Elément complémentaire
1 cuillerée à café de persil et d'estragon ciselés.

Assaisonnements et condiments
Sel, poivre.

1. Couper le fois gras bien glacé en petits bâtonnets, le réserver au frais.

2. Mettre les haricots verts dans une bonne quantité d'eau bouillante salée. Faire cuire vivement à découvert.
Les haricots cuits doivent être tendres mais encore un peu fermes.
Les rafraîchir à l'eau courante au terme de leur cuisson.
Egoutter.

3. Préparer la vinaigrette pendant la cuisson des haricots.

4. Garnir le saladier avec les légumes à peine tièdes.
Arroser de vinaigrette.
Incorporer les bâtonnets de foie gras.
Mélanger délicatement et saupoudrer de fines herbes.
Servir aussitôt, avec les cœurs de pain de mie à peine chauffés et beurrés.

15. Flamiche aux poireaux

Difficulté : ●●●
Coût : ●●

ARTOIS

De ce plat nordique, artésien, mais aussi picard, Alphonse Karr qui ne résistait jamais au plaisir de faire un prétendu bon mot, assurait : « Ce serait très mauvais si l'on pouvait en manger ». Quelle ânerie ! On pourrait croire que le nom « flamiche » dérive du mot « flamand ». Mais non ! Il évoque joliment les flammes de sarments de vigne, qui servaient à la cuire. Du temps que la vigne poussait dans « le Nord ».

POUR 6 PERSONNES

**Eléments
de la pâte brisée (1)**
*250 g de farine tamisée
125 g de beurre
1 jaune d'œuf
5 g de sel
5 cl d'eau froide.*

**Eléments
de garniture**
*500 g de blancs de poireaux
100 g de beurre
1 dl de crème fraîche*
*épaisse
2 œufs.*

**Eléments
complémentaires**
*20 g de beurre pour grais-
ser la tourtière
1 œuf pour la dorure.*

**Assaisonnements
et condiments**
*Sel, poivre de Cayenne, noix
muscade.*

1. Confectionner la pâte brisée (2).

2. Emincer très finement les blancs de poireaux et les faire étuver à feu doux pendant 5 min, dans une poêle avec 50 g de beurre.
Incorporer ensuite, peu à peu, le reste de beurre par parcelles.
Ajouter 4 à 5 cuillerées à potage d'eau. Assaisonner.
Couvrir et laisser cuire doucement sans coloration jusqu'à réduction totale du liquide.
Mélanger la crème fraîche avec deux jaunes d'œufs battus et les adjoindre aux blancs de poireaux hors du feu.
Laisser refroidir.

3. Diviser la pâte en deux pâtons.
Abaisser chaque pâton et foncer une tourtière beurrée avec la première abaisse.
Piquer le fond avec une fourchette.
Disposer au centre la préparation de poireaux.
Mouiller la bordure à l'eau à l'aide d'un pinceau.
Couvrir le tout avec la deuxième abaisse et souder les bords.
Dorer à l'œuf battu à l'aide d'un pinceau.
Décorer avec la pointe d'un couteau.

4. Faire cuire à four chaud pendant 10 min, puis à four moyen pendant 30 à 35 min. Servir très chaud.

Cidre sec.
Vin blanc sec :
Gros plant nantais.

(1) La flamiche se fait également avec de la pâte feuilletée.
(2) Voir en fin de volume les recettes des préparations de base.

16. Salade à l'huile de noix

Difficulté : ●●
Coût : ●

MAINE

L'huile de noix rappelle le parfum rustique de la France d'autrefois. L'éloge de la noix n'est plus à faire. On en jetait jadis des quantités dans la maison des nouveaux mariés : peut-être pour rappeler que les joies du mariage peuvent avoir leur amertume comme les enveloppes de la noix; peut-être pour rappeler aux époux que leur union doit être aussi solide que celle des deux coquilles... Peut-être pour couvrir les cris de la nouvelle épousée.

POUR 4 PERSONNES

Eléments principaux
1 belle salade romaine ou de saison
20 à 24 noix, fraîches si possible

Eléments de la sauce mayonnaise crémée
1 dl d'huile de noix

1/2 cuillerée à café de moutarde
1 jaune d'œuf
1/2 citron
3 cuillerées à potage de crème fraîche.

Assaisonnements et condiments
Sel, poivre blanc.

1. Préparer la mayonnaise avec les ingrédients ci-dessus et la détendre avec le jus d'un demi citron et 3 cuillerées à potage de crème fraîche (1).

2. Tailler les cerneaux de noix en lamelles ou en petits morceaux.
Laver la salade et bien l'égoutter.
Conserver les belles feuilles pour tapisser le saladier.
Tailler les autres en lanières et les mettre dans le fond du saladier.
Ajouter les noix et mélanger le tout délicatement, avec la mayonnaise crémée.

Facultatif :
Faire frire au beurre des petits dés de pain de mie frottés très légèrement à l'ail et les incorporer à la salade.
On peut lui préférer quelques fines rondelles d'oignon.

(1) Voir en fin de volume les recettes des préparations de base.

17. Salade de Coulaines

Difficulté : ●
Coût : ●

MAINE

Coulaines est une petite commune de la Sarthe qui prête son nom au plus naturel des légumes d'hiver : le pissenlit. Il n'est vraiment savoureux qu'à la fonte des neiges et

POUR 2 PERSONNES

Eléments principaux
500 g de pissenlits
75 g de poitrine de porc maigre fraîche
2 cuillerées à potage d'huile.

Eléments de la sauce
1/2 cuillerée à café de moutarde
1 cuillerée à potage de vinaigre
1 gousse d'ail.

Eléments de garniture	Assaisonnements et condiments
2 œufs.	Sel, poivre.

cueilli loin des routes, mais l'art des maraîchers en produit toute l'année.

1. Faire cuire deux œufs à l'eau bouillante pendant 10 min environ. Les rafraîchir à l'eau courante et les écaler.

2. Préparer, laver et essorer les pissenlits. Les mettre dans une terrine en grès, à l'entrée du four pendant 5 min environ.

3. Réduire la gousse d'ail en pommade dans un bol et la mélanger avec la moutarde, le vinaigre, le sel et le poivre, réserver.

4. Couper le lard maigre, débarrassé de la couenne, en tous petits bâtonnets, et le faire fondre à la poêle dans l'huile chaude sans excès et sans le dessécher.

5. Ajouter les lardons à la salade.
Incorporer la graisse fondue dans le bol avec les autres ingrédients et verser la sauce sur les pissenlits.
Décorer avec les œufs durs coupés en quartiers.

Variante :
Garnir la salade avec des croûtons grillés frottés à l'ail.

18. Gougère

Difficulté : ●●
Coût : ●

BOURGOGNE

Ce petit chou au fromage, cher à l'Aube et à la Côte-d'Or, a peut-être été inventé par le cuisinier de quelque archevêque gourmand résidant à Sens (Yonne). On oublie parfois que ce prélat régnait aussi sur l'archidiocèse de Paris, ce qui expliquerait la large diffusion de la gougère.

POUR 4 PERSONNES

Eléments de la pâte à choux	
125 g de farine tamisée	2,5 g de sel.
100 g de beurre	
4 œufs	**Eléments complémentaires**
2,5 dl d'eau	1 œuf pour la dorure
125 g d'emmenthal râpé	20 g de beurre pour graisser la plaque.

1. Préparer la pâte à choux (1)
Ajouter à la pâte le fromage râpé.

2. Beurrer légèrement une plaque du four ou une tourtière.
Déposer la pâte en couronne à l'aide d'une cuillère à potage. Dorer à l'œuf battu, à l'aide d'un pinceau.

3. Cuire à four moyen pendant 25 min puis 5 min encore avec la porte du four maintenue à peine entrouverte. Servir aussitôt.

Vin blanc :
Chablis, Pouilly-Fuissé, Rully.

(1) Voir en fin de volume les recettes des préparations de base.

19. Salade niçoise

Difficulté : ●
Coût : ●
(en saison)

COMTÉ DE NICE

La « vraie » niçoise est rare. On la croit simple, elle ne l'est pas. La mode des crudités à tout prix et à tous prix, la travestit trop souvent. Il lui faut beaucoup de fraîcheur.

POUR 4 PERSONNES

Eléments principaux
500 g de tomates
250 g de laitue
100 g de poivrons verts
100 g de blancs de céleri
100 g de concombre
500 g de petites fèves fraîches (facultatif)
500 g de petits artichauts frais (facultatif)
100 g d'oignons frais

4 œufs
50 g d'olives noires de Nice
8 filets d'anchois
150 g de thon à l'huile
1 gousse d'ail.

Assaisonnements et condiments
1 dl d'huile d'olive
4 feuilles de basilic
Sel, poivre blanc fraîchement moulu (1).

1. Faire cuire les œufs pendant 10 min dans de l'eau bouillante.

2. Frotter l'intérieur d'un saladier avec la gousse d'ail écrasée.
Tapisser le saladier de feuilles de laitue.
Ciseler grossièrement les autres feuilles et les disposer dans le fond du saladier.
Peler, couper en quartiers et épépiner les tomates (2).
Emincer très finement le concombre pelé, le blanc de céleri et la partie tendre des artichauts.
Tailler très finement en anneaux les poivrons verts et les oignons.
Ecosser les fèves.
Couper en deux les œufs durs.
Disposer harmonieusement tous les légumes et décorer le dessus avec les tomates, les poivrons, les oignons, les œufs durs, les olives noires, les filets d'anchois, et le thon.

3. Hacher finement le basilic, saler et poivrer.
Ajouter l'huile d'olive et verser la sauce sur la niçoise.
Bien rafraîchir avant de servir.

(1) La vraie salade niçoise ne comporte pas de vinaigre.
Le jus de la tomate, préalablement salée, est suffisamment acide.
(2) Dans la région niçoise, les tomates sont coupées en quartiers et salées, sans être pelées ni épépinées.

Ne jamais mettre de légumes cuits dans une salade niçoise.

20. Goyère valenciennoise

Difficulté : ●●●
Coût : ●●

FLANDRE

On a commémoré en 1960, le millénaire du maroilles, fromage né sur la terre de Saint-Hubert en Thiérache, où le corps du saint repose, et qui n'en est pas à un miracle près. Le maroilles donne sa touche personnelle à la goyère, à une flamiche régionale, et aux « toriotes », croûtes rôties du Hainaut.

Cidre sec.
Vin blanc : *Muscadet.*

POUR 8 PERSONNES

**Eléments
de la pâte brisée**
*250 g de farine tamisée
125 g de beurre
1 jaune d'œuf
5 g de sel
5 cl d'eau froide.*

Eléments de garniture
*3,5 dl de fromage blanc
2 œufs
75 g de maroilles*

*75 g d'emmenthal
30 g de beurre.*

**Eléments
complémentaires**
*20 g de beurre pour graisser
le moule.*

**Assaisonnements
et condiments**
*Sel, poivre de Cayenne, noix
muscade.*

1. Confectionner la pâte brisée (1).
Garnir une grande tourtière beurrée avec une abaisse de pâte.
Piquer le fond avec une fourchette et laisser reposer 20 min.

2. Faire fondre les fromages à feu doux, dans une casserole. Assaisonner. (Il est conseillé de faire cette préparation la veille).
Ajouter le beurre fondu et les œufs battus juste avant la cuisson.
Bien mélanger le tout et garnir la pâte de cette composition.

3. Mettre à cuire à four chaud pendant 20 min, puis terminer la cuisson pendant 30 min à four doux.
Servir encore tiède, mais pas brûlant.

(1) La goyère peut se faire, soit avec une pâte brisée, soit avec une pâte feuilletée. Voir en fin de volume les recettes des préparations de base.

21. Quiche

Difficulté : ●●●
Coût : ●●●

LORRAINE

La quiche, d'un mot germanique qui signifie : cuisine, est le premier atout de la gastronomie lorraine. On a assuré un peu follement que le peintre

POUR 8 PERSONNES

Eléments de la pâte brisée
*250 g de farine
125 g de beurre
1 jaune d'œuf
5 g de sel, 5 cl d'eau*

**Eléments
de la « migaine »**
*5 dl de crème fraîche
liquide
4 œufs*

Claude Gelée dit Le Lorrain en inventa la pâte souple du temps qu'il était compagnon pâtissier... On ne prête qu'aux riches. Bien avant lui, la quiche figurait dans les entrées des festins des ducs de Nancy, préparée, il est vrai, avec de la pâte à pain.

Eléments de garniture
100 g d'emmenthal
100 g de poitrine de porc fumée
20 g de beurre

Elément complémentaire

20 g de beurre pour graisser la tourtière

Assaisonnements et condiments
Sel, poivre de Cayenne, noix muscade.

1. Préparer la pâte brisée salée (1)

2. Beurrer légèrement une tourtière de 25 cm de diamètre.
Abaisser la pâte et foncer le moule.
Piquer le fond avec une fourchette.
Réserver au frais pendant 20 min pour lui faire perdre son élasticité et éviter son rétrécissement.

3. Couper le lard, débarrassé de la couenne, en tous petits lardons et le faire revenir au beurre sans le dessécher.

4. Râper l'emmenthal ou le détailler en fines lamelles.

5. Confectionner la « migaine » (2) :
Mettre dans une terrine, les œufs battus en omelette, la crème fraîche, le sel, le poivre de Cayenne et quelques râpures de noix muscade. Fouetter pour bien mélanger l'ensemble et passer au chinois (passoire fine).

6. Répartir les petits lardons et le fromage râpé ou en lamelles sur la pâte, et recouvrir avec la « migaine » (3).

7. Cuire à four chaud pendant 20 à 30 min.
Servir la quiche brûlante.

(1) Voir en fin de volume les recettes des préparations de base.
(2) Nom donné en Lorraine pour désigner l'appareil à flan.
(3) La pâte peut être précuite à blanc pour être plus croustillante.

Vin blanc : *Moselle.*

22. Ramequins

Difficulté : ●●
Coût : ●●

LORRAINE

Le ramequin lorrain ici présenté ne doit pas être confondu avec le ramequin douaisien, hachis de rognons, de mie de pain, d'œufs et de fines herbes dont on farcit des petits pains avant de les dorer au four, tandis que le ramequin du pays de Gex est une grosse soupe au fromage de gruyère, au vin rouge, au bouillon, aillée et moutardée.

POUR 4 PERSONNES

Eléments de la pâte à choux
125 g de farine tamisée
100 g de beurre
4 œufs
2,5 dl d'eau
2,5 g de sel.

Eléments complémentaires

100 g de comté
20 g de beurre pour graisser la plaque
1 œuf pour dorer les choux.

Assaisonnements et condiments
Poivre de Cayenne, noix muscade.

1. Préparer une pâte à choux salée (1).

2. Assaisonner d'un soupçon de poivre de Cayenne et de quelques râpures de noix muscade.

Ajouter 50 g de comté râpé et détailler le reste du fromage en tout petits dés.

Beurrer légèrement la plaque du four.

3. Mettre la pâte dans une poche avec une douille. Coucher en forme de chou.

Dorer à l'aide d'un pinceau avec de l'œuf battu.

Parsemer le fromage en dés sur les choux.

4. Cuire à four moyen pendant 12 à 15 min.

Servir bien chauds, dressés sur une serviette.

Vin blanc : *Moselle.*

(1) Voir en fin de volume les recettes des préparations de base.

23. Ficelle picarde

Difficulté : ●●●
Coût : ●

PICARDIE

Une des meilleures variétés régionales de crêpes, qui sont pourtant nombreuses. Il est vrai qu'elle est admirablement garnie, et que le choix de ces garnitures est varié à l'infini.

POUR 4 PERSONNES

Eléments de la pâte à crêpes (8 crêpes)
100 g de farine de froment
2 œufs entiers + 1 jaune
2,5 dl de lait cru
1 pincée de sel.

Eléments de la sauce Béchamel
20 g de beurre
20 g de farine
2,5 dl de lait.

Eléments de garniture
150 g de champignons
50 g d'échalotes
30 g de beurre
4 tranches de jambon

5 cl de crème fraîche épaisse.

Eléments complémentaires
20 g de beurre fondu pour cuire les crêpes
1,5 dl de crème fraîche épaisse
15 g de beurre pour graisser le plat à gratin
15 g de beurre fondu pour arroser le gratin
50 g de fromage râpé.

Assaisonnements et condiments
Sel, poivre de Cayenne, noix muscade.

1. Confectionner la pâte sans sucre, et faire cuire les crêpes (1).

2. Emincer les champignons

Ciseler finement les échalotes et les faire suer 2 à 3 min au beurre sur un feu modéré.

Ajouter les champignons.

(1) Voir en fin de volume les recettes des préparations de base.

Assaisonner et faire cuire à couvert pendant 15 min à feu doux.

3. Préparer la sauce Béchamel pendant la cuisson des champignons (2).
Additionner à la sauce 5 cl de crème fraîche.
Incorporer la béchamel crémée aux champignons.

4. Couper les tranches de jambon en deux.
Poser chaque crêpe à plat.
Etaler au-dessus une légère couche de sauce.
Garnir d'une demi-tranche de jambon.
Recouvrir d'une autre couche de sauce et rouler la crêpe bien serrée.

5. Ranger les crêpes dans un plat à gratin beurré les contenant juste.
Napper avec 1,5 dl de crème fraîche.
Saupoudrer de fromage râpé.
Arroser d'un peu de beurre fondu.

6. Faire gratiner vivement sous le gril du four.
Servir brûlant.

Cidre sec.

(2) Voir en fin de volume les recettes des préparations de base.

24. Tourte aux morilles

Difficulté :●●●
Coût : ●●●●

ILE-DE-FRANCE

La morille est un champignon de printemps qui affectionne le pied des ormes et des frênes, ainsi que les lisières claires et sauvages. Il est rare et c'est l'un des meilleurs. Si rare qu'on ne l'utilise souvent qu'à partir de conserves sèches. Cette petite éponge, blonde ou brune, est un microcosme de saveur.

POUR 8 PERSONNES

**Eléments
de la pâte feuilletée**
   Détrempe
400 g de farine + 75 g pour travailler la pâte
200 g d'eau froide
8 g de sel fin
   Beurrage
300 g de beurre ou de margarine à feuilletage
   Dorure
1 œuf.

Eléments de garniture
500 g de morilles fraîches ou 60 g de sèches
100 g de beurre.
8 petites tranches de jambon sec non fumé

1 dl de vin blanc sec ou de champagne.

Eléments de la sauce
50 g de beurre
50 g de farine
5 dl de lait
2 œufs
1,5 dl de crème fraîche épaisse

Elément complémentaire
20 g de beurre pour tamponner la sauce Béchamel.

**Assaisonnements
et condiments**
Sel, poivre, poivre de Cayenne, noix muscade.

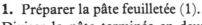

1. Préparer la pâte feuilletée (1).
Diviser la pâte terminée en deux pâtons.

2. Nettoyer très soigneusement les morilles, les couper en morceaux, et les faire cuire à couvert avec 50 g de beurre et le vin blanc.
Assaisonner.
Retirer les morilles après cuisson et réduire le jus de moitié.

3. Confectionner la sauce Béchamel (1).
Mettre dans un bol 4 cuillerées à potage de crème fraîche, deux jaunes d'œufs et le jus des morilles.
Mélanger et incorporer cette composition à la béchamel.
Réserver aussitôt hors du feu.

4. Couper le jambon en petits bâtonnets et le faire suer très légèrement au beurre tiède.

5. Abaisser les deux pâtons.
Garnir une tourtière à peine beurrée avec la première abaisse.
Badigeonner la surface du fond avec un peu de crème fraîche à l'aide d'un pinceau sans aller jusqu'aux bords.
Répartir la moitié du jambon au-dessus.

(1) Voir en fin de volume les préparations de base.

Garnir avec la sauce refroidie et les morilles (« la hadrée » en patois soissonnais).

Parsemer avec le reste de jambon.

Mouiller à l'eau les bords de la tourte et poser la deuxième abaisse au-dessus.

Souder les bords. Pincer légèrement le pourtour.

Pratiquer au centre un trou avec une petite cheminée en carton.

Décorer la surface avec des chutes de pâte (feuillages, fleurs, arabesques). Dorer à l'œuf battu.

6. Faire cuire à four chaud pendant 30 à 35 min environ.

Couler dans la cheminée, quelques minutes après la sortie du four, 2 à 3 cuillerées à potage de crème fraîche un peu chaude.

(d'après une spécialité de J. Thery-Merland)

Vin blanc :
Côteaux de la Marne.

25. *Tourtarelle*

Difficulté : ●●●
Coût : ●●

PROVENCE

La tourtarelle, comme son nom l'indique, est une tourte, mais bien garnie.

POUR 8 PERSONNES

**Eléments
de la pâte**
*250 g de farine tamisée
75 g de beurre
1 œuf
10 à 15 g de levure de bière
6 g de sel
8 g de sucre semoule
1 dl environ de lait tiède.*

**Eléments
de la sauce Béchamel**
*3 dl de lait
25 g de beurre
25 g de farine.*

**Eléments
de garniture (1)**
*100 g de jambon cuit
150 g de tomates fraîches
50 g de fromage râpé
20 g de beurre.*

Elément complémentaire
*10 g de beurre pour
graisser le moule.
1 œuf*

**Assaisonnements
et condiments**
*Sel, poivre, poivre de
Cayenne, noix muscade.*

1. Préparer la pâte avec les ingrédients ci-dessus;
Procéder comme pour la pâte levée (2).

2. Confectionner la sauce Béchamel (2).

3. Couper les tomates en tranches fines.
Les disposer sur un plat et les assaisonner de sel et de poivre.

(1) La garniture de la Tourtarelle peut-être très variée : oignons fondus, dés volaille cuite, poisson, ou fruits de mer.
Avec une garniture de poisson ou de fruits de mer, la béchamel doit être safra
(2) Voir en fin de volume les recettes des préparations de base.

Détailler le jambon en petits dés.
Beurrer légèrement un grand moule.

4. Abaisser finement la pâte sur une hauteur de 5 mm environ et foncer le moule. Dorer les bords à l'œuf battu.
Etaler la sauce Béchamel tempérée par-dessus, en partant du centre jusqu'à 1 cm du bord.
Parsemer de jambon et de fromage râpé.
Arroser de 20 g de beurre fondu.
Garnir avec 6 à 8 tranches de tomates bien égouttées.

5. Laisser reposer 15 à 20 min à l'abri des courants d'air. Cuire à four très chaud 15 min environ.

(Fabrication commerciale réservée)

Vin rosé ou blanc :
Côtes de Provence.

26. *Tarte flambée ou flammeküche*

Difficulté : ●●
Coût : ●●

ALSACE

Solide entrée ou plat principal, la flammeküche se dégustait au sortir du four à pain, chauffé au bois de pin.

POUR 8 PERSONNES

Elément principal
500 g de pâte à pain.

Eléments de garniture
5 dl de crème fraîche épaisse
80 g d'oignons
80 g de poitrine fumée

50 g de beurre
1 cuillerée à potage d'huile de colza.

Assaisonnements et condiments
Sel, poivre de Cayenne, noix muscade.

1. Ciseler finement les oignons.
Couper la poitrine fumée, débarrassée de la couenne, en très petits bâtonnets, et faire sauter les lardons à la poêle, lentement, au beurre, sans les dessécher. Les retirer de la poêle et les réserver dans un bol.
Ajouter dans la même poêle, les oignons, et laisser suer à feu doux, pendant 2 à 3 min.

2. Réunir dans une terrine, la crème fraîche tenue à la température ambiante, et les oignons.
Assaisonner de sel, d'une pointe de poivre de Cayenne, et de quelques rapûres de noix muscade.

3. Abaisser finement la pâte et la poser sur une plaque à pâtisserie.
Garnir avec la crème fraîche et les oignons.
Répartir les lardons au-dessus.
Arroser avec l'huile de colza.
Faire cuire à four très chaud pendant 10 min environ.

'n blanc :
lvaner, Riesling, ou
ot blanc.

Chapitre III

ŒUFS

Mᵈᵉ D'ŒUFS. A trois de six blancs.
les rouges et les blancs !

27. Brouillade aux truffes

Difficulté : ●●●
Coût : ●●●●

GASCOGNE

Une œuvre délicate, qu'il ne faut pas cesser de travailler pour atteindre la réussite. La précieuse truffe mérite ce travail. Elle qui, selon Brillat-Savarin, « peut, en certaines occasions, rendre les femmes plus tendres et les hommes plus aimables ».

POUR 2 PERSONNES

Eléments principaux
6 œufs
20 g de beurre
1 belle truffe fraîche de 40 g environ
5 cl de madère.

Elément complémentaire
30 g de beurre.

Assaisonnements et condiments
Sel, poivre.

1. Nettoyer et brosser soigneusement une belle truffe fraîche.

La couper en petits dés. Saler très légèrement.

Porter à ébullition le madère dans une petite casserole.

Ajouter les dés de truffe et laisser cuire sans faire bouillir, couvert à moitié, pendant 15 min.

2. Beurrer l'intérieur d'une casserole, en inoxydable de préférence.

Battre les œufs et les assaisonner de sel et de poivre fraîchement moulu.

Verser les œufs dans la casserole.

Mettre sur un feu doux en remuant constamment à l'aide d'une spatule en bois.

Retirer du feu, dès que la consistance devient bien crémeuse.

Adjoindre les dés de truffe avec leur jus de cuisson et 30 g de beurre par petites parcelles.

Mélanger et servir aussitôt dans un petit toupin en terre chaud.

28. Œufs à la cantalienne

Difficulté : ●●
Coût : ●

AUVERGNE

Le cantal, aïeul de tous les fromages français, trouve ici une manière bien mousseuse de rajeunir.

POUR 4 PERSONNES

Eléments principaux
8 œufs
100 g de fromage de Cantal haché, écrasé ou en lamelles
1,5 dl de crème fraîche

épaisse
20 g de beurre.

Assaisonnements et condiments
Sel, poivre blanc.

1. Beurrer un plat à gratin assez profond ou plusieurs petits plats (un par personne).

2. Casser les œufs en séparant soigneusement les jaunes des blancs. (Il ne doit pas subsister de jaune dans les blancs pour réussir des œufs en neige.)

3. Monter les blancs en neige ferme. Assaisonner de sel et de poivre.
Incorporer délicatement 50 g de cantal râpé.

4. Garnir le moule avec les blancs.
Faire 8 petits creux dans les blancs à l'aide d'une petite louche.
Verser dans chaque creux une cuillerée à potage de crème fraîche.
Assaisonner et mettre au-dessus les jaunes d'œufs.
Saupoudrer de cantal râpé ou en lamelles et cuire à four moyen pendant 8 à 10 min.
Servir aussitôt dans le plat.

29. Œufs à l'escargot

Difficulté : ●●●
Coût : ●●●

LORRAINE

Un mets original,
à la fois élégant et solide.
Auricoste de Lagarde
en relevait déjà
la recette, dans
sa « Gastronomie lorraine »
de 1892, du temps
que Raymond Poincaré
n'était que député
de la Meuse.

POUR 4 PERSONNES

Elément principal
6 œufs.

**Eléments
de garniture**
30 g d'échalotes
40 g de beurre
40 g de farine
4 dl de lait
1 dl de crème fraîche
2 dz d'escargots
3 cuillerées à potage de

persil
50 g de chapelure.

Elément complémentaire
20 g de beurre pour graisser le plat + 20 g pour arroser le gratin.

**Assaisonnements
et condiments**
Sel, poivre de Cayenne, noix muscade.

1. Faire cuire les œufs à l'eau bouillante pendant 10 min.
Laisser refroidir et écaler.
Couper chaque œuf en deux.
Retirer les jaunes et réserver les blancs.

2. Hacher les escargots, les jaunes d'œufs et le persil.

3. Ciseler très finement les échalotes et les faires suer au beurre sans coloration.
Ajouter la farine. Remuer.

(1) Voir en fin de volume les recettes de préparation de base.

Adjoindre ensuite peu à peu le lait froid en fouettant pour obtenir une sauce lisse et sans grumeau. Laisser cuire 10 à 15 min à feu doux. Crémer la sauce.

Ajouter hors du feu, la moitié de la chapelure, les escargots, les jaunes d'œufs et le persil.

Assaisonner de sel, de poivre de Cayenne et de quelques râpures de noix muscade.

4. Garnir les blancs d'œufs avec la farce et les disposer avec le reste de farce dans un plat à gratin bien beurré, saupoudrer avec le reste de chapelure, arroser de beurre fondu, et faire chauffer à four chaud.

30. Œufs
à la savoyarde

Difficulté : ●●
Coût : ●

SAVOIE

Comment les produits les plus simples deviennent un chef-d'œuvre d'onctuosité.

POUR 4 PERSONNES

Eléments principaux
8 œufs
500 g de pommes de terre
50 g de beurre
75 g d'emmenthal râpé
1,5 dl de crème fraîche épaisse.

Elément complémentaire
20 g de beurre pour graisser les plats à œufs.

Assaisonnements et condiments
Sel, poivre blanc, noix muscade.

1. Emincer les pommes de terre en tranches de 2 mm d'épaisseur environ.

Les laver, les éponger très soigneusement dans un linge et les faire sauter au beurre (1) dans une poêle sans laisser brûler le beurre.

Assaisonner.

2. Garnir quatre plats à œufs d'une couche de pommes de terre sautées.

Saupoudrer de fromage râpé.

Casser deux œufs dans une assiette et les glisser au-dessus de chaque plat sur les pommes de terre.

Arroser chaque œuf d'une cuillerée de crème fraîche.

Assaisonner de sel, de poivre blanc fraîchement moulu et de quelques râpures de noix muscade.

3. Faire cuire sur un feu doux à couvert pendant 4 à 6 min selon le goût.

(1) Le beurre peut être additionné par moitié d'huile.

31. Omelette au brocciu

Difficulté : ●
Coût : ●

CORSE

Le broccio ou brocciu,
fabriqué à partir de lait cru
et de crème cuite,
naît dans la solitude parfumée
de la montagne corse.
Attention, il ne vient pas
de la « brousse ».
Ici « brousser »,
veut dire remuer, battre.

POUR 4 PERSONNES

**Eléments
principaux**
 *8 œufs
100 g de brocciu frais* (1)
 huile d'olive ou beurre.

**Assaisonnements
et condiments**
*Sel, poivre blanc fraîche-
ment moulu, menthe fraîche
finement ciselée (facultatif).*

1. Battre les œufs sans excès, dans une terrine.
Emietter le fromage frais sur les œufs.
Mélanger. Assaisonner
Ajouter la menthe fraîche (facultatif).

2. Faire cuire comme une omelette ordinaire.

(1) On trouve, sur « le continent » un fromage qui s'apparente au brocciu : la
brousse du Rove et la brousse de la Vésubie.

32. Omelette brayaude

Difficulté : ●
Coût : ●

AUVERGNE

Pourquoi brayaude?
Parce que les Arvernes,
Gaulois venus à cheval
de l'Est lointain,
portaient des « braies »
ou pantalons longs
qui étonnèrent leurs
adversaires romains.
Vercingétorix devait
déjà connaître
l'omelette brayaude.

POUR 2 PERSONNES

**Eléments
principaux**
 *4 à 6 œufs
50 g de poitrine de lard
 maigre fraîche
150 g de pommes de terre
20 g de beurre pour la garniture et 20 g pour
 l'omelette.
5 cl de crème fraîche
 épaisse*

30 g de cantal en lamelles.

**Eléments
complémentaires**
 *20 g de beurre pour lustrer
 l'omelette
30 g de cantal haché ou
 râpé.*

**Assaisonnements
et condiments**
Sel, poivre.

1. Disposer la poitrine de porc à l'eau froide dans une
petite casserole.
Porter à ébullition et laisser cuire à léger frémissement
pendant 15 min.
Couper le lard, débarrassé de la couenne, en petits lardons. Tailler les pommes de terre en très petits dés.

2. Mettre à chauffer sans excès le beurre dans une
poêle. Faire revenir très rapidement les lardons sans
les dessécher et les réserver dans une terrine.

3. Rissoler les pommes de terre dans la même poêle. Réserver avec les lardons après cuisson.

4. Adjoindre les œufs battus, la crème, le sel, le poivre et le cantal en lamelles aux pommes de terre.
Laisser tous les ingrédients dans la terrine à couvert pendant 5 min environ. (Cette méthode permet d'obtenir des pommes de terre plus moelleuses.)

5. Utiliser une poêle parfaitement propre et faire l'omelette plate comme d'habitude.

6. Lustrer la surface de l'omelette avec 20 g de beurre. Saupoudrer le centre de cantal haché.

33. *Omelette aux cèpes*

Difficulté : ●●
Coût : ●●

GASCOGNE

Roi des sous-bois, le cèpe odorant et brun mérite ce manteau de cour jaune d'or.

POUR 2 PERSONNES

Eléments principaux
6 œufs
20 g de beurre.

Eléments de garniture
200 g de cèpes frais ou 100 g en conserve.
30 g de graisse d'oie
1 gousse d'ail hachée

1 cuillerée à café de persil haché.

Elément complémentaire
15 g de beurre.

Assaisonnements et condiments
Sel, poivre.

1. Nettoyer, égoutter puis émincer finement les cèpes et les faire sauter à la poêle dans la graisse d'oie.
Assaisonner de sel et de poivre fraîchement moulu.
Ajouter au terme de leur cuisson, l'ail et le persil haché.
Couvrir et laisser 1 min sur le feu doux.

2. Battre les œufs sans excès. Assaisonner de sel et de poivre.
Faire chauffer 20 g de beurre dans une poêle propre sans le laisser brûler.
Mélanger les œufs et les cèpes en conservant quelques morceaux pour garnir le dessus de l'omelette.

3. Verser dans le beurre chaud.
Ramener constamment l'œuf coagulé vers le centre.
Rouler l'omelette comme d'habitude, et la glisser sur un plat chaud légèrement beurré.

4. Lustrer au pinceau avec 15 g de beurre fondu.
Garnir le dessus de quelques cèpes disposées harmonieusement.

34. Piperade

Difficulté : ●●●
Coût : ●●

BEARN

Grâce à la piperade
(litt. la poivronnée),
la France des régions
figure en bonne place
dans l'Internationale
du poivron doux,
qui réunit
des pays aussi différents
que la Guinée, la Turquie,
les Etats-Unis, la Tunisie,
la Hongrie et...
le Comté de Nice.

POUR 4 PERSONNES

Elément principal
12 œufs.

**Eléments
complémentaires**
*500 g de tomates fraîches
80 g d'oignons
250 g de poivrons
2 gousses d'ail*

*150 g de jambon de Bayonne
5 cl d'huile
30 g de graisse d'oie
1 bouquet garni
1 cuillerée à café de persil
haché.*

**Assaisonnements
et condiments**
Sel, sucre, piment fort.

1. Enlever les graines, couper les poivrons en fines lamelles.
Peler, épépiner et concasser les tomates.
Emincer finement les oignons.

2. Faire suer les oignons à l'huile en remuant à l'aide d'une cuillère en bois pendant 3 min environ.
Ajouter les poivrons, l'ail écrasé et laisser cuire à feu doux pendant 7 min environ.
Adjoindre les tomates concassées et le bouquet garni.
Assaisonner de sel, d'une pincée de sucre et de piment avec modération.
Laisser à couvert à feu doux pendant 10 min, puis à feu modéré jusqu'à cuisson et complète évaporation de l'eau de végétation.

3. Faire revenir dans une poêle, à la graisse d'oie, à feu doux, le jambon coupé en petites tranches, sans le dessécher.

Réserver dans un bol avec la graisse d'oie. Tenir au chaud.

4. Graisser les parois d'une petite sauteuse avec la graisse de cuisson du jambon.
Verser les œufs et les faire chauffer sur un feu très doux.
Travailler rapidement à la cuillère en bois pour que le mélange soit bien lié, moelleux et homogène.
Retirer du feu et mélanger avec les trois quarts des légumes.
Rectifier l'assaisonnement.

5. Dresser en dôme dans un légumier.
Garnir le centre avec les légumes restants.
Répartir les tranches de jambon tout autour. Saupoudrer de persil haché.
Servir aussitôt.

Il est bon de servir à part, des croûtons frits au beurre et, pour les amateurs, une petite gousse d'ail pour frotter les croûtons.

35. Omelette lyonnaise

Difficulté : ●
Coût : ●

LYONNAIS

Lyon, capitale
gastronomique à la porte
de la prolifique Bourgogne,
se devait de donner
au vinaigre sa place
à l'orchestre : chauffé,
il joue ici son contrepoint
avec l'oignon doux.

POUR 2 PERSONNES

Eléments principaux
- 6 œufs
- 50 g d'oignons
- 1 cuillerée à café de persil haché
- 20 g de beurre
- 1 cuillerée à potage de vinaigre.

Elément complémentaire
- 10 g de beurre pour lustrer l'omelette.

Assaisonnements et condiments
- Sel, poivre.

1. Emincer très finement les oignons et les faire légèrement colorer au beurre sur un feu doux. Couvrir et laisser cuire pendant 10 min en remuant souvent. Mouiller avec un peu d'eau si nécessaire.

2. Casser les œufs dans une terrine, les battre sans excès.

Assaisonner de sel et de poivre.

Ajouter le persil haché et les oignons cuits (1).

Faire cuire l'omelette comme d'habitude au beurre chaud dans une poêle et la faire glisser sur un plat chaud beurré.

3. Mettre à chauffer le vinaigre dans la poêle et arroser l'omelette.

Lustrer ensuite avec un peu de beurre.

Servir aussitôt.

(1) Conserver un peu d'oignons pour la garniture et les mettre en bouquet sur l'omelette après cuisson.

36. *Omelette nivernaise*

Difficulté : ●
Coût : ●

NIVERNAIS

Rien n'est plus plat qu'une omelette, aurait dit La Palisse. En y ajoutant l'acidité de l'oseille et la malice gustative de la ciboulette, les Nivernais en ont fait un Himalaya de saveur.

POUR 2 PERSONNES

Eléments principaux
6 œufs
10 g de beurre.

Eléments de garniture
250 g d'oseille
80 g de jambon
1 cuillerée à café de ciboulette ciselée

30 g de beurre.

Elément de finition
10 g de beurre.

Assaisonnements et condiments
Sel, poivre.

1. Ciseler finement l'oseille.

Couper le jambon en petits dés et le faire colorer au beurre dans une poêle en inox.

Ajouter l'oseille et étuver doucement, jusqu'à complète réduction de l'eau de végétation.

2. Battre les œufs sans excès, dans une terrine.

Adjoindre la ciboulette ciselée, l'oseille et le jambon. Assaisonner. Mélanger le tout.

3. Faire chauffer, dans une petite poêle ronde en inox propre, sur un feu vif, 10 g de beurre sans le laisser brûler. Verser les œufs dans le beurre chaud.

Soulever sans attendre et sans cesse les bords de l'omelette sur tout le tour à l'aide d'une fourchette et ramener les parties cuites vers le centre.

Faire cuire jusqu'à la consistance désirée.

Laisser dorer le fond.

Retourner l'omelette comme une crêpe et la glisser ensuite sur un plat.

4. Lustrer la surface avec 10 g de beurre en pommade.

37. Royales
de tomates

Difficulté : ●
Coût : ●

PROVENCE

Comment
les Méditerranéens
et « ceuss » du Nord
ont-ils pu vivre
jusqu'au XVIe siècle,
sans cette tomate,
venue du Mexique,
sur les caravelles
espagnoles, et assurément
plus précieuse
que tout l'or
des dieux aztèques ?

POUR 6 PERSONNES

Eléments principaux
1/2 l de lait
3 œufs entiers
2 jaunes d'œufs
400 g de tomates fraîches bien mûres
60 g d'échalotes ou d'oignons
2 gousses d'ail
20 g de persil
1 petit bouquet garni
5 cl d'huile d'olive.

Eléments de garniture
6 olives noires et 6 anchois à l'huile
quelques feuilles de laitue.

Assaisonnements et condiments
Sel, poivre fraîchement moulu, poivre de Cayenne, sucre.

1. Peler, épépiner et concasser les tomates.
Ciseler les échalotes. Broyer l'ail.

2. Mettre à chauffer l'huile dans une petite sauteuse.
Faire suer les échalotes sans coloration.
Ajouter les tomates concassées, l'ail et le bouquet garni.
Assaisonner de sel, de poivre et d'une prise de sucre.
Couvrir et laisser cuire à feu très doux.
Faire réduire toute l'eau de végétation en fin de cuisson.
Eliminer le bouquet garni.

3. Mettre le lait à bouillir.
Casser, mélanger, et battre les œufs dans une terrine.
Ajouter aux œufs, peu à peu, le lait bouilli, les tomates concassées, le persil haché, assaisonner et verser la composition dans 6 ramequins beurrés.

4. Mettre à cuire à four doux, au bain-marie empli d'eau bouillante jusqu'à mi-hauteur des ramequins, pendant 45 min environ.

5. Laisser refroidir complètement.
Démouler sur le plat de service et décorer avec quelques feuilles de salade.
Poser sur chaque royale, une olive noire dénoyautée, entourée d'un anchois.
Servir très frais.

Variante :
Les royales peuvent être préparées avec des fruits de mer, des épinards, des blettes...

Chapitre IV

POISSONS, CRUSTACÉS COQUILLAGES, MOLLUSQUES

Mᵈᵉ DE MARÉE. Ah! qu'il est beau le Maquereau!

38. Alose de l'Adour grillée

Difficulté : ●●●
Coût : ●●●

BÉARN

Il n'y a peut-être plus beaucoup d'aloses dans l'Adour, mais il y en a et sa tradition culinaire y demeure, comme elle demeure à Bordeaux, Saint-Émilion, Nantes, Tours, Amboise. Sa chair est délicate... en dépit des arêtes.

POUR 4 OU 6 PERSONNES

Eléments principaux
1 alose de 1,2 à 1,5 kg
100 g de beurre.

Eléments de la marinade
1 dl d'huile
1 citron
30 g de queues de persil concassées.

Eléments du beurre d'anchois
100 g d'anchois salés
100 g de beurre.

Elément de décoration
1 citron.

Assaisonnements et condiments
Sel, poivre, thym, laurier.

1. Ébarber, écailler, vider et laver l'alose.
Ciseler finement chaque face par quelques stries peu profondes à l'aide d'un couteau, pour permettre une meilleure cuisson.
Saler et poivrer.
Mettre à mariner pendant 1 h environ avec l'huile, le jus d'un citron, les queues de persil, un peu de thym et quelques fragments de laurier.

2. Préparer le beurre d'anchois (1) :
Dessaler les anchois à plusieurs eaux.
Lever les filets, les éponger, les passer au tamis ou au moulin à légumes grille fine, et les mélanger ensuite intimement avec le beurre en pommade.

3. Canneler et tailler le citron en rondelles, pour le décor.
Couper les rondelles en deux. Réserver dans un bol.

4. Faire fondre 100 g de beurre dans une petite casserole.
Disposer le poisson sur le gril et faire cuire lentement à chaleur modérée pendant une bonne demi-heure.
Badigeonner souvent de beurre fondu.

5. Dresser l'alose sur un plat bordé de demi-rondelles de citron.
Mettre le beurre d'anchois dans une saucière.
Accompagner de pommes de terre cuites à la vapeur.

Vin blanc :
*Pacherenc du Vic-Bihl,
Irouléguy.*

(1) Le beurre d'anchois peut être remplacé par un simple beurre fondu, additionné d'un filet de citron.

39. Anguille au vert

Difficulté : ●●●
Coût : ●●●

FLANDRE

L'anguille au vert, qui se déguste froide ou chaude, est la première spécialité de Lille. Certains cuisiniers méticuleux y voudraient mettre quatorze sortes d'herbes. Soyons moins prodigues, mais n'oublions cependant pas la petite pimprenelle. Selon Platina de Crémone (1588), elle donne « appétit et volupté à ceux qui la mangent », tandis qu'un proverbe comtois assure : « Plus tu frotteras tes joues à la primprenelle, plus tu seras belle. »

Bière.
Vin blanc :
Coteaux de la Marne.

POUR 4 PERSONNES

Eléments principaux
1 kg d'anguille
150 g d'oseille
100 g d'épinards
1 cuillerée à café de persil concassé
1 cuillerée à café d'estragon ciselé
1 cuillerée à café de feuilles de sauge et de cerfeuil ciselées
1 pincée de pimprenelle
20 g de farine

80 g de beurre.

Eléments de la sauce
3 dl de vin blanc ou de bière
1 dl de crème fraîche épaisse
3 jaunes d'œufs.

Assaisonnements et condiments
Sel, poivre.

1. Lever la peau des anguilles et les détailler en tronçons de 5 cm environ.

2. Faire revenir au beurre les tronçons et les assaisonner de sel et de poivre.
Singer : ajouter 20 g de farine.
Laisser prendre coloration.
Déglacer avec 3 dl de vin blanc ou de bière.
Porter à ébullition et laisser cuire à simple frémissement pendant 10 min environ à découvert.

3. Ciseler les épinards et l'oseille et les faire fondre doucement au beurre, dans une autre sauteuse en inox.
Ajouter les herbes aromatiques, saler et poivrer.

4. Retirer les morceaux d'anguille après cuisson, les disposer sur un plat et tenir au chaud.
Mélanger la crème fraîche et les jaunes d'œufs et verser sur le jus de cuisson des anguilles en fouettant vivement sur un feu doux. (La sauce doit épaissir sans jamais bouillir.)
Incorporer les épinards et l'oseille et napper les morceaux d'anguille.
Servir froid.

40. Bouilleture

Difficulté : ●●●●
Coût : ●●●

POUR 6 PERSONNES

Eléments principaux
  2 kg d'anguilles
  60 g de beurre.

**Eléments
du fumet de poisson**
    Têtes, queues, nageoires
    des anguilles
100 g d'oignons
  50 g d'échalotes
  50 g de carottes
  50 g de beurre
    parures de champignons
  1/2 jus de citron
    1 bouquet garni
7,5 dl d'eau
    1 dl de vin blanc sec.

Eléments de la sauce
  1 l de vin rouge
  5 cl de cognac
  50 g d'échalotes
  2 gousses d'ail

  1 bouquet garni
  35 g de farine
    2 dl de crème fraîche
    épaisse
100 g de beurre.

**Eléments
de garniture**
150 g de champignons
150 g de petits oignons
  40 g de beurre
    1 citron
250 g de pruneaux (1)
    6 croûtons frits au beurre.

Elément de finition
    2 cuillerées à café de persil
    haché.

**Assaisonnements
et condiments**
Sel, poivre, poivre en grains,
sucre.

1. Dépouiller les anguilles, et les tronçonner.
Réserver les têtes, les queues et les nageoires pour le fumet.

2. Ciseler finement les échalotes.
Dénoyauter les pruneaux.
Couper les têtes des champignons en quartiers et conserver les pieds pour le fumet.

3. Confectionner le fumet de poisson (2).

4. Préparer la garniture :
Faire cuire à feu doux et à couvert, les champignons mouillés à l'eau froide additionnés d'un filet de citron et de 20 g de beurre.
Mettre les petits oignons de la garniture dans une sauteuse, sans les superposer, avec 20 g de beurre.
Mouiller à hauteur d'eau froide.
Assaisonner de sel et d'une prise de sucre.
Porter à ébullition et laisser ensuite à feu doux à couvert jusqu'à cuisson et évaporation totale de l'eau.

---

(1) Les pruneaux sont quelquefois mis à tremper la veille dans le vin rouge lorsqu'ils sont secs.
(2) Voir en fin de volume les recettes des préparations de base.

Faire sauter quelques minutes dans la réduction pour les colorer légèrement.

5. Réunir dans une casserole, 5 dl de fumet de poisson, le vin rouge, les échalotes, l'ail écrasé et le bouquet garni.

Porter vivement à ébullition. Adjoindre le cognac flambé et tenir à simple frémissement. Saler très légèrement.

6. Chauffer 60 g de beurre dans une sauteuse et faire revenir rapidement les morceaux d'anguille sans brûler le beurre. Les retirer aussitôt (pas encore cuits) et les assaisonner de sel et de poivre fraîchement moulu.

7. Ajouter au beurre, 35 g de farine. Remuer à feu doux jusqu'à ce que la composition mousse et devienne blanche. Laisser refroidir.

8. Faire cuire les anguilles pendant 15 min environ dans le fumet au vin rouge frémissant.

Enlever ensuite les morceaux de poisson et les réserver au chaud.

9. Faire réduire le fumet, additionné du jus de cuisson des champignons, d'au moins un tiers, sur un feu vif et le verser bouillant sur le roux (beurre et farine) froid. Fouetter pour bien mélanger.

Passer au chinois (passoire fine).

10. Prélever un peu de sauce dans une casserole pour faire chauffer et compoter les pruneaux sur un feu doux.

11. Incorporer au reste de la sauce, la crème fraîche quelques minutes avant de servir.

Faire réduire à nouveau d'un tiers.

Incorporer, hors du feu, peu à peu, 100 g de beurre par petites parcelles pour lier la sauce.

12. Mettre les morceaux d'anguille bien égouttés et chauds dans un plat creux.

Répartir harmonieusement les champignons, les petits oignons et les pruneaux.

Napper de sauce.

Saupoudrer de persil haché.

Garnir le plat de croûtons de pain frits au beurre.

Vin rosé :
Anjou, Saumur.

41. Brochet du Cher à l'oseille

Difficulté : ●●●
Coût : ●●●

TOURAINE

C'est l'oseille qui apporte ici son parfum acidulé. Si elle ne convient ni aux rhumatismes ni aux ulcères d'estomac, elle fait merveille auprès de tous les bien portants.

POUR 4 PERSONNES

Eléments principaux
1 brochet de rivière de 1 kg environ
30 g de beurre
30 g d'échalotes.

Eléments de la farce
50 g de mie de pain
1 dl de lait
250 g d'oseille
1 gousse d'ail
30 g d'échalotes
1 cuillerée à café de persil haché
1 à 2 œufs.

Eléments de la sauce
1,5 dl de vin blanc
3 dl de fumet de poisson (1) ou, à défaut, d'eau
1 cuillerée à café de persil haché
2 dl de crème fraîche
80 g de beurre
250 g d'oseille
1 citron.

Assaisonnements et condiments
Sel, poivre blanc.

1. Faire tremper la mie de pain dans le lait et la presser dans la main.
Ciseler très finement l'oseille (en réserver la moitié pour la sauce) et 30 g d'échalotes.
Amalgamer dans une terrine la mie de pain, l'oseille, les échalotes, le persil, l'ail haché et l'œuf. Ajouter un œuf si nécessaire pour obtenir une farce un peu molle.

2. Ébarber, écailler, vider et laver rapidement le poisson. Le farcir et recoudre le ventre. Assaisonner.

3. Beurrer un plat en terre ou en inox (ne pas utiliser de récipient en aluminium pour ne pas oxyder la sauce avec l'oseille).
Tapisser le fond d'échalotes finement ciselées.
Poser le brochet au-dessus.
Mouiller avec le vin blanc et le fumet de poisson.
Saupoudrer largement de persil haché.

4. Faire cuire à four chaud sans excès.
Retirer le fil du brochet.

5. Passer la sauce après la cuisson du poisson et la faire réduire des deux tiers dans une sauteuse.
Ajouter l'oseille finement ciselée et laisser fondre 5 min.
Compléter avec la crème fraîche et faire encore réduire de moitié. Monter la sauce hors du feu, avec 80 g de beurre par petites parcelles.
Napper le brochet de sauce sans en recouvrir la tête.

Vin blanc :
Touraine, Azay-le-Rideau, Jasnières.

(1) Voir en fin de volume les recettes des préparations de base.

42. Brochet rôti sauce hollandaise

Difficulté : ●●●
Coût : ●●●

BERRY

Vin blanc :
Chavignol, Pouilly fumé.

POUR 6 PERSONNES

Eléments principaux
1 brochet d'environ 1,5 kg
50 g de beurre
5 cl d'huile.

5 jaunes d'œufs
1/2 citron
2 cuillerées à potage de
vinaigre blanc.

Eléments de la sauce hollandaise
300 g de beurre

Assaisonnements et condiments
Sel, poivre blanc.

1. Vider et parer le brochet.
Assaisonner de sel et de poivre fraîchement moulu.
Disposer le poisson dans un plat grassement beurré.
Verser l'huile au-dessus du poisson.

2. Faire cuire à four moyen pendant 40 min en arrosant très souvent le brochet.

3. Préparer la sauce hollandaise (1).

4. Dresser le poisson sur un plat et servir la sauce hollandaise en saucière.

(1) Voir en fin de volume les recettes des préparations de base.

43. Matelote rémoise

Difficulté : ●●●
Coût : ●●●●

CHAMPAGNE

Il n'y a plus guère
de matelots sur la **Marne**,
ni sur la **Vesle**
arrosant Reims, et
le vin de champagne,
qui fait le court-bouillon
de la matelote rémoise,
n'est plus réservé
aux aristocrates.
Cette spécialité est,
cependant, très raffinée.

POUR 6 PERSONNES

Elément principal
1 brochet de 1,5 kg

Eléments du court-bouillon
100 g d'oignons
50 g d'échalotes
1 gousse d'ail
1 bouteille de champagne
demi-sec
1 bouquet garni.

Eléments de garniture

250 g de champignons
1 truffe fraîche ou en
conserve (facultatif)
4 croûtons frits au beurre
25 g de beurre.

Elément de finition
200 g de beurre

Assaisonnements et condiments
Sel, poivre en grains.

1. Ébarber, écailler, vider et tronçonner le brochet. Réserver au frais.

Émincer finement les oignons et les échalotes.

Couper les têtes des champignons en quartiers et conserver les pieds pour le court-bouillon.

2. Verser le champagne dans une casserole et l'amener vivement à ébullition. Flamber hors du feu. Ajouter les oignons, les échalotes, les pieds des champignons, l'ail écrasé, le bouquet garni et 7,5 dl d'eau.

Saler très légèrement et laisser cuire pendant 5 min.

Ajouter les morceaux de brochet et 5 grains de poivre.

Tenir à simple frémissement pendant 10 min.

3. Mettre à cuire les champignons dans très peu d'eau avec 25 g de beurre.

Assaisonner et couvrir.

Faire pocher les laitances avec un peu de court-bouillon. Réserver au chaud.

4. Retirer les tronçons de brochet. Laisser réduire de moitié à feu vif. Passer la sauce au chinois (passoire fine) et la monter hors du feu en incorporant peu à peu 200 g de beurre par petites parcelles.

5. Mettre les morceaux de brochet bien chauds dans un plat creux. Répartir harmonieusement au-dessus les laitances pochées, les lamelles de truffes et les champignons.

Garnir le plat de croûtons frits au beurre.

Verser la sauce sur le poisson.

Servir aussitôt.

Champagne *demi-sec*.

44. *Quenelles de brochet*

Difficulté : ●●●●
Coût : ●●●

LYONNAIS

Comment l'origine de cette fleur de la cuisine lyonnaise peut-elle donc être allemande? Quenelle vient de « Knœdel », qui signifie très prosaïquement : « boule de pâte ». A partir de là, il n'est pas interdit de rêver, ni d'inventer. Les Lyonnais sont ainsi parvenus à la gloire gastronomique.

POUR 4 PERSONNES

Eléments principaux
250 g de chair de brochet sans peau ni arêtes
250 g de graisse de rognon de bœuf bien sèche dénervée et détaillée en petits morceaux
2 blancs d'œufs

Eléments de la panade
60 g de farine tamisée
2 œufs

30 g de beurre
12 cl de lait.

Elément complémentaire
20 g de beurre pour graisser les plats.

Assaisonnements et condiments
Sel, poivre de Cayenne, noix muscade.

1. Préparer la panade :

Mettre dans une casserole la farine et les œufs.

Assaisonner de sel, de poivre de Cayenne et de quelques râpures de noix muscade.

Mélanger parfaitement tous ces ingrédients.

Ajouter le beurre fondu.

Délayer peu à peu avec le lait bouillant et cuire sur un feu doux pendant 5 min en fouettant constamment.

Verser la composition sur un plat beurré. Laisser refroidir complètement.

2. Piler au mortier, ou hacher très finement la chair du brochet et la retirer.

Piler ou hacher également la graisse de bœuf en ajoutant petit à petit, la panade très froide et les blancs d'œufs. Le mélange doit être très homogène.

Assaisonner.

Travailler le tout vigoureusement et passer au tamis.

3. Disposer la farce dans une terrine, la lisser à la spatule, et la tenir sur glace ou au froid.

4. Façonner les quenelles en forme de boudins d'environ 100 g, sur la table très légèrement farinée.

5. Pocher les quenelles à l'eau bouillante salée (ou fumet de poisson suivant les préparations) et les laisser cuire à simple frémissement sur un feu doux pendant 8 min environ. Les quenelles sont cuites lorsqu'elles remontent à la surface. Égoutter.

6. Ranger les quenelles dans un plat à gratin beurré les contenant juste et les napper d'une sauce de poisson au vin blanc ou d'une sauce Béchamel crémée.

Vin blanc : *Condrieu, Château-Grillet.*

45. *Carpe du Saulon farcie*

Difficulté : ●●●
Coût : ●●●

FRANCHE-COMTÉ

La carpe était jadis abondante dans les étangs, les rivières et jusque dans les douves des châteaux. En dépit de la réputation qu'on lui a faite, elle n'avait guère le temps d'y devenir centenaire, tant on la considérait comme un mets de choix.

POUR 4 PERSONNES

Éléments principaux
1 carpe de 1,5 kg
150 g d'oignons
100 g de beurre.

Eléments de la sauce
1 dl de vin jaune ou de

vin blanc moelleux
5 dl de fumet de poisson (1) ou, à défaut, d'eau
1 citron
1 bouquet garni
2 cuillerées à potage de persil haché
100 g de beurre.

(1) Voir en fin de volume les recettes des préparations de base.

La Franche-Comté
compte grand nombre
de rivières
aux noms bien français :
la Gourgeonne,
la Colombine, le Rognon,
la Loue, la Valouse,
la Savoureuse,
le petit Saulon...

Éléments de la farce
150 g de mie de pain
2 dl de lait
80 g d'échalotes
1 gousse d'ail
80 g de beurre
4 œufs

2 cuillerées à potage de
fines herbes.

**Assaisonnements
et condiments**
Sel, poivre fraîchement
moulu, noix muscade.

1. Ébarber, écailler (si nécessaire), vider la carpe et la réserver au frais.

2. Tremper la mie de pain dans le lait et bien la presser.
Ciseler finement les échalotes et les faire suer au beurre sans coloration.
Hacher les laitances de la carpe.
Réunir dans une terrine les laitances hachées, la mie de pain, les échalotes ciselées, l'ail en pommade, 50 g de beurre, les fines herbes, un œuf entier et 3 jaunes.
Assaisonner de sel fin, de poivre et de quelques râpures de noix muscade.
Mélanger bien intimement tous ces éléments.

3. Emplir la carpe avec la farce et la coudre.

4. Ciseler finement les oignons et les faire suer au beurre sans coloration.
Beurrer un plat contenant juste la carpe.
Répartir les oignons étuvés.
Disposer la carpe sur les oignons.
Mouiller avec le vin blanc et le fumet de poisson.
Ajouter le jus d'un citron et deux cuillerées de persil haché.
Saler et poivrer.
Faire cuire à four chaud pendant 20 à 30 min en arrosant très souvent.

5. Retirer le poisson sur un plat après cuisson.
Réduire le jus de cuisson de moitié et le passer, puis lui incorporer peu à peu hors du feu 100 g de beurre par petites parcelles en fouettant pour lier la sauce.
Napper la carpe avec la sauce et servir aussitôt.

Vin jaune :
l'Etoile, Château-Chalon.

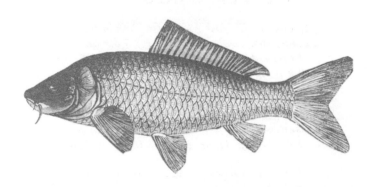

46. *Lamproie à la bordelaise*

Difficulté : ●●●
Coût : ●●●

GUYENNE

Un auteur de télévision n'a pas craint en 1978 de réaliser tout un film de mœurs autour de la préparation d'une lamproie à la bordelaise. Ce poisson devenu rare ne peut se consommer que sur ses lieux de pêche. Raison de plus pour ne pas laisser perdre sa plus fameuse recette. Si l'on est pris de quelque hésitation devant cette espèce de serpent à bouche en forme de disque suceur, on se souviendra en contrepartie qu'il n'a pas d'arêtes...

POUR 4 PERSONNES

Élément principal
1 lamproie moyenne.

Eléments de garniture
750 g de blancs de poireaux
250 g de petits oignons
200 g de jambon coupé en dés
1 dl d'huile
croûtons frits au beurre.

Eléments du fumet de poisson (facultatif)
600 g d'arêtes de poisson
100 g d'oignons
50 g d'échalotes
50 g de carottes

50 g de beurre
parures de champignons (facultatif)
1/2 jus de citron
1 bouquet garni
7,5 dl d'eau
1 dl de vin blanc.

Eléments de la sauce
30 g de farine
1 bouteille de vin rouge
5 dl de fumet de poisson ou, à défaut, d'eau
1 fort bouquet garni.

Assaisonnements et condiments
Sel, poivre.

1. Préparer le fumet de poisson (facultatif) (1).

2. Prendre une lamproie vivante. L'attacher avec une ficelle par la tête et la suspendre à un clou. Lui couper le bout de la queue (environ 4 à 5 cm) et la placer au-dessus d'un saladier contenant un verre de vin rouge, pour recueillir le sang.

Laisser égoutter pendant une demi-heure.

Tremper le poisson dans l'eau bouillante pendant quelques secondes, le retirer, l'étendre sur la table et le racler avec la lame d'un couteau pour en retirer le limon. La lamproie ne se pèle pas.

Couper ensuite en tronçons de 6 à 7 cm en retirant le nerf central et réserver dans la terrine avec le sang.

3. Mettre dans une sauteuse 1 dl d'huile et faire revenir les petits oignons, les blancs de poireaux et le jambon coupés en dés.

Laisser colorer à feu doux, et retirer sur un plat. Dégraisser le récipient. Singer (saupoudrer de farine) et faire roussir, sans brûler la farine, en remuant à l'aide d'une cuillère en bois.

Mouiller avec le vin rouge.

Laisser réduire à feu vif et à découvert, pendant 5 min. Ajouter 5 dl de fumet ou, à défaut, d'eau.

(1) Voir en fin de volume les recettes des préparations de base.

Remettre les légumes et le jambon, un fort bouquet garni. Saler et poivrer.

Laisser réduire à nouveau sur un feu doux pendant 20 min. Retirer la garniture après cuisson à l'aide d'une écumoire et réserver dans un plat creux.

Ajouter les tronçons de lamproie et laisser cuire environ 45 min à simple frémissement.

Retirer et réserver le poisson avec la garniture. Tenir au chaud.

4. Dégraisser la sauce si nécessaire, et la lier en incorporant le sang, juste au moment de servir, en fouettant vivement, sans faire bouillir.

Rectifier l'assaisonnement et verser à travers une passoire fine sur le poisson et les légumes.

Entourer le plat de croûtons et le servir aussitôt.

D'après une spécialité de Marcel Rouff.

Vin rouge jeune :
Saint-Émilion, Pomerol.

47. *Omble chevalier du lac Pavin*

Difficulté : ●●
Coût : ●●●●

AUVERGNE

L'omble! Voilà l'aristocrate des lacs. Il habite dans des fonds de vingt-cinq mètres. Bref, il est encore plus rare désormais que la truite de torrent... et il nage sur un volcan. On assure que le lac Pavin fut créé par une explosion volcanique épouvantable (en latin « pavens ») qui creusa sur le flanc nord du puy de Montchal le cratère où il niche aujourd'hui ses eaux scintillantes.

POUR 4 PERSONNES

Eléments principaux
4 ombles chevaliers de 250 g environ chacun
80 g de beurre
50 g de farine.

Eléments complémentaires

100 g de beurre
3 citrons
2 cuillerées à potage de persil haché.

Assaisonnements et condiments
Sel, poivre.

1. Ebarber, vider, laver et éponger soigneusement les poissons et les réserver au frais.

2. Hacher le persil.

Canneler et émincer un citron pour décorer le plat de service.

Peler à vif le deuxième citron et tailler 4 belles tranches.

Exprimer le jus du troisième citron.

3. Saler, poivrer et fariner les poissons. Mettre à chauffer 80 g de beurre. Déposer délicatement chaque poisson (tête à gauche, épine dorsale devant soi). Faire cuire et dorer à feu modéré pendant 6 min en arrosant souvent avec le beurre chaud qui ne doit jamais brûler. Retourner pour faire cuire l'autre face pendant 6 min environ.

Disposer les ombles sur un plat beurré (tête à gauche, ventre devant soi).

Arroser avec le jus de citron.

4. Mettre à chauffer 80 g de beurre dans une petite sauteuse et le verser bien mousseux et de couleur noisette, sur les poissons.

Saupoudrer les tranches de citron pelé à vif de persil haché et les poser sur la tête des poissons.

Essuyer parfaitement les bords du plat et décorer avec des demi-tranches de citron cannelé.

Vin blanc :
Saint-Pourçain.

48. Saumon de l'Allier ravigote

Difficulté : ●●
Coût : ●●●

AUVERGNE

Le saumon,
pour frayer, arrivait
à remonter l'Allier,
au cœur montagneux
de l'hexagone français.
Brioude la terrienne,
l'agricole, était devenue
une capitale de sa pêche...
et pour cause, un barrage,
établi en amont de la ville,
empêchait le poisson
de remonter plus haut.
Mais le saumon,
même là, se fait très rare...
La pollution, les captations
d'eau, les ouvrages
hydroélectriques en sont
responsables. A défaut,
le saumon frais nous vient
du Canada
ou de Scandinavie.

POUR 4 PERSONNES

Elément principal
4 darnes de saumon de 200 g environ.

**Eléments
du beurre ravigote**
100 g de beurre
20 g d'échalotes
80 g de fines herbes hachées (persil, cerfeuil, estragon, ciboulette et,

si possible, pimprenelle fraîche).

**Eléments
complémentaires**
Quelques branches de persil frais
3 citrons.

**Assaisonnements
et condiments**
Sel, poivre blanc.

1. Préparer le beurre ravigote :
Ciseler finement les échalotes et les blanchir dans très peu d'eau, à couvert sur un feu doux.

Hacher très finement les fines herbes (1).

Mélanger le beurre en pommade, les échalotes et les fines herbes.

Passer à l'étamine (facultatif).

Réserver au frais.

2. Griller les darnes de saumon sans les huiler à feu vif au début, puis à feu modéré ensuite.

3. Dresser le poisson sur un plat chaud garni de petits bouquets de persil, de tranches de citron cannelées et de citrons coupés en deux.

Servir le beurre en saucière.

Vin blanc :
Saint-Pourçain.

(1) Habituellement, les herbes sont d'abord blanchies pour donner plus de couleur, mais c'est au détriment de la qualité et de la saveur du beurre.

49. Truites au bleu

Difficulté : ●
Coût : ●●●

ALSACE

La loi interdit de commercialiser les truites sauvages, dont la gastronomie de plusieurs régions de France faisait le plus grand usage. Deux solutions : ou devenir soi-même un chevalier de la gaule, et pêcher les truites que l'on cuisinera ; ou bien recourir à la truite d'élevage... à condition qu'elle soit de qualité confirmée et non en papier buvard.

POUR 4 PERSONNES

Eléments principaux
4 truites de 200 g ou 2 grosses truites (1).

Eléments du court-bouillon
300 g de carottes
300 g d'oignons
1 bouquet garni
2 dl de vin blanc sec
1 dl de vinaigre
10 grains de poivre.

Eléments du beurre fondu
200 g de beurre
1 citron.

Eléments complémentaires
3 citrons
persil frisé.

Assaisonnements et condiments
Sel, poivre en grains, poivre de Cayenne.

1. Canneler les carottes avec un canneleur (facultatif) et les émincer finement. Émincer également finement les oignons en anneaux et les réserver à part.

2. Réunir dans une petite poissonnière ou dans un récipient ovale les carottes, le bouquet garni, 2 litres d'eau, le vin blanc, le vinaigre et bien saler.
Porter à ébullition et faire cuire 10 min environ.
Ajouter les oignons et laisser cuire encore 10 min.
Adjoindre le poivre en grains, 5 min avant la fin de la cuisson. Tenir à simple frémissement.

3. Assommer les truites d'un coup sec sur la tête et les vider en les tenant délicatement par les ouies. Il ne convient pas de les laver ni de trop les toucher, la peau risquerait de ne plus bleuir. Plonger les truites dans le court-bouillon et faire cuire à simple frémissement pendant 5 à 6 min.

4. Préparer le beurre fondu pendant la cuisson des truites :
Mettre dans une casserole le jus d'un citron, le sel, le poivre de Cayenne et une ou deux cuillerées à potage d'eau. Faire bouillir.
Ajouter, hors du feu, le beurre en morceaux.
Remuer le récipient pour bien lier le beurre.
Servir les truites avec le beurre fondu en saucière et quelques pommes vapeur. Présenter à part des demi-citrons et garnir de petits bouquets de persil.
La truite au bleu est encore meilleure, accompagnée d'une sauce hollandaise (2).

(1) Pour cette préparation, il faut absolument des truites vivantes ou très fraîches.
(2) Voir en fin de volume les recettes des préparations de base.

50. Maquereaux au riz

Difficulté : ●●●
Coût : ●●

POITOU

Des maquereaux dans le Poitou ? Assurément. Non pas dans le Clain, qui baigne Poitiers, mais dans les petits ports vendéens qui bordent la façade poitevine de l'Atlantique. Au demeurant, le maquereau est un poisson très facile à trouver chez tous les poissonniers de France et même d'Europe. A chaque saison, une seule femelle pond 500 000 œufs...

POUR 4 PERSONNES

Eléments principaux
4 maquereaux de 200 g environ chacun
1 dl de vin blanc
2,5 dl de fumet de poisson ou, à défaut, d'eau
20 g de beurre.

Eléments de garniture
20 g d'échalotes
100 g de champignons de Paris
1 cuillerée à café de persil haché.

Eléments complémentaires
2 dl de crème fraîche
60 g de beurre.

Eléments du riz créole
250 g de riz caroline
75 g de beurre.

Assaisonnements et condiments
Sel, poivre.

1. Préparer le riz créole (1).

2. Ebarber, vider, laver et éponger soigneusement les maquereaux.
Assaisonner de sel et de poivre.
Ciseler finement les échalotes.
Emincer les champignons de Paris.

2. Beurrer un plat.
Parsemer d'échalotes et de champignons.
Disposer le poisson au-dessus.
Mouiller avec le vin blanc et le fumet de poisson (2), ou l'eau.
Assaisonner légèrement.
Saupoudrer de persil haché.
Couvrir d'une feuille de papier d'aluminium.

3. Faire bouillir vivement sur le feu et terminer la cuisson à four doux pendant 8 à 10 min environ.

4. Enlever la peau des poissons après cuisson (facultatif).
Poser les maquereaux sur un plat, tête à gauche, ventre vers soi.
Tenir au chaud.

5. Faire réduire la cuisson des deux tiers sur un feu vif.
Ajouter la crème fraîche. Faire réduire à nouveau de moitié.
Incorporer, hors du feu, 60 g de beurre par petites parcelles.

6. Napper le poisson de sauce, sauf la tête. Essuyer les bords du plat.
Glacer (facultatif) : passer vivement les maquereaux sous le gril du four bien chaud, sans faire bouillir la sauce.
Servir chaud accompagné d'une timbale de riz créole.

(1) Voir recette n° 200. (2) Voir recette n° 262.

51. Filets de sandre en brioche ou « délices du Maine

Difficulté : ●●●●
Coût : ●●●●

MAINE

Dans son domaine de rivières, le Maine compte la Mayenne, le Loir, l'Huisne – qui conflue au Mans avec la Sarthe. D'où une gastronomie de poissons d'eau douce très élaborée.
Le sandre est un poisson à chair fine et feuilletée. Jadis poisson d'Europe de l'Est, il s'est bien acclimaté dans l'Ouest, grâce au repeuplement artificiel.

POUR 4 PERSONNES

Eléments principaux
1 sandre de 0,8 à 1 kg
50 g d'échalotes
1/2 citron
50 g de carotte
50 g de céleri-rave
5 cl d'huile
30 g de beurre.

Eléments de la pâte à brioche
250 g de farine tamisée
125 g de beurre fin
3 œufs
8 à 12 g de levure de bière
5 cl d'eau
5 g de sel
5 g de sucre semoule.

Eléments du fumet de poisson
300 g d'arêtes et parures du poisson

50 g d'oignons
25 g d'échalotes
25 g de carotte
25 g de beurre
filet de citron
1 bouquet garni
3 dl d'eau
5 cl de vin blanc.

Eléments de la sauce
5 cl de vin blanc sec
2,5 dl de fumet de poisson
2 dl de crème fraîche.

Eléments complémentaires
1 œuf pour la dorure
10 g de beurre pour beurrer le plat de cuisson.

Assaisonnements et condiments
Sel, poivre blanc.

1. Préparer la pâte à brioche salée (1).

2. Ciseler 50 g d'échalotes, peler à vif 1/2 citron et le découper en fines tranches.
Ebarber, écailler et vider le poisson.
Lever les filets et les assaisonner de sel et de poivre blanc fraîchement moulu.
Ranger les filets dans un plat avec les rondelles de citron et parsemer au-dessus les échalotes.

3. Préparer le fumet de poisson (1).

4. Ciseler très finement les carottes et le céleri-rave.
Beurrer un plat allant au four (éviter l'aluminium) et faire suer les carottes et le céleri-rave sur un feu doux jusqu'à cuisson complète.
Placer dessus les filets de sandre.
Mouiller avec le vin blanc et le fumet de poisson.
Saler très légèrement et poivrer.

(1) Voir en fin de volume les recettes des préparations de base.

Couvrir avec une feuille de papier sulfurisé et faire cuire à four moyen pendant 15 min.

Retirer les filets sur une plaque beurrée et les laisser refroidir.

5. Passer le jus de cuisson et le réduire presque totalement.

Ajouter la crème fraîche et réduire à nouveau de moitié. La sauce doit être bien épaisse.

Laisser refroidir.

6. Etaler la pâte à brioche en deux abaisses assez larges.

Envelopper chaque filet, nappé d'un peu de sauce, dans une abaisse.

Mouiller et souder les bords.

Dorer à l'œuf battu et laisser lever pendant 15 min sur une plaque très légèrement beurrée.

Faire cuire à four chaud 15 min environ.

Servir tel quel accompagné de beurre fondu ou blanc en saucière.

D'après une spécialité d'André Richard.

Vin blanc :
Coteaux du Loir.

52. Truites dijonnaises

Difficulté : ●●
Coût : ●●

BOURGOGNE

Les Romains, dit-on, appréciaient fort la moutarde que les Orientaux – ou les Celtes ? – leur avaient fait connaître. Ils importèrent en Gaule le sénevé qui sert à la fabriquer. Les grains de sénevé déjà vantés par le Christ prospèrent dans la région dijonnaise où le vinaigre était encore plus facile à trouver. Au Moyen Age, les grands ducs de Bourgogne prodiguèrent les barils de moutarde, pour étendre leur influence diplomatique en Europe.

POUR 4 PERSONNES

Eléments principaux
4 truites
20 g de beurre.

Eléments du beurre d'échalote à la moutarde
150 g de beurre
50 g d'échalotes
1/2 cuillerée à soupe de moutarde de Dijon
5 cl de vin blanc sec (Chablis)
2 cuillerées à café de persil haché.

Assaisonnements et condiments
Sel, poivre blanc.

1. Ebarber, vider et laver les truites.

Eponger soigneusement avec un linge et réserver.

2. Mettre dans une casserole les échalotes finement ciselées avec le vin blanc.

Porter à ébullition et faire réduire sans précipitation presque complètement.

3. Ramollir le beurre dans une terrine.

Ajouter la moutarde, le persil, les échalotes et assaisonner.

Bien mélanger le tout avec une spatule en bois.

4. Saler et poivrer les truites.

Beurrer 4 feuilles de papier sulfurisé ou d'aluminium de 30 × 50 cm. Poser chaque truite sur une feuille. Répartir au-dessus quelques parcelles de beurre d'échalote à la moutarde. Envelopper chaque truite et former des papillotes.

Doubler encore avec une feuille de papier d'aluminium. Enfourner et faire cuire à four chaud pendant 15 min. Débarrasser les papillotes de la double feuille d'aluminium et les ouvrir seulement à table à l'aide de ciseaux.

Vin blanc : *Chablis.*

53. *Truites grenobloises*

Difficulté : ●●
Coût : ●●●

DAUPHINÉ

Les câpres donnent le goût acidulé de cette spécialité. Alexandre Dumas, généralement mieux inspiré, prétendait que « la câpre convient dans un temps froid aux vieillards et aux personnes d'un tempérament mélancolique ». Quelle erreur! Poussée face à l'azur méditerranéen, la câpre est un bouton de fleur, cueilli encore fermé et confit au vinaigre... une pilule de soleil.

POUR 4 PERSONNES

Eléments principaux
4 truites de 200 g environ chacune
80 g de beurre
50 g de farine.

Eléments de garniture
2 tranches de pain de mie
50 g de beurre
1 citron

50 g de câpres.

Eléments complémentaires
100 g de beurre
1 citron.

Assaisonnements et condiments
Sel, poivre.

1. Ebarber, vider, laver et éponger soigneusement les truites. Les réserver au frais.

2. Hacher le persil.

Canneler et émincer un citron pour décorer le plat de service.

Peler à vif le deuxième citron et le tailler en petits dés.

3. Éliminer la croûte du pain. Tailler la mie en petits dés et faire sauter les croûtons au beurre. Réserver.

4. Saler, poivrer et fariner les poissons.

Mettre à chauffer 80 g de beurre.

Déposer délicatement les truites (tête à gauche, épine dorsale devant soi).

Faire cuire et dorer à feu modéré pendant 6 min en arrosant souvent avec le beurre chaud qui ne doit jamais brûler (le beurre peut être additionné d'huile). Retourner pour faire cuire l'autre face pendant 6 min environ.

Disposer les truites sur un plat beurré (tête à gauche, ventre devant soi).

Répartir les croûtons de pain, les câpres et les dés de citron sur les truites.

Vin blanc : *Hermitage,*
Château-Grillet.

5. Mettre à chauffer 80 g de beurre dans une petite sauteuse et le verser, bien mousseux et de couleur noisette, sur les poissons.

Saupoudrer de persil haché.

Essuyer parfaitement les bords du plat et décorer avec des demi-tranches de citron cannelé.

54. *Terrine*
de truites

Difficulté : ●●●
Coût : ●●●●

LORRAINE

La sage et solide Lorraine ne redoute pas un certain raffinement. Mêler des morilles à des truffes et à de la chair de truite en est sûrement un.

POUR 6 PERSONNES

Eléments principaux
  3 truites de 400 g
  30 g de beurre.

**Eléments de
la marinade**
  1 dl d'huile
  5 cuillerées à potage de fines herbes (persil, ciboulette, estragon et cerfeuil).

Eléments de la farce
200 g de morilles fraîches ou, à défaut, de champignons de Paris

5 œufs
100 g de mie de pain
1,5 dl de lait
5 cl de madère
2 truffes.

**Eléments
complémentaires**
  50 g de beurre pour gratiner
  30 g de beurre pour graisser la terrine.

**Assaisonnements
et condiments**
Sel, poivre, noix muscade.

1. Lever les filets des truites et en faire mariner la moitié à l'huile avec sel, poivre, quelques râpures de noix muscade et fines herbes.

2. Faire raidir très rapidement les autres filets au beurre et les laisser refroidir.

3. Laver soigneusement et émincer les morilles.

Faire cuire 3 œufs durs, les écaler.

Faire tremper la mie de pain dans le lait et la presser fortement dans la main.

4. Piler ou passer au moulin à légumes grille fine, la moitié des filets de truite marinés avec les œufs durs, les morilles et la mie de pain pressée.

Ajouter deux œufs pour lier la farce, et en dernier, 5 cl de madère. Assaisonner. Bien relever.

Travailler la farce à la spatule en bois pendant quelques minutes pour la lisser.

5. Beurrer une terrine rectangulaire.

Disposer une couche de farce, puis une couche de filets.

Répartir des petits morceaux de truffes.

Vin blanc :
Côtes de Toul.

Ajouter une couche de farce, puis de filets, continuer ainsi pour terminer par une couche de farce.

Fermer la terrine et faire cuire au bain-marie, dans un récipient empli d'eau bouillante jusqu'à mi-hauteur de la terrine, à four doux pendant 45 min.

Juste avant de servir, arroser la terrine de beurre fondu et la passer sous le gril pour faire mousser le beurre.

55. *Matelote au Riesling*

Difficulté : ●●●●
Coût : ●●●

ALSACE

Craignons que la pollution du Rhin ne rende difficiles des préparations qui font la gloire de l'Alsace, mais les Vosges gardent bien des ressources et le Riesling reste le cépage le plus noble de la région. Ne dit-on pas qu'il rassemble en lui les parfums du tilleul, de l'acacia, de la fleur d'oranger, voire de la cannelle ? Ni les Chiliens, ni les Californiens qui l'ont parfaitement acclimaté ne nous contrediront.

POUR 6 PERSONNES

Eléments principaux
2 kg d'anguille, brochet, tanche, perche et truite
50 g d'échalotes
1 gousse d'ail
1,5 l de fumet de poisson
5 dl de vin blanc (Riesling)
5 cl de cognac.

Eléments du fumet de poisson
Têtes de tous les poissons
150 g de carottes
150 g d'oignons
2 gousses d'ail
1 gros bouquet garni avec quelques feuilles d'estragon
champignons (parures)
5 grains de poivre.

Eléments de garniture
150 g de pâte feuilletée
1 œuf pour la dorure
250 g de champignons de Paris
1 citron
20 g de beurre.

Eléments de la sauce
50 g de beurre
50 g de farine
4 dl de crème fraîche épaisse
150 g de beurre.

Assaisonnements et condiments
Sel, poivre blanc fraîchement moulu, poivre en grains, noix muscade.

1. Confectionner des fleurons en pâte feuilletée (1) : Abaisser la pâte, découper (détailler) des fleurons (2), dorer à l'œuf battu et faire cuire à four chaud. Réserver.

2. Tourner (3) les têtes de champignons ou les émincer, et les faire cuire dans un peu d'eau avec 20 g de beurre et un filet de citron. Assaisonner.

3. Ebarber, écailler, vider et tronçonner les poissons en morceaux de 75 g environ. Dépouiller les anguilles (leur enlever la peau). Conserver les têtes pour le fumet. Réserver au frais.

4. Préparer le fumet de poisson (1).

5. Remettre 1,5 l de fumet de poisson sur le feu avec

5 dl de vin blanc, les échalotes ciselées et l'ail écrasé. Adjoindre, après ébullition, 5 cl de cognac flambé et tenir à simple frémissement. Ajouter d'abord, dans le fumet, les morceaux d'anguille (qui demandent plus de cuisson), puis dans l'ordre, ceux de brochet, de tanche, de perche et de truite. Saler, poivrer si nécessaire. Écumer souvent. Retirer les morceaux de poisson dès leur cuisson et les réserver au chaud.

6. Faire réduire le fumet (dans lequel le poisson a cuit) d'au moins un tiers à feu vif. Préparer un roux blanc : mettre sur feu doux 50 g de beurre. Ajouter 50 g de farine dans le beurre fondu. Remuer. Retirer lorsque la composition mousse. Laisser refroidir.

Adjoindre le fumet chaud réduit dans le roux froid et fouetter pour bien mélanger.

Passer au chinois (passoire fine).

Incorporer quelques minutes avant de servir, 4 dl de crème fraîche épaisse. Faire réduire encore d'un tiers.

Incorporer, hors du feu et peu à peu, 150 g de beurre par petites parcelles, pour lier la sauce.

Mettre les morceaux de poisson bien égouttés et chauds dans un plat creux. Napper généreusement avec la sauce.

Décorer avec les fleurons en pâte feuilletée et les champignons tournés.

Servir bien chaud avec des nouilles fraîches (1) présentées à part.

(1) Voir en fin de volume les recettes des préparations de base.
(2) Garniture en pâte feuilletée de formes diverses (petits poissons, demi-lunes, croissants, triangles...).
(3) Tourner les champignons : canneler à l'aide d'un couteau la surface de la tête les champignons pour former des petites spirales partant du centre.

Vin blanc : *Riesling.*

56. Pôchouse de Verdun-sur-le-Doubs

Difficulté : ●●●
Coût : ●●●

BOURGOGNE

Verdun-sur-le-Doubs s'est taillé dans la gastronomie régionale une place quasi aussi grande que l'autre Verdun dans l'histoire sanglante de la guerre 1914-1918. Cette oasis de paix et de pêcheurs à la ligne a donné son nom

POUR 8 PERSONNES

Eléments principaux
  3 kg de poissons de rivière (anguille, brochet, carpe, perche, tanche...)
150 g d'oignons
 50 g d'échalotes
  1 tête d'ail
  1 bouquet garni

  5 cl d'huile
  2 bouteilles de bourgogne aligoté blanc.

Eléments du beurre manié
  90 g de beurre
  90 g de farine.

à une fameuse bourride de poissons d'eau douce. N'en déplaise à l'active « Confrérie de la pauchouse verdunoise », le mot pauchouse (ou pôchouse) paraît très ancien et pas seulement verdunois. Il est attesté dans toute l'aire bourguignonne et peut-être au-delà.

Vin blanc : *Aligoté*.

Eléments de garniture
1 baguette de pain
100 g de beurre.

Assaisonnements et condiments
Sel, poivre blanc.

1. Ebarber, écailler, vider et laver tous les poissons. Les couper en tronçons de 5 cm. Ciseler finement les échalotes et les oignons.
Huiler et tapisser le fond d'une poissonnière ou d'une grande casserole avec les échalotes et l'ail écrasé.
Ranger les poissons au-dessus (réserver ceux à chair tendre qui seront ajoutés en cours de cuisson).

2. Faire bouillir le vin blanc dans une autre casserole, le flamber hors du feu et le verser sur les poissons. Adjoindre le bouquet garni et porter vivement à ébullition.

3. Lier avec le beurre manié (beurre mélangé intimement avec la farine, ajouté par petites quantités au liquide de cuisson bouillant en fouettant).
Faire cuire sur un feu doux à simple frémissement pendant 15 à 20 min.

4. Couper le pain en tranches de 1 cm d'épaisseur et les faire sauter au beurre. Frotter les croûtons à l'ail. Servir aussitôt la pôchouse.

57. Cabillaud boulonnais

Difficulté : ●
Coût : ●

BOULONNAIS

Les transports rapides, les frigorifiques, la congélation ont réduit le commerce de la morue qui n'est autre que du cabillaud, salé ou séché. En revanche le cabillaud, ou « morue fraîche », est devenu très à la mode dans les familles. On n'en manquera pas de sitôt : une femelle pond par saison de quatre à six millions d'œufs, et malgré les dangers qu'ils courent, il en reste toujours quelque chose...

POUR 4 PERSONNES

Eléments principaux
800 g à 1 kg de cabillaud
    (4 tranches)
50 g de beurre
1 dl de vin blanc
50 g d'échalotes
2 cuillerées à café de fines herbes
1 citron

50 g de chapelure.

Elément de garniture
4 tranches de pain desséchées au four.

Assaisonnements et condiments
Sel, poivre, noix muscade.

1. Assaisonner le cabillaud de sel, de poivre et de quelques râpures de noix muscade.
Ciseler très finement les échalotes.
Eplucher le citron à vif et le couper en rondelles. L'épépiner.

2. Beurrer grassement un plat à gratin et le tapisser d'échalotes et de fines herbes.

Mettre au-dessus les tranches de poisson sans les superposer. Mouiller à hauteur avec le vin blanc complété de 2,5 dl environ d'eau ou mieux de fumet de poisson (1).

Disposer les rondelles de citron sur le poisson.

3. Laisser bouillir d'abord sur le feu.

Ajouter la chapelure et mettre à four chaud pendant 12 min environ.

4. Dresser les tranches de poisson sur un plat.

Mettre le pain tout autour et verser le jus de cuisson dessus.

(1) Voir en fin de volume les recettes des préparations de base.

Cidre sec
ou vin blanc : *Muscadet.*

58. Colin au gratin

Difficulté : ●●●
Coût : ●●●

SAINTONGE

Le colin est un poisson vorace qui dévore très volontiers ses congénères.
Les pêcheurs disent :
« Ce que nous gagnons en colins, nous le perdons en harengs ».
Ce qui explique peut-être le bon goût de sa chair feuilletée, à cuisiner très fraîche.

POUR 4 PERSONNES

Eléments principaux
400 g de colin (2 tranches)
1 bouquet garni.

Eléments de l'appareil à pommes duchesse
500 g de pommes de terre
50 g de beurre
3 jaunes d'œufs

Eléments de la sauce Béchamel
35 g de beurre

35 g de farine
5 dl de lait.

Eléments complémentaires
2 jaunes d'œufs
100 g d'emmenthal râpé
50 g de beurre.

Assaisonnements et condiments
Sel, poivre de Cayenne, noix muscade.

1. Préparer les pommes duchesse :

Peler les pommes de terre et les mettre dans une casserole à l'eau froide salée (ou à l'eau bouillante salée s'il s'agit de pommes de terre nouvelles).

Porter vivement à ébullition.

Ecumer et faire cuire à simple frémissement pendant 25 min environ.

Egoutter et faire dessécher 5 min au four.

Passer ensuite au moulin à légumes.

Incorporer sur le feu, 50 g de beurre par petites parcelles.

Mélanger soigneusement les pommes de terre et le beurre.

Ajouter, hors du feu, 3 jaunes d'œufs, le sel, le poivre de Cayenne et quelques râpures de noix muscade.

Travailler vigoureusement le tout.

2. Mettre les pommes duchesse dans une poche munie d'une douille cannelée assez grosse.

Dresser une bordure épaisse tout autour d'un plat rond beurré, ou de plusieurs coquilles à poisson. Réserver.

3. Confectionner la sauce Béchamel (1).

4. Préparer la sauce Mornay :

ajouter hors du feu à la sauce Béchamel, 2 jaunes d'œufs et 40 g de fromage râpé. Remuer vivement.

Tamponner la sauce avec 10 g de beurre pour éviter la formation d'une peau.

5. Faire pocher le colin :

porter à ébullition 1/2 l d'eau salée aromatisée avec un bouquet garni. Plonger les tranches de colin dans le liquide bouillant.

Ecumer, puis laisser cuire ensuite à tout petit frémissement pendant 10 min. Egoutter. Enlever les arêtes et les peaux.

6. Napper le plat ou les coquilles à poisson d'une couche de sauce Mornay. Garnir de morceaux de poisson. Recouvrir avec le reste de sauce.

Saupoudrer de fromage râpé. Arroser de beurre fondu et faire gratiner au four.

(1) Voir en fin de volume les recettes des préparations de base.

Vin blanc :
Rosette, Entre-deux-mers.

59. *Harengs à la calaisienne*

Difficulté : ●
Coût : ●

BOULONNAIS

Pendant des siècles, le Boulonnais a vécu du hareng, soit qu'il le mette en caques, le sale, le fume, le sèche, soit qu'il le cuisine frais. La confection de papillotes évite ici toute odeur forte et la farce accomplit son travail savoureux.

POUR 4 PERSONNES

Eléments principaux
4 harengs frais
5 cl d'huile.

25 g de champignons
100 g de beurre
1/2 cuillerée à café de moutarde.

Eléments de la farce
25 g d'échalotes
20 g de persil

Assaisonnements et condiments
Sel, poivre.

1. Ouvrir les harengs par le dos pour en retirer juste l'arête et les vider.

Assaisonner. Mettre sur un plat et arroser avec l'huile. Réserver au frais avec les laitances et les œufs.

2. Préparer la farce : hacher très finement les échalotes, le persil, les champignons, les laitances ou les œufs, puis ajouter le beurre et la moutarde.

Cidre sec
ou vin blanc : *Muscadet.*

3. Farcir les harengs et enfermer chacun d'eux dans une papillote.

Faire cuire à four chaud ou sur le gril pendant 15 min environ.

60. Harengs roulés (roll mops)

Difficulté : ●
Coût : ●

BRETAGNE

C'est le vinaigre de cidre, plus doux, qu'il faut préférer ici. Cette recette est sans doute celle qui accommode le mieux le hareng salé en lui donnant un supplément d'arôme. Elle a concouru, en tous les cas, à le populariser loin des régions côtières.

POUR 8 PERSONNES

Eléments principaux	Eléments de la marinade
8 harengs blancs salés et laités	1 l de vinaigre de cidre
1/2 l de lait	100 g d'oignons
100 g d'oignons	1 dl d'huile
60 g de moutarde	1 bouquet garni
8 cornichons.	1 clou de girofle
	10 grains de poivre.

1. Ciseler finement les oignons.

Lever les filets de hareng en les débarrassant au maximum des arêtes, et les faire dessaler dans le lait une demi-heure ou plus suivant leur degré de salaison.

Réserver les laitances.

Egoutter et éponger les filets.

2. Badigeonner de moutarde l'intérieur des filets.

Parsemer au-dessus 100 g d'oignons.

Disposer sur chaque filet un cornichon. Rouler et maintenir avec un petit batonnet piqué ou un tour de fil, comme pour des paupiettes.

Ranger les harengs roulés dans une terrine avec les laitances.

3. Préparer la marinade :

Faire bouillir le vinaigre avec les oignons restants, grains de poivre, clou de girofle et fort bouquet garni. Ecumer et verser aussitôt à travers un tamis sur les harengs.

Laisser refroidir complètement.

4. Passer les laitances au tamis et les délayer avec le vinaigre de la marinade et 1 dl d'huile.

5. Laisser mariner les harengs avec ce coulis, à couvert, pendant trois jours, au frais.

Cidre sec
ou vin blanc : *Muscadet.*

61. Loup de mer poché

Difficulté : ●
Coût : ●●●●

POUR 4 PERSONNES

Elément principal
1 loup de 1 kg (1).

Eléments du court-bouillon
200 g de carottes
200 g de gros oignons
1,5 l d'eau
4 dl de bon vin blanc sec
1 bouquet garni
10 grains de poivre.

Eléments complémentaires
1 dl d'huile d'olive peu fruitée
1 citron
quelques feuilles de persil.

Assaisonnements et condiments
Sel, poivre blanc.

1. Canneler les carottes avec un canneleur (facultatif) et les émincer finement.
Emincer également très finement les oignons en anneaux et les réserver à part.
Réunir dans une casserole les carottes, le bouquet garni, 1 litre d'eau, le vin blanc et saler.
Porter à ébullition et faire cuire 10 min environ.
Ajouter les oignons et laisser cuire encore 10 min.
Adjoindre le poivre en grains 5 min avant la fin de la cuisson.
Laisser refroidir.

2. Ebarber, écailler et vider le poisson.

3. Disposer le loup dans une poissonnière ou un plat à sauter et le recouvrir avec le court-bouillon refroidi.
Porter vivement à ébullition et laisser cuire ensuite à très léger frémissement pendant 15 min environ.

4. Servir le loup dans un plat creux en terre avec une partie du court-bouillon et recouvrir le poisson de carottes et d'oignons.
Parsemer de quelques feuilles de persil. (Les filets sont ensuite arrosés d'un jus de citron et d'huile d'olive.) Il est recommandé de présenter en même temps des pommes de terre cuites à la vapeur ou à l'anglaise.

(1) Pour être poché, le loup doit être très frais.

Vin blanc : *Bellet, Côtes de Provence.*

62. Brandade de Nîmes

Difficulté : ●●●
Coût : ●●●

LANGUEDOC

Un crocodile figure déjà dans les arènes de Nîmes, amené par les colons romains, vétérans d'Egypte qui fondèrent la ville. Mais la morue ? Si loin de Terre-Neuve... Les historiens se perdent en conjectures sur ce « miracle » culinaire (qui est celui aussi de l'estoficat rouergat). Peut-être faut-il y voir quelque souvenir d'un troc médiéval entre le sel des salines méditerranéennes et la morue de l'Atlantique... l'huile d'olive a fait le reste.

Vin blanc :
Costières du Gard,
Clairette du Languedoc.

POUR 8 PERSONNES

Eléments principaux
600 g de filets de morue
1 dl d'huile d'olive
3 gousses d'ail.

Eléments complémentaires
2 dl d'huile d'olive

2,5 dl de crème fraîche épaisse.

Eléments de garniture
4 tranches de pain de mie
1 dl d'huile d'olive.

Assaisonnements et condiments
Sel, poivre blanc.

1. Dessaler les filets de morue la veille à l'eau froide pendant au moins 24 h en renouvelant l'eau de temps à autre (uniquement pour la morue salée).

2. Mettre la morue dans une casserole.
Couvrir d'eau froide et porter vivement à ébullition, puis laisser frémir 8 min.
Egoutter.

3. Retirer toutes les peaux, les arêtes et effeuiller la morue.
Faire chauffer 1 dl d'huile d'olive dans une sauteuse.
Jeter la morue dans l'huile fumante avec l'ail écrasé.
Remuer vigoureusement et travailler avec un pilon sur le feu pour obtenir une pâte assez fine.

4. Ajouter, hors du feu, en alternant, une cuillerée d'huile d'olive, puis une cuillerée de crème fraîche.
Continuer de mélanger sans cesse à l'aide d'une spatule jusqu'à l'incorporation totale de l'huile et de la crème fraîche. (La brandade doit être bien blanche et de bonne consistance.)
Rectifier l'assaisonnement.

5. Couper le pain de mie en petits triangles et le faire frire à l'huile d'olive.

6. Dresser la brandade en dôme.
Piquer au-dessus les croûtons frits.
Accompagner de pommes vapeur.

63. Morue
à la bayonnaise

Difficulté : ●●
Coût : ●●

BÉARN

Les Bayonnais furent
de hardis marins qui,
à force de poursuivre
les baleines
qui vagabondaient
dans le golfe de Gascogne,
finirent par remonter
toujours plus vers le nord
où ils rencontrèrent
la morue.
Ils se firent Terre-neuvas.
D'où cette spécialité
de ragoût de morue.

POUR 4 PERSONNES

Eléments principaux
*800 g de filets de morue
5 cl d'huile d'olive.*

**Eléments de la sauce
et garniture**
*600 g de tomates fraîches
150 g d'oignons
300 g de poivrons rouges*

*2 gousses d'ail
1 bouquet garni.*

Elément complémentaire
50 g de chapelure.

**Assaisonnements
et condiments**
Sel, poivre, sucre.

1. Dessaler les filets de morue la veille à l'eau froide pendant au moins 24 h en renouvelant l'eau de temps à autre (uniquement pour la morue salée).

2. Mettre la morue dans une casserole.
Couvrir d'eau froide et porter vivement à ébullition puis laisser frémir 8 min.
Egoutter.
Retirer toutes les peaux et les arêtes.

3. Emincer finement les oignons.
Peler, épépiner et concasser les tomates.
Tailler en julienne très fine (fines lanières) les poivrons rouges.

4. Faire chauffer l'huile d'olive dans une sauteuse.
Ajouter la julienne de poivrons dans l'huile chaude sans excès, et laisser suer à feu modéré pendant 5 min.
Retirer et réserver dans un bol.
Faire revenir les oignons dans l'huile qui a servi aux poivrons.
Ajouter la tomate concassée, l'ail écrasé, et le bouquet garni.
Assaisonner de sel, de poivre, et d'une prise de sucre.
Laisser compoter à feu doux à couvert, jusqu'à cuisson des légumes et évaporation presque totale de l'eau de végétation.

5. Disposer dans un plat à gratin, la moitié de la sauce tomate débarrassée du bouquet garni.
Ranger les filets de morue au-dessus.
Etaler sur la morue la julienne de poivrons rouges.
Verser le reste de sauce sur le tout.
Saupoudrer de chapelure.
Faire mijoter à four moyen pendant 20 min environ.

Vin blanc :
*Pacherenc du Vic-Bihl sec,
Irouléguy.*

64. Morue à la lyonnaise

Difficulté : ●●
Coût : ●●

Variante :
Faire cuire les pommes de terre à l'eau, pocher la morue et l'effeuiller. Faire suer les oignons. Mettre le tout dans un plat beurré et napper de béchamel très crémée.

POUR 4 PERSONNES

Eléments principaux
600 g de morue
100 g d'oignons
450 g de pommes de terre
100 g de beurre
1 cuillerée à café de vinaigre

1 cuillerée à café de persil haché.

Assaisonnements et condiments
Sel, poivre.

Vin blanc :
Château-Grillet
Hermitage.

1. Faire dessaler la morue à l'eau fraîche pendant 24 h (uniquement pour la morue salée).
Ecailler et pocher à l'eau frémissante pendant 8 min. Effeuiller et réserver.

2. Emincer finement les oignons et les faire suer au beurre.

3. Emincer également les pommes de terre en rondelles et les faire rissoler au beurre dans une autre sauteuse.

4. Réunir tous les éléments ensemble dans une poêle et faire sauter au beurre. Assaisonner.
Arroser, au dernier moment, avec le vinaigre.
Saupoudrer de persil haché.

65. Morue à la provençale

Difficulté : ●
Coût : ●

PROVENCE

Il n'y a pas de morue en Méditerranée, et il faut croire que la tradition de cette spécialité « à la provençale » est le fruit de pêches faites bien loin de Marseille, ou bien, là aussi, d'échanges contre le sel des salines, ou d'importations de la péninsule ibérique où les recettes de morue sont innombrables. Les Niçois ne raffolent-ils pas de leur « stockfisch », tout aussi étranger au golfe du Lion ?

POUR 4 PERSONNES

Eléments principaux
600 g de morue
80 g d'oignons
200 g de tomates bien mûres
7 cl d'huile d'olive
2 gousses d'ail
30 g de câpres
60 g d'olives noires

dénoyautées
quelques feuilles de persil
1 bouquet garni.

Assaisonnements et condiments
Sel, poivre, thym, laurier, poivre en grains.

1. Faire dessaler la morue à l'eau froide pendant 24 h. Ecailler la morue dessalée et la mettre à cuire dans de l'eau froide avec du thym, du laurier et quelques grains de poivre.

Amener vivement à ébullition et faire cuire ensuite 8 min à simple frémissement de l'eau.
Egoutter soigneusement.
Retirer la peau, les arêtes et effeuiller.
Réserver sur un plat.

2. Ciseler les oignons. Peler, épépiner et concasser les tomates. Broyer l'ail. Concasser le persil. Dénoyauter les olives noires.

3. Faire sauter l'oignon haché à feu modéré.
Ajouter la tomate, l'ail, le persil, les câpres, les olives noires, le sel (si nécessaire), le poivre et la morue.
Faire mijoter pendant 10 min environ.
Servir dans un légumier.

Vin blanc :
Cassis, Côtes de Provence.

66. *Fritot de raie*

Difficulté : ●●
Coût : ●●

POITOU

Seules les « ailes » et le foie de la raie sont comestibles et commercialisés. La « bouclée » est la meilleure. Les pêcheurs de la « façade » atlantique du Poitou en fournissent d'excellentes.

POUR 4 PERSONNES

Eléments principaux
800 g de petites raies
1 dl d'huile.

Eléments de la marinade
1 citron
5 cl d'huile
80 g d'oignons
1 cuillerée à café de persil haché
thym et laurier pulvérisés.

Eléments de la pâte à frire

3 œufs
1 citron
50 g de farine environ.

Eléments complémentaires
1 petit bouquet de persil frisé
30 g de farine.

Assaisonnements et condiments
Sel, poivre.

1. Préparer la marinade :
Mélanger dans un bol le jus d'un citron avec 5 cl d'huile, les oignons coupés en fines rondelles, le persil haché, le thym, le laurier, le sel et le poivre fraîchement moulu.

2. Détacher les ailes de raie. Enlever la peau.
Découper en morceaux et les mettre dans un plat creux avec la marinade pendant 2 h, au frais, en retournant le poisson de temps en temps.

3. Confectionner la pâte à frire :
Battre les œufs et les mélanger avec le jus d'un citron. Saler et poivrer. Incorporer la farine. Remuer à la spatule en bois.
La pâte doit avoir une consistance plus épaisse que celle d'une pâte à crêpes.

4. Faire chauffer 1 dl d'huile dans la poêle.

Tremper les morceaux de raie, un à un, dans la pâte à frire et les faire cuire dans l'huile chaude sans excès.

5. Dresser après cuisson, sur une serviette posée sur un plat.

Faire frire très rapidement le persil frisé. Le retirer et garnir un côté du plat.

Passer à la farine, les rouelles d'oignon de la marinade, et les faire frire également. Les disposer de l'autre côté du plat.

Servir bien chaud.

Accompagner de pommes de terre.

Vin blanc :
*Chardonnay du
Haut-Poitou, Brezé,
Muscadet.*

67. *Rouget en papillote au romarin*

Difficulté : ●
Coût : ●●●

PROVENCE

**Le rouget de roche,
dit surmulet, se reconnaît
et se distingue
du « barbet » à sa première
nageoire dorsale,
garnie de raies.
Il se cuisine sans être vidé.
La papillote lui garde
tout son arôme.**

POUR 4 PERSONNES

Eléments principaux
8 rougets de roche de la
   Méditerranée, de 125 g
200 g de lard gras frais
30 g de persil haché.

**Eléments
de la marinade**
   1 citron

1 dl d'huile d'olive peu
   fruitée
quelques feuilles de
   romarin.

**Assaisonnements
et condiments**
*Sel, poivre fraîchement
moulu.*

1. Préparer la marinade avec le jus du citron, l'huile et une forte pincée de romarin haché (1).

2. Ecailler les rougets sans les vider (2); les ciseler très superficiellement de trois traits de couteau sur chaque face et les mettre dans la marinade pendant 3 h au frais.

Hacher le lard gras, puis le persil.

Ajouter ces deux éléments à la marinade.

3. Découper 8 feuilles de papier sulfurisé et huiler l'intérieur.

Disposer chaque rouget sur une feuille avec le hachis.

4. Envelopper (3) et faire griller lentement.

Servir dans la papillote.

Accompagner ce plat de pommes vapeur.

Vin blanc :
*Côtes de Provence,
Bandol, Cassis.*

(1) Une petite pointe d'ail ajoutée à la marinade « ensoleille » le rouget.
(2) Lorsqu'il est très frais le rouget n'a pas besoin d'être vidé, étant dépourvu de fiel.
(3) Certains enveloppent la papillote d'un papier aluminium supplémentaire surtout lorsque la grillade est faite sur une braise vive.

68. Filets de sole charentaise

Difficulté : ●●●
Coût : ●●●

SAINTONGE

Sole, du latin « solea »
qui signifie « semelle »
Cette chair savoureuse,
levée en filets, n'a
pourtant
aucun rapport
avec la sécheresse du cuir.
Il s'agit tout au plus
d'une analogie de forme...

POUR 4 PERSONNES

Eléments principaux
   2 soles de 500 g chacune
   40 g de beurre.

Eléments pour paner
   2 œufs
   2,5 cl d'huile
   100 g de chapelure ou de mie
      de pain fraîche
   50 g de farine.

**Eléments du beurre
maître d'hôtel**
   100 g de beurre

1/2 citron
   1 cuillerée à potage de
      persil haché.

Eléments de présentation
   2 citrons
   quelques branches de persil
   frisé.

**Assaisonnements
et condiments**
   Sel, poivre.

---

1. Arracher la peau grise et la peau blanche des soles : faire une petite incision sur la nageoire caudale (queue), gratter pour décoller la peau grise et l'attraper avec le bout des doigts; tirer vers la tête, et continuer pour enlever également la peau blanche. Lever et laver les filets.
Egoutter et éponger soigneusement.
Inciser très légèrement la face externe (face qui était en contact avec la peau) des filets.
Réserver au frais.

2. Répartir la farine dans une assiette. Mettre les œufs battus avec l'huile, assaisonnés de sel et de poivre, dans une deuxième assiette.
Garnir de chapelure une troisième assiette.

3. Passer chaque filet, d'abord dans la farine, puis dans les œufs battus et enfin dans la chapelure.
Réserver au frais sur un plat.

4. Confectionner le beurre maître d'hôtel : mélanger intimement 100 g de beurre ramolli avec le persil haché, le jus d'un demi-citron.
Assaisonner de sel et de poivre.

5. Chauffer 40 g de beurre sans le laisser brûler et faire dorer les filets de sole. Disposer les filets sur un plat chaud.
Couvrir avec le beurre maître d'hôtel (1). Garnir avec des demi-tranches de citron cannelé et le persil frisé en petits bouquets.
Servir aussitôt avec des pommes vapeur.

(1) Le beurre maître d'hôtel peut être servi en saucière.

69. Sardines (ou royans) grillées

Difficulté : ●
Coût : ●

SAINTONGE

Royan, à l'entrée de la Gironde, est surtout devenue station balnéaire, mais les pêcheurs saintongeois ont l'habitude de ramener du golfe de Gascogne des sardines, si belles et si bonnes, que dans la région on les appela des « royans ».

Vin blanc :
Bergerac, Côtes de Montravel, Bordeaux.

POUR 4 PERSONNES

Elément principal
1 kg de sardines ou de royans.

Eléments de la marinade
5 cl d'huile
1/2 citron.

Eléments du beurre à la moutarde
80 g de beurre, salé de préférence

1/2 cuillerée à café de moutarde.

Eléments complémentaires
1 citron
persil frisé.

Assaisonnements et condiments
Sel, poivre, thym et laurier pulvérisés.

1. Préparer la marinade :
Mélanger dans un bol, l'huile, le jus d'un demi-citron, le thym et le laurier, le sel et le poivre.

2. Essuyer les sardines fraîchement pêchées sans les vider (1) et les mettre sur un plat.
Arroser avec la marinade.
Couvrir et réserver au frais pendant 20 min environ.

3. Confectionner le beurre à la moutarde :
travailler le beurre en pommade à l'aide d'une spatule en bois et incorporer peu à peu la moutarde.

4. Faire griller les sardines sur la braise bien chaude, ou sous le gril du four.

5. Ranger les poissons sur un plat, tête à gauche, ventre vers soi. Garnir de quelques bouquets de persil et de citron coupé en quartiers. Mettre le beurre à la moutarde dans une saucière.

(1) Vider les sardines si elles ne sont pas pêchées le jour même. Ecailler si nécessaire.

70. Beignets de sardines

Difficulté : ●●
Coût : ●

COMTÉ DE NICE

La sardine est un poisson assez gras.

POUR 4 PERSONNES

Eléments principaux
1 kg de sardines bien fraîches

1/2 l d'huile pour friture
1 citron
persil.

Ces beignets,
surtout dans la chaleur
de l'été méditerranéen,
peuvent être dégustés
chauds ou froids,
mais constituent souvent
un « plat principal ».

Vin blanc :
Bellet, Côtes de Provence.

**Eléments
de la pâte à frire**
*125 g de farine tamisée
1 dl d'eau ou de bière
3 cl d'huile
2 blancs d'œufs*

1 œuf entier.

**Assaisonnements
et condiments**
*Sel, poivre fraîchement
moulu.*

1. Ecailler les sardines; leur couper la tête et enlever l'arête en les ouvrant par le dos ou par le ventre. Réserver bien à plat au frais.

2. Disposer la farine dans une terrine. Mettre au centre le sel, l'œuf entier et l'eau à peine tiède (ou de la bière). Mélanger tous les ingrédients sans trop travailler la pâte en incorporant peu à peu la farine. Verser 3 cl d'huile sur la surface et laisser reposer la pâte au frais.

3. Monter deux blancs d'œufs en neige et les incorporer délicatement à la pâte.

4. Faire chauffer l'huile de friture.
Tremper les sardines dans la pâte à frire et les déposer délicatement une à une dans la friture chaude.
Faire dorer chaque face, égoutter sur un plat garni d'un linge ou de papier absorbant.
Servir avec des quartiers de citron et du persil frit.

Variante :
Une pâte à frire composée de 100 g de farine délayée avec 2 ou 3 œufs entiers et le jus d'un demi-citron, assaisonnée de sel et de poivre avec une pointe d'ail et un peu de persil haché donne aussi un excellent résultat.

71. *Mousse de sole cressonnière*

Difficulté : ●●●
Coût : ●●●●

GUYENNE

On a beaucoup médit
du cresson
parce qu'il pouvait véhiculer
de très dangereux
parasites des animaux.
Sa production relève
des services sanitaires,
et la consommation
de celui que l'on trouve
dans le commerce
n'offre pas de dangers.
Ses vertus diététiques
et médicinales sont très,
très nombreuses.
A signaler que cette mousse
peut être réalisée

POUR 8 PERSONNES

**Eléments
de la farce mousseline**
*750 g de filets de sole
1 l de crème fraîche
épaisse
4 blancs d'œufs*

**Eléments
de la sauce mayonnaise**
*4 jaunes d'œufs
4 dl d'huile
1 cuillerée à café de vinaigre*

1 cuillerée à café de moutarde.

**Eléments
complémentaires**
*200 g de bardes de lard
200 g de cresson + 50 g pour
la garniture.*

**Assaisonnements
et condiments**
Sel, poivre blanc.

à partir de poissons moins chers (et moins savoureux) que la sole.

1. Piler très finement ou passer deux fois au moulin à légumes grille fine les filets de soles.

Assaisonner de sel et de poivre.

Ajouter peu à peu les blancs d'œufs.

Passer au tamis. Lisser à la spatule.

Réserver au froid la farce dans un récipient posé sur de la glace vive ou au réfrigérateur très froid, pendant deux heures.

2. Tapisser la terrine de bardes de lard. Réserver au frais.

3. Incorporer à la farce, la crème fraîche par petites quantités en travaillant le tout très délicatement, toujours sur la glace. Rectifier l'assaisonnement.

4. Garnir la terrine avec la farce.

Poser au bain-marie dans un récipient empli d'eau bouillante jusqu'à mi-hauteur de la terrine et faire cuire à four moyen (eau du bain-marie légèrement frémissante) pendant 1 h 30.

Surveiller l'évaporation de l'eau du bain-marie.

5. Laisser refroidir complètement et mettre légèrement sous presse (facultatif).

6. Jeter 200 g de feuilles de cresson dans de l'eau bouillante salée et laisser bouillir pendant 2 min environ. Egoutter, presser très fortement et hacher finement.

Laisser complètement refroidir.

7. Préparer la mayonnaise (1). Incorporer le cresson haché à la mayonnaise.

8. Démouler la mousse sur un plat bien froid. Garnir avec 50 g de cresson frais. Servir la sauce cressonnière dans une saucière.

Vin blanc :
Entre-deux-mers.

(1) Voir en fin de volume les recettes des préparations de base.

72. *Soles normandes*

Difficulté : ●●●●●
Coût : ●●●●●

NORMANDIE

C'est une des grandes réussites de la gastronomie française. Recouverte de sauce « d'ivoire », la sole est superbement entourée de sa garniture « à la normande ».

POUR 4 PERSONNES

Eléments principaux
2 soles de 400 g environ
ou 4 de 200 g
1 dl de bon vin blanc sec
30 g de beurre
30 g d'échalotes.

Eléments de la garniture normande
200 g de moules
30 g d'échalotes
1 dl de vin blanc sec
4 écrevisses

Un plat de cette qualité est rarement issu du terroir. Il est né en 1837 sous la main de Langlais, chef du fameux restaurant « le Rocher de Cancale », premier du nom, fondé en 1794, rue Montorgueil à Paris.

4 huîtres
5 cl de vin blanc sec
100 g de crevettes
4 têtes de champignons de Paris
1 citron
2 tranches de pain de mie
25 g de beurre
4 goujons
huile pour friture.

**Eléments
pour paner les goujons**
10 g de farine
10 g de mie de pain ou de chapelure
1 œuf
1 cuillerée à café d'huile.

**Eléments
de la nage
pour cuire les écrevisses**

100 g de carottes
100 g d'oignons
1 bouquet garni
1,5 dl de vin blanc sec
5 grains de poivre.

**Eléments
de la sauce normande**
2 dl de crème fraîche épaisse
2 jaunes d'œufs
100 g de beurre.

**Eléments
complémentaires**
30 g de beurre pour graisser le plat.

**Assaisonnements
et condiments**
Sel, poivre blanc fraîchement moulu.

1. Ebarber, arracher la peau grise, écailler la peau blanche, vider et laver les soles.

Couper les têtes en biais et réserver les poissons au frais.

2. Ciseler les échalotes.

3. Gratter, laver et faire cuire à couvert les moules à feu vif, dans une casserole avec 30 g d'échalotes ciselées et 1 dl de vin blanc, pendant environ 5 min.

Retirer les moules de leur coquille, ébarber, et réserver dans un bol.

Passer leur jus de cuisson au chinois (passoire fine) et le réserver.

4. Préparer un court-bouillon avec les carottes et les oignons émincés, le bouquet garni, 1,5 dl de vin blanc, 1/2 l d'eau, et laisser cuire pendant 15 min.

Ajouter alors les grains de poivre.

Châtrer les écrevisses :

arracher la nageoire caudale (queue) centrale en entraînant le boyau intestinal.

Les trousser (1), les plonger dans la nage (court-bouillon) bouillante et les laisser cuire pendant 10 min.

5. Mettre dans une petite casserole l'eau des huîtres et 5 cl de vin blanc.

Pocher les huîtres 1 à 2 min à très léger frémissement.

Réserver les huîtres ébarbées avec les moules.

(1) Trousser les écrevisses : retourner les pinces et piquer la plus petite sur le dernier anneau de la queue.

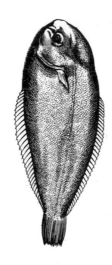

6. Pocher les crevettes si nécessaire et les décortiquer pour ne garder que les queues.
Réserver.

7. Tourner (2) 4 têtes de champignons, et les faire cuire dans un peu d'eau salée avec un filet de citron.

8. Tailler dans les tranches de pain de mie, quatre croûtons en forme de N de 4 cm de hauteur et les faire sauter au beurre.

9. Disposer dans une plaque beurrée 30 g d'échalotes ciselées, les poissons assaisonnés, peau blanche au-dessus.
Verser sur le poisson l'eau de cuisson des champignons et des moules et 1 dl de vin blanc.
Recouvrir avec un papier sulfurisé beurré ou une feuille d'aluminium, et faire cuire à four moyen pendant 10 min environ.

10. Paner les goujons préalablement vidés : les passer dans la farine, puis dans l'œuf battu avec l'huile, saler et poivrer, et enfin dans la mie de pain ou la chapelure.
Réserver.

11. Confectionner la sauce normande : passer au chinois (passoire fine) dans une casserole le jus de cuisson des poissons.
Faire réduire des 4/5 sur un feu vif. Délayer dans un bol 2 jaunes d'œufs avec 1 dl de crème fraîche et les ajouter au fumet réduit.
Laisser frémir à feu très doux, pendant 2 min sans jamais faire bouillir. Passer à nouveau la sauce au chinois et la mettre au point en lui incorporant 1 dl de crème fraîche puis, hors du feu, 100 g de beurre par petites parcelles.

12. Disposer les soles sur un plat beurré.
Poser au-dessus un champignon tourné.
Couvrir avec le papier et faire réchauffer à feu très doux.

13. Réchauffer également au beurre, dans une petite sauteuse, les moules, les crevettes et les huîtres et répartir cette garniture tout autour des soles.

14. Faire frire les goujons à la friture bien chaude. Saler.

15. Napper les soles avec la sauce normande.
Disposer autour du plat les goujons frits, les croûtons de pain et les écrevisses troussées.
Servir bien chaud.

Vin blanc : *Muscadet.*

(2) Tourner les champignons : canneler à l'aide d'un couteau la surface de la tête des champignons pour former des petites spirales partant du centre.

73. Thon
à la catalane

Difficulté : ●●
Coût : ●●●

ROUSSILLON

Il y a deux sortes de thons : le rouge et le blanc. Le blanc, parfois plus estimé et dit « germon », est assez rare en Méditerranée. La chair de l'un et de l'autre est ferme, serrée, plutôt lourde. D'où la nécessité de la traiter comme ici, avec une recette qui l'aromatise, l'affine.

Vin blanc ou rosé :
Corbières du Roussillon.

POUR 4 PERSONNES

Eléments principaux
1 belle tranche de thon de 750 g
5 cl d'huile d'olive
50 g de farine.

Eléments de la sauce
750 g de tomates fraîches
80 g d'oignons
3 gousses d'ail
1 bouquet garni

2 cuillerées à potage d'huile d'olive.

Eléments de garniture
80 g d'olives noires
30 g de cornichons

Assaisonnements et condiments
Sel, sucre, poivre de Cayenne.

1. Préparer la sauce :
Peler, épépiner et concasser les tomates.
Ciseler finement les oignons.

2. Faire suer les oignons dans l'huile chaude sans excès pendant 2 à 3 min.
Ajouter les tomates concassées, l'ail écrasé et le bouquet garni. Assaisonner de sel, d'une prise de sucre et de poivre de Cayenne. Faire cuire à feu doux jusqu'à cuisson et évaporation presque totale de l'eau de végétation. Enlever le bouquet garni.

3. Dénoyauter les olives. Emincer finement les cornichons.

4. Saler, poivrer, fariner le thon, et le mettre dans l'huile bien chaude. Faire dorer chaque face.

5. Garnir un plat à gratin avec la moitié de la sauce. Poser le thon au-dessus et le recouvrir avec le reste de sauce. Répartir, au-dessus, les olives et les cornichons. Faire cuire à couvert à four doux pendant 10 min.

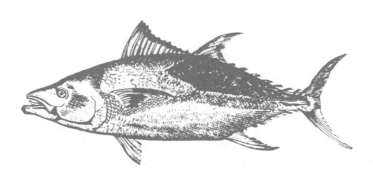

74. Thon aux pommes de terre

Difficulté : ●
Coût : ●●●

BRETAGNE

Il y a une saison du thon.
Il ne supporte pas
des eaux inférieures
à 10° -12 °C.
L'été, il remonte vers
l'Atlantique nord,
et c'est alors qu'on le pêche.
L'hiver, il s'enfonce
jusqu'à 200 m de profondeur
dans les eaux de régions
beaucoup plus chaudes,
et sa capture devient
quasi impossible.
Il peut peser plusieurs
dizaines de kilos.

Cidre sec ou vin blanc :
Muscadet.

POUR 4 PERSONNES

Eléments principaux
*1 kg de thon
50 g de beurre
100 g d'oignons
1 bouquet garni.*

*1 kg de pommes de terre
7 dl de lait
50 g de beurre.*

Eléments de garniture

**Assaisonnements
et condiments**
Sel, poivre.

1. Faire fondre le beurre dans une sauteuse ou dans une cocotte en fonte.
Ajouter le thon et le faire colorer lentement à couvert sans jamais laisser brûler le beurre.
Assaisonner de sel et de poivre.
Emincer grossièrement les oignons et les adjoindre au thon avec un petit bouquet garni.
Laisser mijoter pendant 20 min environ.

2. Faire cuire à part les pommes de terre. Les passer au moulin à légumes et leur incorporer le beurre et le lait bouillant.
Servir le thon dans un plat creux et la purée de pommes de terre à part.

75. Turbot poché sauce hollandaise

Difficulté : ●●●
Coût : ●●●●

BRETAGNE

Le turbot est un poisson
de luxe que l'on réserve
aux fêtes, aux amis, parents
ou invités que l'on veut
particulièrement honorer.
On ne doit pas le confondre
avec la plus commune
barbue, qui lui ressemble
comme une petite sœur.
Il est si précieux,
qu'au XVIIIᵉ siècle sa pêche
se pratiquait quelquefois
par équipe, maniant une seule
ligne... de cinq kilomètres,
armée de 2 500 hameçons !

POUR 8 PERSONNES

**Eléments
principaux**
*1 turbot de 2,4 kg
3 dl de lait
1 citron.*

**Eléments de la sauce
hollandaise (1)**
*300 g de beurre
5 jaunes d'œufs
1/2 citron*

*2 cuillerées à potage de
vinaigre blanc.*

Eléments de présentation
*25 g de beurre
4 citrons
persil frisé bien vert.*

**Assaisonnements
et condiments**
Sel, poivre.

(1) Peut également se faire au beurre blanc.

1. Ebarber, vider, laver et tronçonner le turbot. Réserver au frais.

2. Préparer la sauce hollandaise (2)

3. Faire pocher les tronçons de turbot à l'eau froide salée additionnée de 3 dl de lait et de quelques tranches d'un citron pelé à vif.

Porter rapidement à ébullition, puis laisser cuire ensuite à très léger frémissement pendant 15 min environ.

4. Retirer les tronçons de turbot et les dresser sur une serviette posée sur un plat, la peau blanche au-dessous. Enlever la peau brune et lustrer avec un peu de beurre fondu à l'aide d'un pinceau. Garnir le plat de persil et de citrons coupés en deux.

Servir la sauce hollandaise en saucière (3).

Généralement, cette spécialité s'accompagne de pommes de terre à l'anglaise ou vapeur.

(2) Voir en fin de volume les recettes des préparations de base.
(3) Ou garnir des petits choux salés pour une présentation originale.

Une femelle pond dix millions d'œufs, mais tellement appréciés des poissons, que bien peu survivent. C'est pourquoi on s'efforce d'élever des turbots.

Cidre sec ou vin blanc :
Muscadet.

76. *Esquinado toulonnais*

Difficulté : ●●
Coût : ●● variable

PROVENCE

L'esquinade fait à ce point partie de la cuisine provençale que beaucoup de restaurants de la Côte d'Azur se sont logés à son enseigne. Mais ne nous méprenons pas : le temps des gros crabes méditerranéens est défunt. Il est vrai qu'ici un tourteau ou dormeur lourd et charnu de l'Atlantique peut aussi bien faire l'affaire.

POUR 4 PERSONNES

Eléments principaux
4 crabes (femelles de préférence)
1 kg de moules
1 dl de vin blanc sec
d'excellente qualité
20 g d'échalotes
20 g de persil haché.

**Eléments
du court-bouillon
pour les crabes**
5 l d'eau
2,5 dl de vinaigre
70 g de gros sel
1 fort bouquet garni
20 g de poivre en grains.

**Eléments
de la sauce**
40 g de beurre
40 g de farine
pour le roux blanc
2,5 dl de lait.

Eléments de finition
50 g de chapelure ou 100 g
de mie de pain fraîche
50 g de beurre fondu.

**Assaisonnements
et condiments**
Sel, poivre du moulin, poivre
en grains, poivre de
Cayenne, muscade.

1. Préparer le court-bouillon : réunir dans une grande marmite l'eau, le vinaigre, le bouquet garni et le sel. Amener à ébullition.

2. Plonger les crabes et faire cuire environ 30 min.

Ajouter le poivre en grains 5 min avant la fin de la cuisson. Laisser refroidir.

3. Gratter et laver rapidement les moules.
Ciseler finement les échalotes.
Hacher le persil.

4. Mettre dans une casserole les moules, les échalotes, le persil, le vin blanc et le poivre fraîchement moulu. Faire cuire à couvert sur un feu vif pendant 6 à 8 min environ.
Remuer ou faire sauter de temps à autre.
Laisser refroidir.
Sortir les moules de leur coquille et les réserver dans un saladier. Passer la cuisson des moules au chinois (passoire fine) pour bien la filtrer.

5. Faire un roux blanc :
Mettre à fondre sans coloration 40 g de beurre dans une petite casserole sur un feu doux.
Ajouter 40 g de farine et mélanger constamment avec une spatule en bois (ne pas faire roussir).
Faire cuire 4 à 5 min et laisser refroidir.
Mettre à bouillir le lait avec 2,5 dl de jus de cuisson des moules et l'adjoindre au roux froid.
Mélanger vivement à l'aide d'un fouet et faire chauffer pour obtenir une sauce épaisse sans grumeaux.
Assaisonner de sel, de poivre de Cayenne, et d'une râpure de noix muscade.

6. Retirer de chaque crabe la chair des pattes, des pinces et de l'intérieur. Couper en morceaux.
Piler les parties crémeuses au mortier.

7. Ajouter à la sauce, hors du feu, la purée et la chair des crabes, et les moules. Mélanger délicatement.
Remplir les carapaces. Saupoudrer de chapelure ou de mie de pain fraîche passée au tamis. Arroser avec 50 g de beurre fondu. Faire gratiner au four.

Vin blanc : *Bandol,*
Côtes de Provence

77. Crevettes à la mayonnaise au cognac

Difficulté : ●●
Coût : ●●●●

AUNIS

La crevette rose est de plus en plus commercialisée déjà cuite. Elle est difficile à trouver fraîche et crue... à moins, bien sûr de fréquenter La Rochelle et les petits ports voisins de la Charente-Maritime, d'où cette recette est issue.

Vin blanc :
Savennières, Muscadet.

POUR 4 PERSONNES

Eléments principaux
600 g de crevettes roses
1 petit bouquet garni.

**Eléments
de la sauce mayonnaise
au cognac**
2 jaunes d'œufs
2 dl d'huile

1/2 cuillerée à café de cognac
1/2 cuillerée à café de moutarde.

**Assaisonnements
et condiments**
Sel, poivre de Cayenne, poivre en grains.

1. Plonger les crevettes vivantes dans 1,5 l d'eau bouillante bien salée, aromatisée avec un petit bouquet garni et 10 grains de poivre. Faire cuire de 3 à 6 min suivant la grosseur.
Egoutter et laisser refroidir.
2. Préparer la sauce mayonnaise (1) en remplaçant le vinaigre par le cognac.
3. Dresser les crevettes en bouquets et présenter la sauce à part dans une saucière.

(1) Voir en fin de volume les recettes des préparations de base.

78. Gratin de queues d'écrevisses Nantua

Difficulté : ●●●
Coût : ●●●●

BOURGOGNE

Qu'elles aient pattes blanches ou pattes rouges, les écrevisses sont devenues rares dans les rivières de France, même les plus riches en calcaire.
On les importe de Pologne, de Yougaslavie et de Turquie. Il faut sept années pour qu'une écrevisse atteigne 40 grammes. Mais quel bouquet!

POUR 4 PERSONNES

Eléments principaux
40 écrevisses
5 cl de fine champagne
20 g de beurre.

**Eléments
du beurre d'écrevisses**
Coquilles et débris des écrevisses
50 g de carottes
50 g d'oignons
100 g de beurre

1 dl de crème fraîche.

**Eléments
de la sauce Béchamel**
35 g de beurre
35 g de farine
5 dl de lait.

**Assaisonnements
et condiments**
Sel, poivre de Cayenne, noix muscade.

1. Préparer le beurre d'écrevisses avec les 40 écrevisses (1).

2. Confectionner la sauce Béchamel (1).

3. Ajouter la crème fraîche à la béchamel et porter à ébullition sur un feu doux en remuant assez souvent. Laisser cuire et réduire pendant 5 min.
Incorporer, hors du feu, la moitié du beurre d'écrevisse.

4. Faire revenir les queues d'écrevisses avec le reste de beurre et flamber avec la fine champagne.

5. Disposer les queues d'écrevisses dans un plat à gratin beurré, napper de sauce Nantua et faire gratiner au four.

(1) Voir en fin de volume les recettes des préparations de base.

Vin blanc :
Seyssel, Meursault.

79. *Homard à l'américaine ou à l'armoricaine*

Difficulté : ●●●
Coût : ●●●●●

BRETAGNE

Il faudrait beaucoup de place pour conter les grandes lignes de la controverse autour de la recette du homard à l'armoricaine ou à l'américaine. Il semble bien qu'un chef, né à Sète, ayant travaillé à Chicago, mais installé à Paris, ait baptisé par hasard « à l'américaine » une vieille recette de crustacé à l'eau-de-vie, d'origine languedocienne. Elle avait dû être réalisée un peu partout le long du littoral français par des pêcheurs, gastronomes et avisés, du temps où les homards n'étaient pas des crustacés de luxe.

POUR 2 PERSONNES

Eléments principaux
1 homard vivant de 800 à 900 g
1 dl d'huile
30 g de beurre
50 g d'échalotes
1 gousse d'ail.

Eléments de la sauce
5 cl de cognac
1,5 dl de vin blanc
1,5 dl de fumet de poisson (1) ou, à défaut, d'eau
200 g de tomates fraîches

2 cuillerées à potage de concentré de tomate
3 cuillerées à café de persil concassé
1/2 cuillerée à café d'estragon ciselé.

Elément de finition
125 g de beurre.

Assaisonnements et condiments
Sel, poivre de Cayenne.

1. Ciseler finement les échalotes.
Peler, épépiner et concasser les tomates.

2. Tronçonner la queue du homard vivant.
Enlever les pattes et briser les pinces pour en extraire la chair après cuisson.
Couper le coffre en deux dans le sens de la longueur.
Supprimer la poche pierreuse près de la tête.

(1) Voir en fin de volume les recettes des préparations de base.

Réserver les intestins et le corail.

Assaisonner les morceaux de sel et de poivre.

3. Mettre à chauffer dans une sauteuse l'huile et 30 g de beurre à feu vif. Jeter les morceaux dans la matière grasse bien chaude et les faire sauter jusqu'à l'obtention d'une coloration rouge vif de la carapace.

Dégraisser le récipient.

Adjoindre les échalotes ciselées et l'ail écrasé, puis le cognac flambé et le vin blanc.

Laisser réduire.

Ajouter le fumet de poisson ou 1,5 dl d'eau, les tomates concassées, le concentré de tomate, les fines herbes et une pointe de cayenne.

Couvrir et laisser cuire à four chaud pendant 20 min.

4. Retirer les morceaux de homard, extraire les chairs et les mettre dans une timbale ou sur un plat. Tenir au chaud.

5. Faire réduire le jus de cuisson de moitié. Hacher les intestins et le corail avec 25 g de beurre et les ajouter à la sauce. Réchauffer 2 à 3 min sans faire bouillir. Rectifier l'assaisonnement.

Passer à l'étamine ou au chinois (passoire fine). Remettre sur le feu doux encore 1 min.

Incorporer ensuite, hors du feu, 100 g de beurre par petites parcelles.

Nappez de sauce les chairs de homard. Saupoudrer de persil concassé.

Vin blanc : *Muscadet.*

80. *Civet de langouste au Banyuls*

Difficulté : ●●●
Coût : ●●●●●

ROUSSILLON

La langouste est devenue rare en Méditerranée, moins rare toutefois que le homard. Cette recette marie heureusement les arômes de la montagne, les senteurs marines à la « cambrure et la chaleur sarrasines » du vin de Banyuls. Ce civet de langouste est, en réalité, un ragoût.

POUR 2 PERSONNES

Eléments principaux
1 langouste de 800 g
1 dl d'huile
30 g de beurre
50 g d'échalotes
4 gousses d'ail
100 g de jambon de montagne.

Eléments de la sauce
5 cl de cognac
1,5 dl de vin de Banyuls
1,5 dl de fumet de poisson ou, à défaut, d'eau

350 g de tomates fraîches
2 cuillerées à potage de concentré de tomate
3 cuillerées à café de persil concassé
1 cuillerée à café d'estragon ciselé.

Elément de finition
125 g de beurre

Assaisonnements et condiments
Sel, poivre de Cayenne.

1. Ciseler finement les échalotes.

Peler, épépiner et concasser les tomates.

Couper le jambon en petits dés.

2. Tronçonner la queue de la langouste.

Couper le coffre en deux dans le sens de la longueur.

Réserver les intestins et le corail.

Assaisonner les morceaux de sel et de poivre.

3. Faire chauffer dans une sauteuse, l'huile et 30 g de beurre à feu vif.

Jeter les morceaux dans la matière grasse bien chaude et les faire sauter jusqu'à l'obtention d'une coloration rouge vif de la carapace.

Dégraisser le récipient.

Adjoindre les échalotes, l'ail écrasé, le jambon, puis le cognac flambé et le vin de Banuyls.

Laisser réduire.

Ajouter le fumet de poisson (1) ou 1,5 dl d'eau, les tomates concassées, le concentré de tomate et les fines herbes. Couvrir et faire cuire à four chaud pendant 20 min.

4. Retirer les morceaux de langouste et les tenir au chaud.

5. Réduire le jus de cuisson de moitié.

Hacher les intestins et le corail avec 25 g de beurre et les ajouter, hors du feu, à la sauce. Rectifier l'assaisonnement.

Faire cuire sans faire bouillir 2 à 3 min et passer à l'étamine ou au chinois (passoire fine).

Rechauffer à feu doux et incorporer, hors du feu, 100 g de beurre par petites parcelles.

Napper de sauce les morceaux de langouste et saupoudrer de persil concassé.

Vin rouge :
Banyuls grand cru.

(1) Voir en fin de volume les recettes des préparations de base.

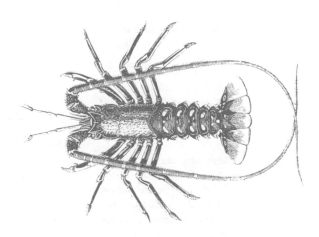

81. Huîtres normandes

Difficulté : ●●
Coût : ●●●

NORMANDIE

Les Français,
qui consomment beaucoup
les huîtres au naturel,
ignorent, à la différence
des Anglo-Saxons,
qu'il y a une riche
« cuisine de l'huître ».
Comme il fallait s'y attendre,
ce sont les Normands
qui en ont codifié
les spécialités.

POUR 4 PERSONNES

Elément principal
2 dz d'huîtres.

Eléments pour paner
2 œufs
2 cl d'huile
200 g de mie de pain fraîche
(ou chapelure).

**Eléments
du beurre maître d'hôtel**
100 g de beurre
1 citron

*1 cuillerée à café de persil
haché.*

**Eléments
complémentaires**
1 citron
*20 g de persil en branches
huile pour la friture.*

**Assaisonnements
et condiments**
Sel, poivre.

1. Répartir la farine dans une assiette. Mettre les œufs battus avec 2 cl d'huile, assaisonnés de sel et de poivre, dans une deuxième assiette. Garnir une troisième assiette avec la mie de pain passée au tamis.

2. Incorporer au beurre ramolli assaisonné, le persil haché et un filet de citron.

3. Ouvrir les huîtres, les pocher dans leur eau : Porter vivement à ébullition puis, aussitôt, laisser à simple frémissement pendant 1 à 2 min sur un feu doux, les égoutter et bien les éponger.
Mettre les huîtres dans la farine, puis les tremper ensuite dans l'œuf battu et, enfin, les rouler dans la mie de pain.

4. Couper le citron en 8 rondelles et les placer sur un plat recouvert d'une serviette.
Faire frire les huîtres au dernier moment et les dresser par trois sur chaque tranche de citron.
Garnir le plat de persil frit et servir à part le beurre maître d'hôtel dans une saucière.

Cidre sec ou vin blanc :
Muscadet.

82. Moules marinières

Difficulté : ●
Coût : ●●

BRETAGNE

Il faut citer ici le critique
de gastronomie

POUR 4 PERSONNES

Eléments principaux
4 l ou 2 kg de moules

100 g de beurre
1,5 dl de vin blanc.

Francis Amunategui :
« Voici un des chapitres
les plus gais,
les plus rassurants
de la gastronomie française,
le plus social aussi.
Car combien de fois
nous est-il arrivé
de regretter que tout
ce qui est abondant
soit médiocre, et que tout
ce qui est rare soit bon.
Avec la moule,
nous nous trouvons enfin
devant quelque chose
qui est en même temps
abondant et bon ».

Cidre sec
ou vin blanc : *Gros plant.*

60 g d'échalotes.

100 g de beurre.

Eléments de finition
50 g de persil
1 citron

**Assaisonnements
et condiments**
Sel, poivre.

1. Gratter soigneusement les moules.
Les laver rapidement puis les égoutter.
Ciseler finement les échalotes. Hacher le persil.

2. Mettre les moules dans une casserole.
Ajouter le vin blanc, l'échalote et 75 g de beurre par petites parcelles. Saler si nécessaire (les moules sont parfois suffisamment salées) et poivrer.

3. Faire cuire à couvert à feu vif pendant 6 à 8 min en remuant de temps à autre.

4. Retirer les moules en leur enlevant la coquille supérieure et les réserver au chaud.

5. Faire décanter et réduire le jus de cuisson des moules de moitié sur un feu vif. Ajouter le jus d'un citron puis, hors du feu, 100 g de beurre également par petites parcelles pour lier la sauce.
Verser la sauce sur les moules, saupoudrer de persil haché et servir aussitôt.

Variante :

Pour éviter de cuire le vin à couvert (1), ce qui est préjudiciable à l'ensemble, il est conseillé de mettre le vin et les échalotes dans une petite casserole sur un feu vif jusqu'à ébullition, de tenir cette ébullition pendant 1 min et d'ajouter cette composition refroidie aux moules, avec le beurre. Assaisonner et cuire à couvert.

(1) Le vin, au début de l'ébullition, dégage une certaine acidité que l'on peut supprimer en le faisant bouillir à découvert.

83. *Coquilles Saint-Jacques nantaises*

Difficulté : ●●●
Coût : ●●●

BRETAGNE

La coquille Saint-Jacques
est le seul mollusque
bivalve à savoir nager.
En expulsant son eau
à grands coups brusques

POUR 4 PERSONNES

**Eléments
principaux**
4 coquilles Saint-Jacques
1/2 l ou 250 g de moules

50 g d'échalotes
100 g de champignons
1 citron
20 g de beurre.

de ses deux valves, elle se meut « par réaction ». Un seul gros muscle, très développé, l'y aide. Il constitue la partie comestible, dite « noix ». Quant au « corail », c'est la laitance de couleur orangée, que l'on trouve dans d'autres fruits de mer, surtout dans les oursins.

Eléments de la sauce
1,5 dl de vin blanc
2 dl de fumet de poisson, ou, à défaut, d'eau
2 dl de crème fraîche
100 g de beurre
1 bouquet garni.

Elément complémentaire
25 g de beurre.

Assaisonnements et condiments
Sel, poivre.

1. Placer les coquilles sur une plaque avec très peu d'eau et les mettre sur un feu vif pour les faire ouvrir. Enlever la valve supérieure.
Décoller la noix et le corail à l'aide d'une cuillère.
Laver très soigneusement à grande eau et laisser dégorger si nécessaire, pendant 10 min à l'eau courante. Egoutter.
Nettoyer et brosser les coquilles concaves.
Gratter et laver les moules.
Ciseler les échalotes.

2. Mettre les noix et les coraux dans une petite casserole avec les échalotes, le bouquet garni, le vin blanc et le fumet de poisson (1) ou 2 dl d'eau. Assaisonner. Porter vivement à ébullition à découvert et laisser cuire ensuite à léger frémissement à couvert pendant 5 min. Retirer les noix et les coraux. Réserver. Laisser refroidir le jus de cuisson.

3. Escaloper les champignons et les mettre dans une petite casserole avec 20 g de beurre, un filet de citron et 1 dl environ d'eau.
Assaisonner et faire cuire à couvert à feu moyen pendant 10 mn environ.

4. Ajouter les moules à la cuisson refroidie des coquilles et les faire cuire à couvert à feu vif pendant 6 à 8 min. Retirer les coquilles et réserver les moules et les tenir au chaud.

5. Passer et filtrer le jus de cuisson des coquillages et des champignons et le faire réduire de moitié sur un feu vif.
Ajouter la crème fraîche et faire réduire à nouveau de moitié.
Rectifier l'assaisonnement.
Adjoindre, hors du feu, 100 g de beurre par petites parcelles.

6. Escaloper les noix et le corail et les faire sauter légèrement au beurre avec les champignons. (A faire pendant la réduction de la sauce.)

7. Garnir chaque coquille avec les noix, le corail, les champignons et faire une bordure avec les moules. Napper de sauce et glacer vivement sous le gril.

Cidre sec
ou vin blanc : *Gros plant.*

(1) Voir en fin de volume les recettes des préparations de base.

84. Clovisses farcies

Difficulté : ●
Coût : ●●●

PROVENCE

On peut ainsi farcir
bien des coquillages dans leur
demi-coquille : les praires,
les palourdes,
voire les clovisses.

POUR 4 PERSONNES

Elément principal
4 dz de clovisses.

**Eléments
du beurre composé**
*200 g de beurre très fin
20 g d'échalotes
20 g de persil*

*1 gousse d'ail
40 g de chapelure ou 80 g
de pain de mie.*

**Assaisonnements
et condiments**
*Sel, poivre fraîchement
moulu.*

1. Ciseler très finement les échalotes.
Hacher finement le persil.
Broyer et mettre l'ail en pâte.
Mélanger le beurre avec les échalotes,
l'ail, le persil, le sel et le poivre.

2. Disposer les clovisses les unes à côté
des autres sur une plaque mouillée
avec un demi-verre d'eau.
Mettre sur feu vif pour les faire ouvrir.
Retirer la coque vide.

3. Farcir les clovisses. Ranger les clovisses dans des plats spéciaux résistant
à la chaleur (1).
Saupoudrer de chapelure ou de mie
de pain passée au tamis. Faire cuire
à four chaud pendant 5 min environ.
Servir aussitôt.

(1) A défaut, étaler un peu de sel sur une plaque et disposer
les clovisses en les enfonçant légèrement.

Vin blanc :
*Côtes de Provence,
Bandol, Cassis.*

85. Mouclade

Difficulté : ●●●
Coût : ●●●

AUNIS

La mouclade, spécialité charentaise par excellence, a dû naître dans la baie de l'Aiguillon en Vendée. C'est là qu'au XIIe siècle un chasseur « inventa » par hasard l'élevage des moules, en posant jusque dans l'eau des pièges à oiseaux de mer... où se fixa le naissain.

POUR 4 PERSONNES

Eléments principaux
2 kg de moules de bouchot
6 dl de vin blanc sec
60 g d'échalotes
50 g de beurre
1 bouquet garni

Eléments de la sauce
25 g de beurre
25 g de farine
2,5 dl de crème fraîche

épaisse
1/2 citron.

Elément complémentaire
2 cuillerées à café de persil haché.

Assaisonnements et condiments
Sel, poivre blanc, poivre de Cayenne, noix muscade.

---

1. Gratter et laver soigneusement les moules. Les égoutter.
Ciseler finement 60 g d'échalotes.
Faire bouillir le vin et réduire de moitié à feu vif, à découvert.

2. Mettre les moules dans une casserole.
Ajouter le vin réduit, l'échalote ciselée, 50 g de beurre en parcelles et le bouquet garni. Poivrer et saler si nécessaire. Faire cuire à feu vif à couvert pendant 5 min. Secouer et faire sauter les moules en maintenant le couvercle.

3. Retirer la coquille supérieure de chaque moule.
Ranger les moules au fur et à mesure dans un plat creux, les unes à côté des autres. Les couvrir d'une feuille de papier d'aluminium et d'un couvercle. Tenir au chaud.
Passer et filtrer l'eau de cuisson des moules (environ 5 dl).

4. Préparer la sauce :

faire fondre 25 g de beurre dans une sauteuse.
Ajouter 25 g de farine dans le beurre fondu.
Faire cuire à feu doux jusqu'à ce que la composition mousse et devienne blanche.
Laisser refroidir. Faire bouillir l'eau de cuisson des moules et la verser sur le roux froid.
Remuer vivement et porter à ébullition sur un feu vif, puis laisser cuire à feu doux pendant 10 min en fouettant constamment pour obtenir une sauce lisse et bien homogène.
Assaisonner de sel (si nécessaire), de poivre de Cayenne, et de quelques râpures de noix muscade.
Passer au chinois (à la passoire fine) et compléter avec la crème fraîche et un filet de citron.

5. Napper les moules de sauce. Saupoudrer de persil haché. Servir bien chaud.

86. Chipirons de Saint-Jean-de-Luz

Difficulté : ●●●
Coût : ●●●

BÉARN

L'encornet est appelé
« calamaretto » en Italie,
« taouteno » en Provence,
« chipiron » en Espagne
et encornet... à Paris.
On peut cuisiner
de la même façon la sépiole,
petite seiche, dite « supion »
en Provence,
ou le plus gros calmar.
Mais de toutes façons,
il faut les cuire tous
longtemps.

Vin blanc :
*Pacherenc du Vic-Bilh sec,
Irouléguy.*

POUR 4 PERSONNES

Eléments principaux
1 kg d'encornets
80 g d'oignons
5 cl d'huile.

**Eléments
de la sauce
à l'américaine**
350 g de tomates fraîches
4 gousses d'ail
1 cuillerée à potage de

persil haché
5 cl de cognac
2 dl de vin blanc sec
1 dl d'eau ou de fumet de
poisson (1)
1 bouquet garni.

**Assaisonnements
et condiments**
Sel, poivre de Cayenne,
paprika.

1. Ciseler finement les oignons.
Peler, épépiner et concasser les tomates.
Détacher la tête et les tentacules des encornets.
Supprimer les yeux avec le cartilage de la tête.
Ouvrir l'abdomen et enlever l'épine, l'encre et les entrailles. Laver et couper le tout en fines lanières.

2. Faire revenir à l'huile les encornets sur un feu modéré pendant 15 mn.
Prévoir un couvercle à mi-cuisson pour éviter toute projection d'huile brûlante lorsque les chipirons commencent à crépiter dans la friture.
Retirer les encornets.
Dégraisser légèrement le récipient.

3. Adjoindre à l'huile les oignons et les laisser suer 1 min.
Incorporer le cognac flambé et laisser réduire presque complètement. Mouiller avec le vin blanc et faire réduire à nouveau de moitié.
Ajouter 1 dl d'eau, le bouquet garni, l'ail écrasé, une demi-cuillerée à café de paprika et la tomate concassée.
Assaisonner de sel et d'une pointe de Cayenne.
Faire cuire à feu modéré pendant 15 min.
Passer au tamis (passoire fine).

4. Ajouter les encornets à la sauce.
Laisser mijoter à simple frémissement pendant une bonne heure et plus si nécessaire.
Rectifier l'assaisonnement.
Ajouter le persil haché au moment de servir.
Accompagner d'un riz pilaf (1).

(1) Voir en fin de volume les recettes des préparations de base.

87. Cagouilles sautées

Difficulté : ●●●
Coût : ●●●

SAINTONGE

L'escargot, c'est bien connu, aime les terrains calcaires qui l'aident à fortifier sa coquille, et rien n'est mieux calcaire pour lui qu'une bonne terre à vignes.
Voilà pourquoi la carte de la gastronomie escargotière se confond avec la carte des vins ou alcools : Bourgogne, Bordelais, Languedoc, Charente (Saintonge).

POUR 4 PERSONNES

**Eléments
pour la préparation
des escargots**

   4 dz d'escargots
    gros sel
    vinaigre
    farine
  80 g de carottes
  80 g d'oignons
  50 g d'échalotes
   1 fort bouquet garni
   5 dl de vin blanc sec
   5 dl d'eau.

**Eléments
complémentaires**

250 g de poitrine de lard
    maigre fraîche
 50 g de beurre
 30 g d'échalotes
  2 tranches de pain de mie
  1 cuillerée à café de persil
    haché
  1 cuillerée à café de cibou-
    lette et d'estragon cise-
    lés.

**Assaisonnements
et condiments**
Sel, poivre.

1. Préparer les escargots (1).

2. Mettre le lard dans une casserole, le recouvrir largement d'eau froide.
Porter vivement à ébullition.
Assaisonner de sel et de poivre.
Ecumer et laisser cuire ensuite à simple frémissement pendant 30 min.
Retirer après cuisson.
Enlever la couenne et les petits cartilages.
Découper en très petits bâtonnets.

3. Ciseler finement les échalotes.
Couper le pain en petits dés.
Hacher et ciseler les fines herbes.
Egoutter les escargots cuits.

4. Faire colorer légèrement les lardons, au beurre chaud, sans excès à feu doux.
Ajouter les échalotes et les faire suer 1 min.
Compléter avec les escargots et les croûtons.
Relever l'assaisonnement.
Laisser mijoter et sauter lentement pendant 5 min environ.

5. Dresser dans un plat creux chaud.
Saupoudrer de fines herbes et servir aussitôt.

Vin blanc :
*Côtes de Montravel,
Bordeaux.*

(1) Voir en fin de volume les recettes des préparations de base.

88. Escargots à la bourguignonne

Difficulté ●●●
Coût : ●●●

BOURGOGNE

L'escargot de Bourgogne
est le plus noble
des escargots.
Les naturalistes
l'ont appelé en latin
« helix pomatia »,
parce que, pour hiverner,
il bouche l'ouverture
de sa coquille par
une épaisse pommade.
Ils l'ont joliment appelé
en français :
« hélice vigneronne ».
Les Bourguignons ne
contrediront pas
ce proverbe du Roussillon :
« Les escargots sont
des aiguilles pour enfiler
le vin. »

Vin blanc :
*Chablis, Saint-Vérans,
Montagny.*

POUR 4 PERSONNES

**Eléments
pour la préparation
des escargots**
    4 dz d'escargots
     gros sel
     vinaigre
     farine
  80 g de carottes
  80 g d'oignons
  50 g d'échalotes
   1 fort bouquet garni
   5 dl de vin blanc sec
   5 dl d'eau.

**Eléments
du beurre d'escargot**
  300 g de beurre
   30 g d'échalotes
   10 g d'ail
   25 g de persil
    7 g de sel fin
    2 g de poivre.

**Assaisonnements
et condiments**
Sel, poivre.

1. Préparer les escargots (1).

2. Hacher très finement les échalotes, l'ail et le persil. Faire ramollir le beurre dans une terrine et incorporer le hachis.
Assaisonner et travailler tous les éléments à la fourchette pour obtenir une pâte bien homogène.

3. Garnir le fond des coquilles, très propres et sèches, avec une noisette de beurre d'escargot.
Introduire les escargots dans les coquilles, et fermer celles-ci hermétiquement avec le même beurre.
Lisser avec la spatule.

4. Ranger les escargots dans des escargotières ou dans un plat allant au four et faire chauffer à four chaud pendant 6 à 8 min. Ne pas faire bouillir le beurre.
Servir très chaud.

(1) Voir en fin de volume les recettes des préparations de base.

89. *Escargots à la Caudéran*

Difficulté : ●●●
Coût : ●●

GUYENNE

Caudéran est une ancienne commune de la Gironde rattachée à Bordeaux en 1964. Son nom ne disparaîtra jamais de la carte de la France savoureuse, grâce à cette recette d'escargots. Dans la même région, Ruffec, Angoulême ont aussi leur spécialités de « cagouilles » (v. p. 161).

Vin blanc :
Graves, Cérons.

POUR 4 PERSONNES

Eléments principaux
  4 dz d'escargots
  40 g de saindoux
  100 g de jambon cru
  100 g d'échalotes
  2 gousses d'ail
  30 g de chapelure

2 dl de vin blanc
2 dl de bouillon ou, à défaut, d'eau
1 fort bouquet garni.

Assaisonnements et condiments
Sel, poivre.

1. Préparer les escargots (1)

2. Ciseler finement les échalotes et les faire suer au saindoux dans une sauteuse, à feu doux.
Ajouter le jambon coupé en dés et les 2 gousses d'ail écrasées. Faire bien revenir le tout.
Dégraisser légèrement la sauteuse.
Saupoudrer de chapelure. Faire colorer légèrement.
Mouiller avec le vin blanc et le bouillon ou l'eau.
Adjoindre le bouquet garni et assaisonner.
Laisser réduire d'un quart sur un feu vif à découvert.

3. Faire cuire les escargots dans la sauce pendant 1 h, à simple frémissement, en remuant de temps à autre. Relever l'assaisonnement si nécessaire et servir bien chaud.

Spécialité de A. de Croze

(1) Voir en fin de volume les recettes des préparations de base.

90. *Grenouilles des Dombes*

Difficulté : ●●●
Coût : ●●●●

BOURGOGNE

Entre Lyonnais et Bresse, les Dombes possèdent 12 000 ha d'eau douce, le dixième des étangs français, aménagés depuis le Moyen Age pour l'élevage des poissons. Les oiseaux migrateurs y accourent, les grenouilles y coassent avec bonheur... mais à défaut de pouvoir en attraper soi-même, on pourra toujours acheter chez le poissonnier

POUR 2 PERSONNES

Eléments principaux
  1 dz de grenouilles vivantes ou 2 dz de cuisses de grenouilles
  80 g de beurre
  50 g de farine

1/2 citron
1 cuillerée à café de persil haché.

Assaisonnements et condiments
Sel, poivre blanc.

1. Couper la tête et l'extrémité des pattes de grenouille et les dépouiller (1).

(1) Enlever la peau des grenouilles.

des cuisses de grenouilles sur baguette, toutes prêtes pour la cuisine.

Vin blanc :
Montravel,
Pernand-Vergelesses,
Pouilly-Fuissé.

Nouer les cuisses, les mettre à tremper une bonne heure à l'eau froide et les éponger (2).

2. Assaisonner de sel et de poivre fraîchement moulu, fariner, et les faire sauter et bien colorer, au beurre à la poêle sans laisser brûler le beurre.
Exprimer ensuite au-dessus un filet de jus de citron.

3. Dresser aussitôt sur un plat et saupoudrer de persil haché.

(2) Préparation inutile avec des cuisses de grenouille parées.

91. *Grenouilles aux morilles*

Difficulté : ●●●
Coût : ●●●●

SAVOIE

La grenouille est féconde, chaque femelle pond jusqu'à 10 000 œufs. Malgré ce tonus, elle tend à se raréfier, à l'exception des régions à étangs bien entretenus.
On l'importe de plus en plus surgelée : du Canada, de Yougoslavie, de Turquie.
Mais les bonnes recettes régionales de jadis y trouvent toujours un produit d'élection.

POUR 4 PERSONNES

Eléments principaux
500 g de cuisses de grenouille fraîches
400 g de morilles fraîches
80 g de beurre
2,5 dl de vin blanc sec.

Eléments de la persillade
2 cuillerées à potage de persil, estragon, ciboule hachés
20 g d'échalotes
2 gousses d'ail.

Eléments complémentaires
2,5 dl de crème fraîche épaisse
100 g de pain de mie
30 g de beurre
1 cuillerée à potage de cerfeuil haché.

Assaisonnements et condiments
Sel, poivre, noix muscade.

1. Laver soigneusement les morilles et les faire tremper dans le vin blanc sec pendant 10 min.

2. Préparer la persillade :
hacher finement le persil, l'estragon, la ciboule, les échalotes et l'ail.

3. Eponger les morilles et les faire sauter au beurre pendant 10 min. Assaisonner.
Saupoudrer ensuite avec la persillade.

4. Faire revenir les cuisses de grenouille au beurre sans les fariner. Bien les faire dorer. Ne pas assaisonner.

5. Disposer les grenouilles dans un plat en terre et les assaisonner. Ranger les morilles tout autour.
Ajouter la crème fraîche et quelques râpures de noix muscade. Parsemer au-dessus la mie de pain passée au tamis. Arroser de beurre fondu et faire cuire à four chaud pendant 12 min environ.
Saupoudrer de cerfeuil haché.

Vin blanc :
Apremont, Abymes, Cruet.

Chapitre V

VIANDES

92. Bifteck poitevin

Difficulté : ●●
Coût : ●●

POITOU

L'oignon est un excellent compagnon de la viande de bœuf. Son arôme lui est bénéfique, sans compter qu'il active la digestion, est diurétique, antiscorbutique et fait baisser le taux de sucre du sang.

POUR 4 PERSONNES

Eléments principaux
400 g de viande de bœuf maigre hachée
50 g de moelle de bœuf
60 g de mie de pain rassis
1 dl de lait
200 g d'oignons
2 œufs
60 g de beurre

1 cuillerée à café de persil haché.

Elément complémentaire
1 dl de crème fraîche.

Assaisonnements et condiments
Sel, poivre, une cuillerée à café de moutarde.

1. Ciseler finement les oignons et les faire suer lentement au beurre, pendant 6 à 8 min à couvert.

2. Tremper la mie de pain dans le lait et laisser mitonner sur un feu doux en remuant de temps en temps.

3. Mélanger à la fourchette la viande hachée, la moelle de bœuf écrasée, le pain, le quart des oignons cuits, le persil, la moutarde, le sel et le poivre fraîchement moulu.
Diviser en quatre parties et façonner 4 biftecks épais.

4. Faire sauter la viande au beurre chaud pendant 5 min de chaque côté, sans jamais laisser brûler le beurre.

5. Dresser la viande sur un plat rond.
Garnir le centre du plat, avec le reste des oignons cuits.
Dégraisser légèrement la poêle et la déglacer avec la crème fraîche.
Dissoudre les sucs de la viande.
Servir la sauce à part dans une saucière.
Accompagner de pommes de terre sautées.

Vin rouge :
Haut-Poitou, Thonarsais, Chinon.

93. Entrecôte Bercy

Difficulté : ●
Coût : ●●●

ILE-DE-FRANCE

Napoléon rêvait de faire à l'est de Paris une sorte de Venise du commerce vinicole, où de multiples canaux branchés sur la Seine, auraient desservi les entrepôts de tous les vins de France. Ce projet n'a pas vu le jour, mais Bercy, en regroupant tout le gros commerce parisien des vins, a baptisé un beurre, une entrecôte, des œufs.

Vin rouge :
Côtes-de-Gien, Coteaux de la Marne.

POUR 4 PERSONNES

Eléments principaux
4 entrecôtes
5 cl d'huile.

Eléments du beurre Bercy
1 dl de vin blanc
20 g d'échalotes
100 g de beurre
1 cuillerée à café de persil haché

100 g de moelle
1 citron.

Elément de présentation
1 botte de cresson.

Assaisonnements et condiments
Sel, poivre fraîchement moulu.

1. Préparer le beurre Bercy :
Faire pocher à l'eau frémissante la moelle coupée en dés. Egoutter.
Ciseler finement les échalotes.
Faire réduire de moitié le vin avec les échalotes sur un feu vif. Laisser tiédir et ajouter le beurre ramolli par petites parcelles, la moelle, le sel, le poivre, le persil et un filet de citron.

2. Faire griller la viande de préférence sur une bonne braise. Saler et poivrer.

3. Dresser les entrecôtes sur un plat très chaud, garni de cresson. Etaler, au-dessus ou au-dessous de la viande, le beurre Bercy (1).

(1) Le beurre Bercy **peut** aussi être présenté en saucière.

94. Entrecôte à la bordelaise

Difficulté : ●●
Coût : ●●●●

GUYENNE

Plus fine et plus piquante que l'oignon, la rousse échalote « émoustille » ici la conventionnelle et stricte entrecôte. A Paris, cette spécialité est préparée avec une sauce au vin rouge, qui ne ressemble en rien à la vraie recette de l'entrecôte à la bordelaise.

POUR 2 PERSONNES

Eléments principaux
1 entrecôte (prise de préférence du côté du filet et non du côté du cou) de 3,5 cm d'épaisseur
5 cl d'huile
80 g d'échalotes
60 g de moelle de bœuf

1 cuillerée à café de persil haché.

Elément de présentation
Cresson.

Assaisonnements et condiments
Sel, poivre.

1. Faire mariner l'entrecôte dans l'huile.

2. Ciseler très finement les échalotes.

Hacher ensemble le persil et la moelle de bœuf très ferme.

Amalgamer le tout avec les échalotes.

3. Poser l'entrecôte sur la braise. Saler et poivrer la face crue.

Quadriller (1).

Retourner, saler et poivrer.

Etendre avec la lame du couteau le hachis préparé et passer de temps en temps la lame du couteau chauffée au-dessus pour bien faire fondre la moelle.

Quadriller. Faire cuire selon le goût, bleu, saignant, à point, bien cuit.

4. Mettre sur un plat en ayant soin de ne pas renverser le hachis.

Garnir d'un petit bouquet de cresson.

Accompagner de pommes de terre rissolées ou cuites à la friture.

Vin rouge :
*Bourgeais, Blayais,
Bordeaux.*

(1) L'entrecôte est posée dans la diagonale des barreaux du gril. A mi-cuisson d'une face, donner un quart de tour sur elle-même pour avoir un quadrillage. Procéder de même pour l'autre face.

D'après une spécialité de M. Pujo.

95. *Filet de bœuf berrichonne*

Difficulté : ●●●
Coût : ●●●●

BERRY

Pays de cornemuseux, de « panseux » (guérisseurs) et « jeteux » de sorts, le Berry a pourtant une cuisine fondée sur les plus solides réalités terriennes.

POUR 4 PERSONNES

**Eléments
principaux**
*600 à 800 g de filet de bœuf
100 g de lard gras (faculta-
     tif)
40 g de beurre.*

**Eléments
de garniture**
*1 petit chou
1 carotte
1 oignon
1 bouquet garni*

*4 tranches de poitrine de
     porc
150 g de petits oignons
8 marrons
50 g de beurre.*

Elément de finition
40 g de beurre.

**Assaisonnements
et condiments**
*Sel, poivre, noix muscade,
sucre.*

1. Mettre le chou à l'eau froide salée. Laisser bouillir pendant 5 à 8 min à découvert.

Rafraîchir et égoutter.

Retirer les feuilles en ôtant les grosses côtes et former

des petites boules de la grosseur d'un œuf. Prendre plusieurs feuilles si nécessaire.

Assaisonner de sel, de poivre et de quelques râpures de noix muscade.

Ranger les boules dans un plat en terre ou une cocotte bien beurrée, avec un oignon piqué d'un clou de girofle, une carotte, les marrons épluchés et le bouquet garni.

Disposer les tranches de poitrine de porc au-dessus. Mouiller à hauteur de bouillon ou d'eau.

Faire bouillir vivement, écumer et laisser cuire ensuite à couvert à four doux pendant une bonne heure.

2. Glacer les petits oignons : les mettre dans un récipient les contenant juste sans les superposer avec 20 g de beurre.

Couvrir d'eau. Assaisonner de sel et d'un peu de sucre.

Faire cuire à couvert jusqu'à cuisson des oignons et complète évaporation de l'eau.

Laisser colorer légèrement dans la réduction.

3. Piquer le filet avec des lardons (facultatif) et le faire rôtir à four chaud pendant 15 min environ.

Assaisonner après coloration. Retirer, laisser reposer le filet après cuisson pendant 5 min et le tenir au chaud.

4. Dégraisser le récipient et dissoudre les sucs de la viande avec 2 dl de bouillon ou d'eau.

Réduire de moitié à feu vif.

Ajouter, hors du feu, 40 g de beurre par petites parcelles. Verser dans une saucière.

5. Dresser le filet sur un plat. Disposer harmonieusement la garniture : boulettes de chou braisé, lard, marrons et petits oignons glacés.

Vin rouge :
Châteaumeillant, Sancerre.

96. *Tournedos aux cèpes*

Difficulté : ●●
Coût : ●●●●

MARCHE

La Marche,
partie du Limousin,
a toujours été réputée
pour ses élevages de bovins.
Bellac a même
sa foire nationale
de reproducteurs,
le premier jeudi
de septembre; ils lui
font autant de réputation
que l'Apollon, célébré
par Jean Giraudoux.

POUR 4 PERSONNES

Eléments principaux
4 tournedos de 150 g environ
4 tranches de pain de mie
80 g de beurre
3 cl d'huile.

250 g de cèpes frais ou une boîte 4/4 en conserve
50 g d'oignons
60 g de beurre
2 dl de crème fraîche.

Eléments de garniture

Assaisonnements et condiments
Sel, poivre, sucre.

1. Ciseler finement les oignons et les faire étuver avec 30 g de beurre à couvert, jusqu'à cuisson complète, sans coloration. Saler et sucrer légèrement.

Laver (les éponger s'il s'agit de cèpes en conserve) et escaloper les cèpes et les mettre dans une sauteuse avec 30 g de beurre sur un feu doux. Assaisonner.

Ajouter l'oignon cuit.

Egoutter après cuisson et couvrir de crème bouillante. Laisser réduire des deux tiers sur un feu doux.

2. Découper quatre croûtons ronds de même diamètre que les tournedos et les faire colorer rapidement au beurre.

Réserver sur un plat.

3. Faire sauter à feu vif au beurre et à l'huile les tournedos 3 à 6 min de chaque côté selon la cuisson désirée.

Assaisonner de sel et de poivre fraîchement moulu.

Dresser la viande sur les croûtons et les tenir au chaud.

4. Dégraisser le récipient presque totalement.

Ajouter un peu d'eau pour dissoudre les sucs.

Laisser réduire et incorporer, hors du feu, 80 g de beurre par petites parcelles.

Napper les tournedos de sauce et les entourer de cèpes à la crème. Servir bien chaud.

Vin rouge :
Argentat, Beaulieu, Sancerre.

97. *Queue de bœuf en terrine*

Difficulté : ●●
Coût : ●

FLANDRE

Le poireau régional, cher déjà à la flamiche picarde, réapparaît ici. C'est l'ail du nord, en plus délicat. La queue de bœuf n'est plus appréciée que des connaisseurs; elle peut être cuisinée pourtant de bien des façons : potage « ox-tail » anglais, potage à la française, en hochepot avec pieds de porc et légumes, et même farcie non écorchée.

POUR 6 PERSONNES

Eléments principaux
2 kg de queue de bœuf
1 pied de veau
100 g de carottes
150 g de gros oignons
100 g de blancs de poireaux
1 dl d'huile
5 dl de cidre sec
2 dl de bouillon ou, à défaut, d'eau.

Eléments de garniture
200 g de carottes
500 g de petits oignons
200 g de blancs de poireaux
1 bouquet garni.

Assaisonnements et condiments
Sel, poivre concassé, 3 clous de girofle.

1. Tronçonner la queue de bœuf et le pied de veau en plusieurs morceaux. Faire sauter et dorer les morceaux de queue de bœuf dans l'huile chaude sans excès. Ajouter les légumes entiers en réservant les légumes de la garniture qui seront cuits séparément et laisser suer 2 min. Mouiller hors du feu avec le cidre et le bouillon ou l'eau. Adjoindre le pied de veau. Assaisonner avec

le sel, le poivre concassé, les clous de girofle. Enfouir le bouquet garni au centre et remettre sur le feu. Ecumer souvent après ébullition et laisser cuire ensuite à très léger frémissement, couvert à moitié, pendant 4 h.

2. Mettre à cuire les légumes de la garniture dans une sauteuse avec un peu de bouillon sur un feu doux. Assaisonner.

Retirer la chair qui doit se détacher très facilement des os et la réserver dans un récipient.

Supprimer toutes les parties grasses. Dégraisser à fond le bouillon. Disposer sur le chinois ou sur la passoire un linge mouillé à l'eau froide bien essoré, le tout placé sur une casserole propre. Verser ensuite le bouillon par petites quantités, sans précipitation, sur le linge.

3. Couper la viande en petits cubes.

Rectifier l'assaisonnement du bouillon. Garnir une terrine avec la viande. Couvrir largement de bouillon. Laisser prendre au froid pendant 4 h. Servir la queue de bœuf froide accompagnée d'une salade de saison, de cornichons, de petits oignons au vinaigre, et des légumes du bouillon présentés à part relevés avec une vinaigrette bien aromatisée. Non entamée, la terrine se conserve 2 à 3 jours au froid.

Cidre sec.

98. *Daube béarnaise*

Difficulté : ●●
Coût : ●●●

BÉARN

Le mot « daube »
a une origine méridionale,
l'italien « addobo »,
assaisonnement.
On y utilisait jadis
la daubière,
sorte de « marmite »
pourvue d'un couvercle
sur lequel on pouvait
mettre des charbons ardents,
procurant une chaleur
longue et douce.

POUR 4 PERSONNES

Eléments principaux
800 g de bœuf (culotte ou paleron maigre)
50 g d'échalotes
80 g de carottes
80 g d'oignons
2 gousses d'ail
1 bouquet garni
50 g de saindoux ou 5 cl d'huile
couennes de lard blanchies.

Elément de la garniture
200 g de jambon de Bayonne.

Elément de mouillement
75 cl de vin rouge d'excellente qualité.

Assaisonnements et condiments
Sel, poivre, clou de girofle.

1. Ciseler finement les échalotes.

Couper la viande en morceaux (1), l'assaisonner de sel et de poivre et la mettre à mariner pendant 2 h dans

(1) Généralement la viande est piquée de petits lardons roulés dans du persil haché et de l'ail en pommade.

une terrine avec les échalotes, le bouquet garni et le vin rouge.

2. Eponger ensuite soigneusement chaque morceau de viande.

Détailler le jambon en petits dés et le faire sauter, sans le dessécher, à la poêle avec le saindoux.

Le retirer et le réserver dans un bol.

Faire revenir dans la même poêle l'oignon coupé en quatre et les carottes en rondelles.

Réserver avec le jambon.

Ajouter les morceaux de bœuf et les faire colorer lentement. Retirer. Dégraisser la poêle et dissoudre les sucs avec un peu de vin de la marinade.

3. Garnir une daubière en terre ou une cocotte en fonte avec la couenne de lard, le gras en dessous.

Ranger par-dessus, la viande, le jambon et les légumes.

Piquer un quartier d'oignon avec un clou de girofle.

Ajouter le vin rouge de la marinade sans omettre celui qui a servi à déglacer la poêle, le bouquet garni et l'ail écrasé.

4. Couvrir et laisser cuire à four doux pendant 4 h. Retirer le bouquet garni, le clou de girofle et servir dans la daubière.

Accompagner de pâtes.

Vin rouge :
Madiran, Saint-Émilion.

99. *Estouffade provençale*

Difficulté : ●●●
Coût : ●●●

PROVENCE

Les olives contribuent à différencier l'estouffade provençale de celle de Pamiers (Ariège), tandis que l'estouffat de Saint-Gaudens se distingue par ses haricots. L'olive est un fruit, non pas un légume, dont une lente préparation exalte la saveur. Mais sa cuisson doit être rapide afin de ne pas altérer cette saveur.

POUR 4 PERSONNES

Eléments principaux
600 à 800 g de paleron ou chair de côtes découvertes, soit 8 morceaux de 75 à 100 g
150 g d'oignons
4 gousses d'ail
25 g de farine
50 g de saindoux ou de beurre
1 bouquet garni.

Eléments de garniture
400 g de tomates fraîches
100 g d'olives
200 g de champignons de

Paris
150 g de poitrine de porc salé
1 gousse d'ail
1 bouquet garni
25 g de beurre.

Eléments de la sauce
1/2 l de vin blanc sec d'excellente qualité
3 dl de fonds brun ou, à défaut, d'eau.

Assaisonnements et condiments
Sel, poivre du moulin, sucre.

1. Couper la poitrine de porc salée en petits lardons (bâtonnets) de 1/2 cm d'épaisseur, en éliminant la couenne et le cartilage.

Les mettre à blanchir (1), puis les faire revenir au saindoux dans une cocotte, les égoutter et les réserver.

2. Faire rissoler dans le même corps gras, les morceaux de bœuf, puis ajouter les oignons coupés en quartiers, et les faire suer pendant 5 min. Dégraisser.

Singer (saupoudrer de farine) et laisser roussir la farine sans exagération en remuant les morceaux de viande pour bien les enrober.

Mouiller, hors du feu, avec le vin blanc.

Remettre à feu vif et laisser réduire 4 à 5 min.

Ajouter bouillon ou eau, ail broyé et bouquet garni. Assaisonner légèrement de sel et de poivre.

Porter vivement à ébullition et laisser cuire à couvert, à four chaud pendant 2 h 30. Surveiller la réduction de la sauce.

3. Préparer la tomate concassée pendant la cuisson de la viande : peler, épépiner, concasser les tomates et les faire cuire dans une petite casserole avec un bouquet garni et une gousse d'ail entière.

Assaisonner de sel, de poivre fraîchement moulu et d'une prise de sucre.

Laisser compoter à couvert sur feu très doux jusqu'à cuisson et évaporation totale de l'eau de végétation. Réserver après cuisson.

4. Dénoyauter les olives (si elles sont trop salées, les faire blanchir 8 min) et les réserver.

5. Décanter la viande au terme de la cuisson (retirer la viande dans un autre récipient).

Vérifier la liaison de la sauce, la dégraisser si nécessaire et la passer au chinois (passoire fine), la verser sur la viande.

Eliminer le bouquet garni et l'ail de la tomate concassée et ajouter celle-ci à la viande avec les lardons.

Remuer et laisser mijoter 10 min. Adjoindre les olives et laisser cuire encore 2 à 3 min.

Mettre la viande dans un plat creux.

Disposer les olives et les petits lardons sur la viande.

Répartir la sauce au-dessus et servir bien chaud, avec des pommes vapeur.

Vin blanc ou rouge :
Côtes de Provence,
Coteaux varois.

(1) Blanchir les lardons : les mettre à l'eau froide et les faire cuire pendant 10 min environ.

100. Bœuf miroton

Difficulté : ●
Coût : ●●

ILE-DE-FRANCE

Le bœuf miroton participe du grand art d'accomoder les restes. Ici, les restes de pot-au-feu.

POUR 6 PERSONNES

Eléments principaux
600 g de bœuf cuit
250 g d'oignons
25 g de farine
7 dl de bouillon ou, à défaut, d'eau
3 cuillerées à potage de concentré de tomate
50 g de saindoux ou de beurre
1 bouquet garni.

Eléments de finition
1 cuillerée à café de persil haché
1/2 cuillerée à café de vinaigre
50 g de chapelure
50 g de beurre.

Assaisonnements et condiments
Sel, poivre fraîchement moulu.

Vin rouge :
Coteaux de la Marne.

1. Emincer finement les oignons et les faire suer au saindoux sur un feu doux.
Saupoudrer de farine dès qu'ils sont de couleur blonde et laisser roussir légèrement, en remuant, pendant 4 min environ.
Mouiller avec du bouillon ou avec de l'eau.
Ajouter le concentré de tomate et un bouquet garni.
Assaisonner et laisser mijoter pendant 20 min.

2. Couper le bœuf en tranches minces.
Verser la moitié de la sauce, débarrassée du bouquet garni, dans un plat à gratin.
Disposer les tranches de viande au-dessus et les recouvrir avec le reste de sauce.
Parsemer de persil haché et verser un petit filet de vinaigre.
Saupoudrer de chapelure, arroser de beurre fondu et faire gratiner au four.

101. Langue de bœuf jurassienne

Difficulté : ●●●
Coût : ●●

FRANCHE-COMTÉ

On néglige trop les abats. Le vin blanc d'Arbois,

POUR 8 PERSONNES

Eléments principaux
1 langue de bœuf d'environ 1,5 kg

100 g de lard gras (facultatif)
100 g de saindoux
60 g de farine.

sec mais délicat,
donne ici son fruit
à la rustique langue
de bœuf.

**Eléments
de la marinade**
*1,5 l de vin blanc
5 cl de vinaigre
5 cl de cognac
100 g de carottes
100 g d'oignons
4 cuillerées à potage
d'huile
3 gousses d'ail
1 bouquet garni.*

Eléments de la garniture
*250 g de petits oignons
250 g de champignons de
Paris
40 g de beurre
1 citron.*

**Assaisonnements
et condiments**
*Sel, poivre, 2 clous de giro-
fle, sucre.*

1. Frotter largement la langue avec du sel et la réserver ainsi 24 h au froid (1).

2. Blanchir : mettre la langue à l'eau froide dans une
casserole. Porter vivement à ébullition pendant 10 min.
La rafraîchir à l'eau courante. Enlever la peau blanche
et piquer la langue avec le lard (facultatif).

3. Préparer la marinade avec le vin blanc, le vinaigre,
le cognac, les carottes et les oignons ciselés, l'échalote
piquée de 2 clous de girofle, l'ail écrasé, le bouquet
garni, l'huile et assaisonner, de sel et de poivre. Recouvrir la langue avec la marinade et laisser mariner pendant 24 h au frais.

4. Egoutter et essuyer soigneusement la langue et la
faire revenir et bien colorer dans le saindoux (utiliser
un récipient à fond épais, contenant tout juste la langue). Ajouter les légumes de la marinade bien égouttés
et les faire également colorer. Saupoudrer de farine.
Mouiller avec la marinade qui doit toujours recouvrir
totalement la langue.

5. Porter à ébullition à feu vif, à découvert, puis laisser
cuire pendant 3 h à four moyen à couvert. Surveiller
la réduction de la sauce.

6. Glacer les petits oignons : mettre les oignons dans
une casserole les contenant juste sans se superposer.
Mouiller d'eau à hauteur. Ajouter 20 g de beurre, le sel
et une prise de sucre. Couvrir et laisser cuire à feu très
doux jusqu'à complète évaporation de l'eau et coloration des oignons. Réserver.

7. Faire cuire à couvert les champignons coupés en
quartiers, à l'eau avec 20 g de beurre et un filet de jus
de citron. Assaisonner.

8. Retirer la langue après cuisson et la couper en tranches. Dégraisser et passer la sauce au chinois (passoire
fine). Dresser les tranches sur un plat, garnir avec les
petits oignons, les champignons et répartir la sauce
au-dessus.

'in blanc : *Arbois.*

(1) Cette opération est inutile avec de la langue salée.

102. Bœuf bourguignon

Difficulté : ●●●
Coût : ●●●

Admirablement servi par les bœufs du Charolais et par les vins rouges de ses « côtes », la Bourgogne les unit dans cette spécialité qui a un rang universel. Les « puristes » choisissent un vin plutôt jeune et le flambent pour lui enlever son acidité.

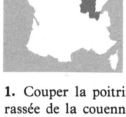

POUR 6 PERSONNES

Eléments principaux
1,2 kg de bœuf dans le jumeau, la pointe de paleron
100 g de carottes
100 g de gros oignons
3 gousses d'ail
5 cl d'huile
40 g de farine.

Eléments de la sauce
1 bouteille de vin rouge de Bourgogne
5 dl de bouillon ou, à défaut, d'eau
1 bouquet garni.

Eléments de garniture
150 g de poitrine de porc frais
200 g de petits oignons
300 g de champignons de Paris.
30 g de beurre.

Elément de finition
2 cuillerées à café de persil haché.

Assaisonnements et condiments
Sel, poivre, un demi-morceau de sucre.

1. Couper la poitrine de porc, débarrassée de la couenne et des cartilages, en petits lardons. Tailler les carottes et les gros oignons en gros dés. Découper la viande en morceaux d'environ 100 g.

2. Faire rissoler les morceaux de viande à la poêle dans l'huile chaude. Disposer les morceaux bien dorés et égouttés dans une cocotte.
Adjoindre les carottes et les oignons. Saupoudrer de farine, remuer et faire torréfier au four pendant 10 min.
Mouiller avec le vin rouge (1) et le bouillon ou l'eau. Remuer. Ajouter l'ail écrasé et le bouquet garni. Saler légèrement, poivrer et sucrer.
Faire vivement bouillir sur le feu à découvert et laisser mijoter ensuite à couvert à four moyen pendant 2 h 30 à 3 h, en surveillant la réduction de la sauce. Remuer de temps à autre la viande.

3. Préparer la garniture pendant la cuisson du bœuf. Faire fondre le beurre dans une sauteuse à feu doux. Ajouter les lardons et laisser blondir à découvert. Adjoindre ensuite les petits oignons et les faire cuire pendant 15 min environ en remuant souvent.
Incorporer les champignons coupés en quartiers, mélanger le tout, assaisonner et continuer la cuisson à couvert pendant 10 min.
Retirer la garniture à l'aide d'une écumoire et la réserver au chaud. Ajouter le liquide de cuisson de la garniture à la viande.

4. Retirer les morceaux de bœuf après cuisson et les mettre dans un plat creux. Disposer la garniture tout autour. Réserver au chaud. Dégraisser la sauce. Rectifier l'assaisonnement et la liaison si nécessaire, et la répartir sur la viande et la garniture. Parsemer de persil haché. Accompagner de pommes de terre ou de pâtes.

(1) Facultatif : pour enlever l'acidité du vin, tout en lui conservant sa saveur, il est conseillé de le faire bouillir auparavant dans une casserole.

103. Terrine de bœuf auvergnate

Difficulté : ●●
Coût : ●●●

AUVERGNE

L'Auvergne eut
un des plus grands
vignobles de France.
Il ne lui en reste
plus grand chose.
Entre Chatelguyon
et Issoire, on trouve
cependant de bons vins
rouges aimables
et bouquetés,
qui peuvent remédier
à la rareté présente
du vin de Chanturgues,
jadis fameux
et assez abondant.

Vin rouge : *Auvergne,
Saint-Pourçain*

POUR 8 PERSONNES

Eléments principaux
   1 kg de bœuf sans os (jumeau)
300 g de chair à saucisse
300 g de couenne fraîche de
   porc
200 g de barde de lard fraîche
250 g d'oignons
   2 gousses d'ail

2 œufs
2 cuillerées à potage de
   persil haché
2 dl de vin rouge de Chanturgues
30 g de beurre.

**Assaisonnements
et condiments**
*Sel, poivre, thym, laurier,
poudre de quatre épices.*

1. Ciseler finement les oignons et les faire suer au beurre pendant 5 min sans les colorer.
Couper la viande en fines lanières.
Assaisonner de sel et de poivre fraîchement moulu.
Hacher l'ail et le persil.
Mélanger la chair à saucisse, avec les oignons, l'ail, le persil, le sel, le poivre, le thym et la poudre de quatre épices.

2. Disposer au fond de la terrine quelques couennes fraîches, le gras en dessous.
Tapisser ensuite avec les bardes de lard.
Garnir d'une couche de farce, d'une couche de bœuf, continuer en alternant les couches.
Mouiller avec le vin rouge.
Finir par des bardes de lard.
Poser 2 feuilles de laurier au-dessus.
Couvrir la terrine avec son couvercle.
Luter : fermer hermétiquement avec un cordon de pâte faite avec de la farine et de l'eau, posé entre le couvercle et la terrine.

3. Placer au bain-marie dans un récipient empli d'eau bouillante jusqu'à mi-hauteur de la terrine.
Faire cuire à four moyen (simple frémissement de l'eau du bain-marie), pendant 3 h 1/2.
Surveiller l'évaporation de l'eau du bain-marie.

4. Laisser refroidir, et presser légèrement.
Mettre au réfrigérateur 24 h.
Démouler et retirer la couenne du dessus.

104. Gras-double à la bourguignonne

Difficulté : ●●
Coût : ●●

BOURGOGNE

Une spécialité
(parties les plus grasses
de l'estomac du bœuf)
dont il convient de faire
un plat principal,
pour appétit solide.

POUR 4 PERSONNES

Eléments principaux
750 g de gras-double
100 g de beurre
30 g de persil haché
huile de friture.

Eléments pour paner
2 œufs
3 cl d'huile
200 g de chapelure
50 g de farine.

**Eléments
du beurre d'escargot**
100 g de beurre
10 g d'échalotes
1 gousse d'ail
*1 cuillerée à café de persil
haché.*

**Assaisonnements
et condiments**
Sel, poivre.

1. Préparer le beurre d'escargot (1).
Ciseler très finement l'échalote. Hacher le persil et l'ail. Malaxer tous ces ingrédients avec 100 g de beurre ramolli.

2. Laver, éponger et détailler le gras-double en morceaux de 6 cm sur 4 environ. Assaisonner de sel et de poivre. Faire fondre 100 g de beurre sur un feu doux. Ajouter les morceaux de gras-double dans le beurre et saupoudrer de persil haché. Réserver hors du feu.

3. Paner le gras-double : mettre dans une assiette creuse la farine, dans une seconde, les œufs salés et battus avec 2 cl d'huile et, dans une troisième, la chapelure. Tremper chaque morceau dans la farine, ensuite dans l'œuf, puis enfin dans la chapelure.

4. Faire frire à l'huile chaude. Etaler les morceaux sur un plat et les arroser avec le beurre d'escargot fondu. Servir très chaud.

(1) Voir en fin de volume les recettes des préparations de base.

Vin blanc :
*Saint-Véran, Saint-Aubin,
Bourgnogne aligoté.*

105. Gras-double à la lyonnaise

Difficulté : ●●
Coût : ●●

LYONNAIS

Le Beaujolais, situé dans
le département du Rhône,
a un vin blanc, peu connu,
provenant du fin cépage
Chardonnay. Comme tous
ses frères bourguignons,
il accompagne bien
ce maître plat
de la gastronomie lyonnaise.
Le Beaujolais blanc supérieur
doit titrer 10,50°.

Vin blanc : *Beaujolais.*

POUR 4 PERSONNES

**Eléments
principaux**
*750 g de gras-double assorti
(caillette, bonnet et
feuillet)*
150 g d'oignons
100 g de saindoux

*1 cuillerée à café de vinai-
gre*
1 cuillerée à café de persil.

**Assaisonnements
et condiments**
Sel, poivre, noix muscade.

1. Laver soigneusement et éponger le gras-double. L'émincer en fines lamelles et le faire sauter au saindoux très chaud dans une sauteuse. Assaisonner de sel et de poivre.

2. Emincer également très finement les oignons et les faire revenir et cuire dans une poêle avec le saindoux.

3. Mélanger les deux éléments et les faire sauter jusqu'à belle coloration du gras-double.

4. Dresser sur un plat. Arroser avec le vinaigre chauffé dans la poêle. Saupoudrer de persil haché.

106. Tripes à la mode de Caen

Difficulté : ●●
Coût : ●

NORMANDIE

Toutes les régions
de France ont
leur spécialité de tripes,
et pas seulement
de tripes de bœuf.
On dit que Guillaume
le Normand,
avant de conquérir
l'Angleterre, se délectait
déjà des tripes
de son pays natal;
on dit aussi qu'il se querella
à propos de tripes
avec le roi de France,
Philippe 1er,
et que ce fut l'occasion
d'une guerre d'escarmouches,
au cours de laquelle il mourut.
Mais les tripes à la mode
de Caen ne devinrent

POUR 6 PERSONNES

**Eléments
principaux**
2 kg de tripes (1)
1 pied de bœuf
200 g d'oignons
300 g de carottes
200 g de poireaux
*100 g de graisse de bœuf
dégorgée ou de beurre.*

Eléments de mouillement
*Eau ou cidre qui ne
noircisse pas*
1 dl de vin blanc sec
5 cl de cognac.

**Assaisonnements
et condiments**
*Sel, poivre blanc, clous de
girofle.*

1. Laver les tripes et les couper en morceaux carrés de 5 cm de côté. Garnir une terrine, pouvant juste contenir tous les ingrédients, avec les carottes, les oignons piqués de deux clous de girofle et le pied de bœuf

Cidre sec
vin blanc : *Muscadet.*

désossé et tronçonné en morceaux. Assaisonner. Ajouter les tripes et poser au-dessus les os du pied. Enfouir le bouquet garni. Assaisonner à nouveau. Recouvrir le tout avec la graisse de bœuf ou le beurre en parcelles. Mouiller largement avec l'eau ou le cidre, le vin blanc et le cognac, pour faire baigner les tripes. Fermer la terrine avec son couvercle. Luter si nécessaire (2).

2. Faire cuire à four moyen, puis à four doux pendant 10 h (3). Retirer, après cuisson, les os, la graisse, les carottes (4), les oignons et le bouquet garni. Ranger les tripes dans la terrine avec la sauce bien dégraissée ou passer la sauce au chinois (passoire fine) au-dessus des tripes. Servir bien chaud.

(1) Les tripes comprennent la panse, le feuillet, la caillette et la franchemule. Elles doivent être très soigneusement nettoyées et soumises à un long trempage à l'eau froide et à un blanchissage assez court. Ce travail est généralement effectué par le tripier.
(2) Fermer hermétiquement la terrine avec un cordon de pâte composée de farine délayée à l'eau.
(3) La cuisson des tripes se faisait autrefois au four du boulanger ou du pâtissier. Actuellement, on utilise souvent des autocuiseurs pour une cuisson plus rapide. C'est sans doute plus commode, mais le résultat n'est pas le même.
(4) Les carottes peuvent être émincées avant la cuisson et non retirées après.

107. Côtes de veau à la vichyssoise

Difficulté : ●●
Coût : ●●●

BOURBONNAIS

Vin rosé :
Saint-Pourçain.

POUR 4 PERSONNES

Eléments principaux
4 côtes de veau
70 g de beurre.

Eléments de la garniture
1 kg de carottes

50 g de beurre
1 cuillerée à café de persil haché.

Assaisonnements et condiments
Sel, poivre, sucre.

1. Emincer finement les carottes et les mettre dans une casserole recouverte d'eau. Saler et sucrer légèrement. Ajouter 50 g de beurre et faire cuire à couvert jusqu'à cuisson et complète évaporation de l'eau. Faire sauter les carottes dans la réduction. Parsemer de persil haché au moment de servir.

2. Faire sauter également les côtes de veau au beurre, à la poêle, sans laisser brûler le beurre. Retirer les côtes. Dégraisser et dissoudre les sucs de la viande avec 1 dl d'eau. Laisser réduire de moitié à feu vif. Incorporer, hors du feu, 50 g de beurre par petites parcelles. Arroser les côtes et servir aussitôt.

108. Grenadins de veau à la crème

Difficulté : ●●
Coût : ●●●●

NIVERNAIS

Les grenadins, petites tranches coupées dans la noix, à l'intérieur de la cuisse du veau, sont comme les escalopes et la noix pâtissière, des morceaux de première catégorie. Le Pouilly fumé qui accompagnera ces grenadins naît à Pouilly-sur-Loire, sur la rive droite de la Loire. Sec, il a un parfum prononcé, provenant du cépage Sauvignon, dit ici « fumé », on ne sait pourquoi (à ne pas confondre en tous les cas avec le maconnais Pouilly-Fuissé.).

Vin blanc : *Pouilly-fumé.*

POUR 4 PERSONNES

Eléments principaux
4 grenadins de veau de 200 g chacun
100 g de lard gras
30 g de beurre
30 g d'échalotes

5 dl de crème fraîche
1 bouquet garni.

Assaisonnements et condiments
Sel, poivre blanc.

1. Piquer les grenadins avec de fins lardons. Ciseler les échalotes.

2. Faire colorer la viande au beurre sur un feu modéré. Ajouter les échalotes et laisser suer 3 à 4 min.

3. Mouiller avec 1 dl de crème fraîche. Faire réduire presque totalement sur un feu modéré et à couvert. Incorporer à nouveau 1 dl de crème fraîche et laisser réduire d'un quart. Adjoindre le reste de crème fraîche et le bouquet garni. Faire cuire à simple frémissement.

4. Disposer les grenadins sur un plat. Passer la sauce, qui doit être onctueuse, et napper les grenadins.

5. Glacer vivement sous le gril du four. Accompagner les grenadins d'une garniture de petits pois, de carottes, d'épinards, d'oseille ou de champignons.

109. Escalopes de veau à la biscayenne

Difficulté : ●●●
Coût : ●●●

BÉARN

Le vin de Madiran, ici recommandé, est un puissant produit du Sud-Ouest, auquel on commence par imposer un assez long vieillissement en tonneau. Il est redevenu à la mode; il se garde longtemps, en s'améliorant avec l'âge.

POUR 4 PERSONNES

Eléments principaux
4 escalopes de veau
40 g de beurre
50 g de farine.

Eléments de garniture
800 g de tomates fraîches
80 g d'oignons
200 g de poivrons

2 gousses d'ail
5 cl d'huile
1 bouquet garni
1 cuillerée à café de persil haché.

Assaisonnements et condiments
Sel, poivre blanc, sucre, piment.

1. Disposer les poivrons sur une plaque avec un peu d'eau et les mettre 5 min à four chaud. Les envelopper dans du papier et les laisser tiédir pour les peler plus facilement (facultatif). Enlever les graines. Couper les poivrons en fines lamelles. Peler, épépiner et concasser les tomates. Emincer finement les oignons.

2. Faire suer les oignons à l'huile en remuant à l'aide d'une cuillère en bois pendant 3 min environ. Ajouter les poivrons, l'ail écrasé et laisser cuire à feu doux pendant 7 min environ. Adjoindre la tomate concassée et le bouquet garni. Assaisonner de sel, d'une prise de sucre et de piment avec modération. Laisser à couvert à feu doux pendant 10 min, puis à feu modéré jusqu'à cuisson et complète évaporation de l'eau de végétation.

3. Assaisonner les escalopes de sel et de poivre blanc fraîchement moulu. Les fariner puis les faire sauter au beurre à feu doux. Retirer les escalopes sur un plat chaud. Dégraisser la poêle de cuisson. Ajouter les légumes et dissoudre les sucs de la viande en remuant délicatement. Laisser compoter 2 min.

4. Napper les escalopes. Saupoudrer de persil haché. Accompagner d'un riz pilaf (1).

(1) Voir en fin de volume les recettes de préparation de base.

Vin rouge :
Madiran, Bordeaux.

110. *Escalopes de veau à la comtoise*

Difficulté : ●●●
Coût : ●●●●

FRANCHE-COMTÉ

Le comté, qui donne son originalité à cette spécialité, est un fromage à base de lait de vache de race montbéliarde et pie rouge de l'Est. Il est produit en meules assez plates. Il est plus facilement utilisable en cuisine que l'émenthal, il file peu, fond bien, gratine très bien.

POUR 4 PERSONNES

Eléments principaux
- 8 escalopes très fines de 70 g
- 50 g de beurre
- 50 g de farine
- 150 g de champignons de Paris
- 8 lamelles de comté (1)
- 8 tranches de jambon (1).

Eléments de la sauce

2,5 dl de crème fraîche
3 cl de cognac
5 cl de porto.

Elément complémentaire
20 g de beurre pour graisser le plat à gratin.

Assaisonnements et condiments
Sel et poivre.

1. Emincer les champignons. Aplatir le plus finement possible les escalopes de veau, les assaisonner, les passer dans la farine et les faire blondir au beurre à feu pas trop vif. Retirer les escalopes.

Vin blanc : *Arbois.*

2. Ajouter les champignons dans la sauteuse de cuisson et les faire sauter vivement. Dégraisser. Adjoindre le cognac flambé, puis le porto. Laisser réduire environ 2 min puis ajouter la crème fraîche. Faire réduire à nouveau jusqu'à épaississement de la sauce.

3. Disposer dans un plat à gratin grassement beurré 4 escalopes. Poser sur chacune d'elles, successivement et dans l'ordre, une lamelle de comté, une tranche de jambon, une escalope, une tranche de jambon et une lamelle de comté.

4. Mettre à four doux pendant 10 min pour faire fondre le fromage.

5. Napper avec la sauce et servir aussitôt.

(1) Tailler le comté et le jambon à la même dimension que les escalopes.

111. *Cul de veau à la casserole*

Difficulté : ●●●
Coût : ●●●

ANJOU

Le quasi est le sommet
du cuisseau de veau,
à la base de la queue.
Personne ne sait pourquoi
il porte ce nom,
et l'appellation « cul de veau »
a le mérite de se passer
de définition.
La dame de Montsoreau,
imaginée par Dumas,
dut se régaler
de cette spécialité,
inventée assure-t-on,
sur ses domaines.
Montsoreau est aujourd'hui une
des trente-sept communes
ayant droit à l'appellation
d'origine contrôlée
« Saumur ».

POUR 4 PERSONNES

Eléments principaux
750 g de quasi de veau (ou cul)
50 g de beurre
50 g de carottes
80 g d'oignons.

Eléments de la sauce
2 dl de fonds blanc (bouillon) de veau, ou, à défaut, d'eau.

3 dl de crème fraîche.

Eléments de garniture
150 g de champignons
150 g de petits oignons
40 g de beurre
1 citron.

Assaisonnements et condiments
Sel, poivre blanc, sucre.

1. Desosser, ficeler et assaisonner la viande. Concasser les os.

2. Faire chauffer, sans excès, 50 g de beurre dans une casserole en terre contenant juste la viande.
Ajouter le cul de veau. Disposer tout autour les os concassés. Faire colorer lentement à couvert sur un feu doux. Mettre à four moyen pendant 20 min en retournant de temps à autre la viande et en l'arrosant fréquemment en cours de cuisson.

3. Préparer la garniture : couper les champignons en quartiers et les faire cuire à couvert, avec un peu d'eau, un filet de citron et 20 g de beurre. Assaisonner. Réserver. Mettre les oignons dans une sauteuse sans les

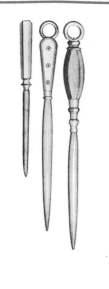

Vin rosé ou blanc :
Saumur, Savennières.

superposer. Mouiller à hauteur d'eau froide. Ajouter 20 g de beurre. Saler et sucrer. Porter vivement à ébullition et laisser ensuite à feu doux à couvert jusqu'à cuisson et évaporation totale de l'eau. Faire sauter quelques minutes dans la réduction pour les colorer légèrement. Réserver.

4. Ajouter à la viande les carottes en morceaux et un gros oignon en quartiers. Laisser mijoter encore 20 min. Retirer le cul de veau et le tenir au chaud.

5. Déglacer le récipient avec du fonds de veau (bouillon) ou de l'eau, additionnée du jus de cuisson des champignons. Dissoudre les sucs en remuant à l'aide d'une spatule. Faire réduire de moitié. Incorporer la crème fraîche et faire réduire à nouveau de moitié. Passer la sauce au chinois (passoire fine).

6. Remettre la viande dans la casserole en terre. Répartir les champignons et les oignons de la garniture. Napper de sauce.

Accompagner de blancs de céleri étuvés, carottes glacées et de laitues braisées ou de pommes de terre.

112. *Poitrine de veau farcie*

Difficulté : ●●●
Coût : ●●

POITOU

La foire annuelle de Bressuire, précédant la semaine Sainte, a consacré de longue date la réputation bovine du Poitou et les marchés de Parthenay, où prime la race parthenaise, sont tout aussi importants. Grands amateurs de légumes, les Poitevins en garnissent abondamment leur farce, ce qui la distingue d'autres préparations régionales.

POUR 8 PERSONNES

Eléments principaux
1,2 kg de poitrine de veau désossée
50 g de carottes
80 g d'oignons
1 dl de vin blanc sec
50 g de beurre.

Eléments de la farce
200 g d'épinards ou de blettes
50 g d'échalotes
250 g de champignons (facultatif)

500 g de chair à saucisse
50 g de mie de pain
1 dl de lait
2 cuillerées à café de persil et d'estragon ciselés
2 gousses d'ail
1 œuf
20 g de beurre.

Assaisonnements et condiments
Sel, poivre, noix muscade, épices.

1. Préparer la duxelle de champignons : ciseler les échalotes et hacher les champignons. Faire suer les échalotes au beurre 2 à 3 min et ajouter les champignons. Laisser étuver jusqu'à complète évaporation du liquide. Assaisonner.

2. Mettre dans de l'eau bouillante salée les épinards et les laisser cuire à feu vif à découvert, pendant 5 min. Bien égoutter et presser après cuisson.

Réunir dans une terrine, la duxelle de champignons, la mie de pain trempée dans le lait et pressée, la chair à saucisse, le persil et l'estragon, l'ail haché, les épinards et un œuf entier.

Assaisonner de sel, poivre fraîchement moulu, quelques râpures de noix muscade, épices, et amalgamer le tout.

3. Désosser, sans faire de trou, la poitrine de veau et l'ouvrir en deux dans l'épaisseur pour former une poche, l'ouverture étant dans le sens de la longueur (toute cette préparation peut être faite par le boucher).

4. Farcir la poitrine et la recoudre. Assaisonner de sel et de poivre.

5. Disposer la poitrine farcie dans une cocotte beurrée la contenant tout juste. Répartir tout autour les os, les oignons et les carottes coupées en quartiers et le beurre en petites parcelles. Mettre à four chaud et laisser bien colorer. Mouiller ensuite avec le vin blanc et laisser cuire à four moyen pendant 2 h environ. Retourner deux ou trois fois la poitrine et l'arroser très souvent, avec son jus. Passer la sauce et servir la poitrine chaude.

Vin rouge :
Haut-Poitou, Médoc.

113. *Amourettes de veau à la crème*

Difficulté : ●●●
Coût : ●●●

BERRY

Les amourettes
ne sont pas ce que l'on pense,
mais seulement
la mœlle épinière
du bœuf ou du veau.

POUR 4 PERSONNES

Eléments principaux
400 g d'amourettes de veau
200 g de cèpes
50 g de beurre.

**Eléments
du court-bouillon**
1 l d'eau
5 cl de vinaigre
100 g de carottes
100 g d'oignons

1 bouquet garni.

Eléments de la sauce
4 dl de crème fraîche
50 g de beurre.

**Assaisonnements
et condiments**
Sel, poivre de Cayenne, noix muscade, 5 grains de poivre.

1. Faire dégorger à l'eau courante les amourettes.

2. Préparer le court-bouillon : réunir dans une casserole 1 l d'eau, le vinaigre, les carottes et les oignons émincés et le bouquet garni. Saler très légèrement. Ajouter 5 grains de poivre 5 min avant la fin de la cuisson. Faire bouillir lentement pendant 5 min et passer au chinois (passoire fine).

3. Mettre les amourettes dans le court-bouillon très chaud et laisser pocher ensuite à simple frémissement pendant 10 min environ.

4. Détailler les amourettes en tronçons de 6 à 8 cm et les faire colorer au beurre dans une sauteuse à feu doux. Escaloper les cèpes. Retirer les amourettes et ajouter les champignons dans la sauteuse. Assaisonner.
Faire étuver les cèpes pendant 10 min et les mettre à égoutter.

5. Adjoindre la crème fraîche et laisser réduire de moitié. Assaisonner de sel, de poivre de Cayenne et de quelques râpures de noix muscade. Ajouter les amourettes et les cèpes à la crème fraîche réduite et laisser mijoter à feu doux pendant 5 min.
Incorporer 50 g de beurre par petites parcelles.
Servir aussitôt.

Vin blanc : *Quincy,
Blanc-Fumé de Pouilly.*

114. *Cervelle à la bourguignonne*

Difficulté : ●●●
Coût : ●●●

BOURGOGNE

Cette préparation constitue une entrée savoureuse, à la fois longue et facile à réaliser. La cervelle de veau, un peu moins appréciée que la cervelle de mouton ou d'agneau, est moins coûteuse.

POUR 4 PERSONNES

Eléments principaux
  2 cervelles de veau
  30 g de beurre.

**Eléments
du court-bouillon**
  1 l d'eau
  5 cl de vinaigre
  100 g d'oignons
  100 g de carottes
  1 bouquet garni.

**Eléments de la sauce
bourguignonne**
  50 g d'échalotes
  5 dl de vin de Bourgogne
    rouge
  50 g de beurre

  1 bouquet garni.

**Eléments
du beurre manié**
20 g de beurre
  20 g de farine.

Eléments de garniture
150 g de petits oignons
150 g de champignons
  4 tranches de pain de mie
140 g de beurre
  1/2 citron

**Assaisonnements
et condiments**
Sel, poivre en grains, poivre de Cayenne, sucre.

1. Faire dégorger les cervelles à l'eau courante vinaigrée.

2. Préparer le court-bouillon : réunir dans une casserole 1 l d'eau, le vinaigre, les carottes et les oignons émincés et le bouquet garni. Saler très légèrement. Ajouter 5 grains de poivre 5 min avant la fin de la cuisson. Faire bouillir lentement pendant 15 min et passer au chinois (passoire fine).

3. Mettre les petits oignons dans une casserole avec 20 g de beurre. Couvrir d'eau, saler, sucrer légèrement et faire cuire à couvert, jusqu'à cuisson et évaporation complète de l'eau. Faire sauter les petits oignons dans la réduction.

4. Faire cuire à couvert les champignons coupés en quartiers dans un peau d'eau légèrement citronnée avec 20 g de beurre. Assaisonner.

5. Faire pocher les cervelles dans le court-bouillon chaud et tenir ensuite à simple frémissement pendant 20 min.

6. Confectionner la sauce bourguignonne (1).

7. Escaloper les cervelles et les faire revenir légèrement au beurre dans une sauteuse. Ajouter les oignons glacés et les champignons.
Mouiller avec la sauce bourguignonne et laisser compoter sur un feu doux pendant 6 à 8 min.

8. Couper les tranches de pain en forme de cœur et les faire frire au beurre.
Servir bien chaud.

(1) Voir en fin de volume les recettes des préparations de base.

Vin rouge :
Passe-tout-grain, Mâcon,
Beaujolais.

115. *Rognons de Baugé*

Difficulté : ●●●
Coût : ●●●

ANJOU

Baugé (Maine-et-Loire)
est célèbre
pour cette recette de rognons,

POUR 4 PERSONNES

Eléments principaux
　　2 rognons de veau
　　　dégraissés
　30 g de beurre
　20 g d'échalotes.

Eléments de garniture
150 g de champignons
20 g de beurre.

**Eléments
de la sauce**
　5 cl de calvados
　2 dl de crème fraîche.

**Assaisonnements
et condiments**
Sel, poivre, moutarde et
estragon.

pour celle du foie de veau
farci aux foies de volailles
et aussi par sa croix
à double traverse rapportée
de Constantinople.
Les princes d'Anjou
la mirent dans leurs armes
avant de régner
sur la Lorraine,
où elle devint (et reste)
« la croix de Lorraine »
de glorieuse postérité.

Vin rouge :
Clos des Cordeliers.
Vin rosé :
Cabernet de Saumur.

1. Ciseler finement les échalotes.

2. Escaloper les champignons et les faire sauter avec 20 g de beurre.

3. Dénerver et détailler les rognons en petits morceaux d'environ 1,5 cm de côté.
Assaisonner de sel et de poivre fraîchement moulu.
Faire vivement sauter les morceaux au beurre.
Les retirer, les piquer pour les faire saigner, et les mettre à égoutter.
Badigeonner d'un peu de moutarde et réserver les rognons dans un récipient.
Tenir au chaud sans aucune cuisson.

4. Ajouter les échalotes dans la sauteuse et laisser suer 1 min.
Déglacer avec le calvados, hors du feu.
Dissoudre les sucs, remettre sur le feu et faire réduire presque totalement.
Adjoindre la crème fraîche additionnée de quelques feuilles d'estragon finement ciselées.
Laisser réduire de moitié.
Rectifier l'assaisonnement.

5. Ajouter les champignons et laisser mijoter 1 min, puis les rognons, juste pour les mélanger.
Servir aussitôt dans un légumier.

116. *Gigot d'agneau aux noix*

Difficulté : ●●
Coût : ●●●●

DAUPHINÉ

Un décret loi de 1938
précise : « Il est interdit
de détenir en vue de la vente,
d'exposer, de mettre
en vente, d'importer
ou d'exporter, sous le nom
de « noix de Grenoble »,
des noix n'appartenant pas
exclusivement aux
variétés : « Mayette,
Franquette, Parisienne »
et n'ayant pas été récoltées
dans certaines communes
se trouvant dans les régions
agricoles naturelles
caractérisées
du Grésivaudan,
des Chambarrands
et de la Bièvre ».

POUR 8 PERSONNES

Eléments principaux
1 petit gigot d'agneau désossé par l'intérieur
50 g de carottes
80 g d'oignons
1 tomate
50 g de beurre
1 petit bouquet garni.

20 g de persil
20 g de ciboulette et d'estragon
50 g de beurre.

Elément de la sauce
4 dl de crème fraîche épaisse.

Eléments de la farce
100 g de cerneaux de noix
4 gousses d'ail

Assaisonnements et condiments
Sel, poivre.

1. Préparer la farce : hacher les noix, l'ail, le persil. Ciseler finement la ciboulette et l'estragon. Amalgamer le tout avec le beurre ramolli. Assaisonner.

2. Saler, poivrer le gigot et le farcir.

3. Faire colorer la viande à couvert au beurre, dans une cocotte le contenant tout juste. Ajouter autour les carottes et les oignons coupés en gros dés. Laisser cuire toujours à couvert. Compter 15 min par livre de viande. Adjoindre la tomate coupée en quatre à mi-cuisson et un bouquet garni. Retirer le gigot dès qu'il est cuit à point et le laisser reposer au chaud.

4. Dégraisser complètement le jus, mouiller de 1 dl d'eau et dissoudre les sucs de la viande. Laisser réduire des deux tiers. Ajouter la crème fraîche et faire réduire à nouveau de moitié. Passer la sauce et napper le gigot.

Vin rouge :
*Châtillon-en-Diois,
Hermitage.*

117. *Gigot à la brayaude*

Difficulté : ●
Coût : ●●●●

LIMOUSIN

Quoiqu'on lui reproche d'être mal « gigotée », c'est-à-dire mal conformée pour la boucherie d'aujourd'hui, la race des moutons du Limousin a toujours donné une viande excellente. Tandis que la grande cape traditionnelle du berger limousin a donné au vocabulaire de l'automobile... la limousine.

POUR 8 PERSONNES

Eléments principaux
1 gigot d'agneau
50 g de beurre
4 gousses d'ail.

Eléments de garniture

1,5 kg de pommes de terre
100 g de beurre.

**Assaisonnements
et condiments**
Sel, poivre.

1. Eplucher et laver les pommes de terre. Tailler en tranches fines et, pour leur conserver tout leur moelleux, ne plus les laver. Beurrer grassement un plat allant au four, et ranger les pommes de terre. Assaisonner. Mouiller à l'eau et parsemer de parcelles de beurre. Couvrir d'une feuille de papier d'aluminium et commencer la cuisson sur le feu pendant 10 min, puis mettre à four moyen.

2. Piquer le gigot d'ail, l'assaisonner et le beurrer copieusement. Disposer le gigot sur les pommes de terre

Vin rouge :
*Queyssac, Vertoujit,
Bordeaux.*

débarrassées de la feuille de papier aluminium. Faire cuire lentement et laisser colorer. Surveiller les pommes de terre. Ajouter un peu d'eau chaude si nécessaire.

3. Servir bien brûlant.

118. Côtelettes de pré-salé

Difficulté : ●●●
Coût : ●●●

BRETAGNE

A l'embouchure des rivières bretonnes, agneaux et moutons broutent les vastes étendues d'herbes iodées et salées par les marées très hautes, qui donneront à leur viande un goût particulier.

POUR 4 PERSONNES

Eléments principaux
8 côtelettes de pré-salé
50 g de beurre.

Eléments de garniture
500 g de flageolets
1 bouquet garni
80 g de beurre.

Eléments de la sauce
50 g d'oignons

50 g de blanc de poireau
1 branche blanche de céleri
50 g de beurre
1 dl de vin blanc
2 dl de fonds (bouillon) de veau ou, à défaut, d'eau.

Assaisonnements et condiments
Sel, poivre.

1. Mettre dans une casserole, à l'eau froide, les flageolets de l'année (1), et porter lentement à ébullition. Ecumer. Ajouter le bouquet garni et laisser cuire lentement à couvert. Assaisonner à mi-cuisson.

2. Préparer la sauce pendant la cuisson des flageolets. Emincer finement les oignons, le poireau et le céleri. Faire colorer au beurre tous ces légumes. Mouiller avec le vin blanc et laisser réduire de moitié. Adjoindre le fonds de veau ou l'eau et faire bouillir, puis cuire à très léger frémissement.

3. Egoutter rapidement les flageolets après cuisson et les ajouter aussitôt à la sauce. Laisser mijoter lentement encore pendant 20 min.

4. Passer le tout au moulin à légumes. Remettre sur le feu dans un bain-marie. Incorporer 80 g de beurre par petites parcelles.

5. Faire sauter les côtes d'agneau au beurre.

6. Servir séparément les côtes d'agneau sur un plat et la purée de flageolets dans une timbale ou dans un plat creux.

Cidre sec ou *Muscadet*.

(1) Si les flageolets sont déjà vieux, il faut les mettre à tremper pendant 2 h ou plus à l'eau froide.

119. Daube de mouton à l'avignonnaise

Difficulté : ●●●
Coût : ●●●

PROVENCE

Le mouton rustique et solide des garrigues parfumées a fourni la base de cette préparation paysanne de la Cité des papes. Les cailloux, brûlés par le soleil des Côtes du Rhône, ont donné le fumet du vin qui l'accompagne.

POUR 4 PERSONNES

Eléments principaux
700 à 800 g de gigot sans os (8 morceaux de 100 g)
100 g de lard gras (faculta-tif).

Eléments de la marinade
1 l de bon vin rouge
1 dl d'huile d'olive
100 g de carottes
100 g d'oignons
4 gousses d'ail
1 bouquet garni.

Eléments complémentaires

200 g de bardes de lard
150 g d'oignons
150 g de poitrine de porc salée
150 g de couennes fraîches
1 bouquet garni avec un petit morceau d'écorce d'orange sèche.
4 gousses d'ail.

Assaisonnements et condiments
Sel, poivre fraîchement moulu, poudre de thym et de laurier.

1. Emincer 100 g de carottes et 100 g d'oignons. Broyer les gousses d'ail. Découenner le lard et découper huit gros lardons. Piquer chaque morceau de viande avec un lardon assaisonné de sel, poivre et épices (piquer dans le sens du fil de la viande). Faire mariner la viande pendant 2 h au frais avec le vin rouge, l'huile d'olive, les carottes, les oignons, la moitié de l'ail broyé et un bouquet garni.
Ne pas saler la marinade.

2. Découenner la poitrine de porc salée, enlever le cartilage et découper en dés de 1 cm de côté. Détailler les couennes fraîches en petits carrés de 2 cm de côté. Faire blanchir le lard et la couenne : mettre à l'eau froide. Porter à ébullition et laisser à simple frémissement pendant 15 min. Réserver dans un bol. Ciseler 150 g d'oignons. Préparer un gros bouquet garni avec un petit morceau d'écorce d'orange séchée.

3. Tapisser une terrine avec de minces bardes de lard (100 g environ). Disposer au-dessus les morceaux de gigot, 150 g d'oignons, le reste de l'ail broyé, les dés de poitrine de porc salée et les morceaux de couennes. Enfouir le bouquet garni au centre. Assaisonner et ajouter un peu de poudre de thym et de laurier. Mouiller jusqu'à hauteur de la viande avec la marinade passée au chinois (passoire fine). Recouvrir de bardes de lard. Luter la terrine : fermer hermétiquement le cou-

Vin rouge :
*Châteauneuf-du-pape,
Gigondas, Lirac.*

vercle en l'entourant d'un cordon de pâte faite avec de la farine et de l'eau. Faire cuire à four doux pendant 5 h.

4. Retirer les bardes de lard, dégraisser, enlever le bouquet garni et servir dans la terrine avec quelques pommes vapeur présentées à part.

120. Sauté d'agneau à la navarraise

Difficulté : ●●
Coût : ●●●

BÉARN

Le poivron doux, d'une belle couleur rouge, a étendu et développé récemment son emprise sur la Méditerranée, mais il ne règne nulle part mieux que dans la cuisine basco-béarnaise. Il est ici le compagnon d'une spécialité pascale.

POUR 4 PERSONNES

**Eléments
principaux**
*800 g d'agneau de lait
    (quartier de derrière)
  5 cl d'huile
80 g d'oignons
  1 gousse d'ail
  1 filet de vinaigre.*

Eléments de garniture
*400 g de poivrons rouges
  5 cl d'huile.*

**Assaisonnements
et condiments**
Sel, poivre, poivre de Cayenne, paprika.

1. Couper l'agneau en morceaux d'environ 70 g chacun. Assaisonner de sel et de poivre fraîchement moulu. Ciseler finement les oignons. Epépiner et tailler les poivrons rouges en dés.

2. Faire chauffer 5 cl d'huile dans une sauteuse, à feu modéré. Faire dorer lentement les morceaux d'agneau dans l'huile chaude sans excès. Ajouter les oignons après légère coloration de la viande. Couvrir et faire cuire à feu doux pendant 5 min en remuant souvent. Retirer la viande sur un plat. Dégraisser le jus de cuisson. Ajouter un petit filet de vinaigre et dissoudre les sucs de la viande en remuant. Remettre les morceaux de viande dans la sauteuse. Couvrir et tenir hors du feu.

3. Faire sauter les poivrons à la poêle dans 5 cl d'huile bien chaude. Remuer et laisser cuire ensuite à feu doux pendant 8 min environ. Mettre les poivrons avec l'agneau dans la sauteuse. Adjoindre l'ail écrasé, 1/2 cuillerée à café de paprika, une pointe de cayenne, et laisser compoter l'ensemble 5 min à couvert sur un feu doux.

4. Dresser le sauté d'agneau bien chaud dans un plat creux. Accompagner de pommes de terre et de cèpes sautés, saupoudrés de persil haché.

Vin rouge : *Madiran.*

121. Cassoulet de Castelnaudary

Difficulté : ●●
Coût : ●●●

LANGUEDOC

Une querelle de définitions divise : les amateurs du cassoulet de Castelnaudary, le plus simple, les amateurs du cassoulet de Carcassonne, plus compliqué, et les amateurs du cassoulet de Toulouse, très compliqué, ou, si l'on préfère, très complet. Une chose est sûre : il y faut un récipient en terre cuite, une casserole de potier, ou plutôt une « cassole », telle qu'on la fabrique à Issel, tout près de Castelnaudary.

POUR 6 PERSONNES

Eléments principaux

500 g d'épaule de mouton sans os
250 g de porc frais
125 g de lard de poitrine
200 g de saucisses de Toulouse
300 g environ de saucisson à l'ail
1 l de haricots blancs secs
10 gousses d'ail
500 g de tomates fraîches (1).
100 g d'oignons.
5 cl d'huile
100 g de chapelure
50 g de bonne graisse ou de beurre
1 bouquet garni.

Assaisonnements et condiments

Sel, sucre, poivre.

1. Faire tremper les haricots blancs pendant quelques heures (2), puis les mettre à cuire dans une casserole à l'eau froide et les porter lentement à ébullition. Ecumer et laisser cuire à feu doux à couvert. Saler à mi-cuisson.

2. Découper en morceaux, le mouton, le porc et le lard. Faire revenir la viande dans la graisse ou le beurre. Ajouter l'ail et les haricots mi-cuits et égouttés. Mouiller avec de l'eau bouillante en quantité suffisante pour que le tout baigne. Adjoindre le bouquet garni et assaisonner. Faire cuire à feu doux pendant 3 h 30 environ en surveillant la réduction. Ajouter de l'eau bouillante si nécessaire. (Les haricots sont cuits mais restent entiers.)

3. Mettre le saucisson à l'ail après 2 h de cuisson.

4. Faire sauter les saucisses de Toulouse et réserver.

5. Peler, épépiner et concasser les tomates. Ciseler finement les oignons. Faire suer les oignons dans l'huile sans coloration et adjoindre la tomate concassée. Saler poivrer et sucrer légèrement. Laisser cuire à feu doux pendant 20 min et passer au moulin à légumes.

6. Ranger dans une terrine allant au four : la viande, les haricots, la saucisse coupée en tronçons et le saucisson détaillé en rondelles un peu grosses. Verser dessus la purée de tomates. Saupoudrer de chapelure, arroser de graisse et faire gratiner à four doux pendant 45 min environ en mouillant de temps à autre la croûte dorée d'un peu de jus de cuisson. Servir dans la terrine.

Variantes : La composition du cassoulet de Castelnaudary est très variable. Il peut être réalisé exclusivement avec de la viande de porc (échine, jarret, jambon, saucisson, couennes fraîches) ou avec du mouton, du porc et de l'oie. La recette ci-dessus est une des plus courantes.

(1) Les tomates fraîches peuvent être remplacées par de la tomate en conserve.
(2) Utiliser des haricots blancs de l'année; si les haricots sont trop vieux, il faut les mettre à tremper le temps strictement nécessaire pour les faire gonfler. Pour faire tremper et cuire les haricots, utiliser de l'eau non calcaire.

122. Choucroute garnie à l'alsacienne

Difficulté : ●●●
Coût : ●●●●

ALSACE

Justifiant qu'il puisse y avoir plusieurs recettes de choucroute, le directeur de l'Institut de sociologie de Strasbourg écrivait : «La choucroute est tolérante, car elle semble être elle-même un creuset de contradictions... Le plat est sans mystère. En quoi réside alors sa séduction? Les variations possibles de l'assortiment en viandes ou en aromates l'expliquent en partie ».

POUR 4 PERSONNES

Eléments principaux

1,2 kg de choucroute crue
250 g de carré de porc salé
1/2 palette de porc fumée
250 g de lard maigre fumé
250 g de poitrine de porc salée
4 paires de saucisses de Strasbourg
2 saucisses fumées
250 g de bardes de lard ou de couennes fraîches
1 oignon (1)
1 carotte
2 gousses d'ail
1 bouquet garni
1 kg de pommes de terre.

Eléments de mouillement

2 dl de vin blanc sec d'Alsace
6 dl de bouillon ou, à défaut, d'eau.

Assaisonnements et condiments

Sel, poivre, 15 baies de genièvre, 2 clous de girofle.

---

1. Laver la choucroute à l'eau froide. L'égoutter et la presser fortement par petites poignées pour bien en extraire l'eau.

2. Tapisser de bardes de lard ou de couennes fraîches le fond d'une braisière ou d'une casserole à fond épais. Disposer la moitié de la choucroute préalablement démêlée dans la braisière. Saler très légèrement et poivrer. Enfouir l'oignon piqué de deux clous de girofle, la carotte, le bouquet garni et 15 baies de genièvre avec 2 gousses d'ail dans un petit sachet de toile. Ajouter le lard fumé, le carré de porc, la poitrine de lard salée, le morceau de palette fumée et recouvrir le tout avec le reste de choucroute. Mouiller avec 2 dl de vin blanc et 6 dl de bouillon ou d'eau.

3. Faire cuire à couvert sur un feu moyen ou au four pendant 1 h en surveillant de temps à autre la réduction du mouillement.

4. Adjoindre les saucisses fumées et laisser cuire encore pendant 1 h.

5. Ajouter les pommes de terre épluchées sur la choucroute, saler, couvrir et laisser cuire encore 1/2 h. Rectifier l'assaisonnement, au terme de la cuisson de la choucroute, si nécessaire.

6. Faire chauffer, dans de l'eau frémissante salée, 5 min avant de servir, les saucisses de Strasbourg, sans jamais faire bouillir l'eau.

7. Retirer l'oignon, la carotte, le bouquet garni, le sachet contenant l'ail et le genièvre, et les couennes. Dresser en dôme la choucroute bien égouttée sur un plat chaud. Garnir avec le lard fumé et salé, le carré de porc, la palette coupés en tranches, les saucisses de Strasbourg et les saucisses fumées. Poser les pommes de terre tout autour ou les servir à part.

(1) On peut ajouter 200 g d'oignons ciselés et sués au saindoux. Un jambonneau, des quenelles de foie, des montbéliards sont aussi appréciés dans la choucroute.

123. Halicot d'agneau en barbouille

Difficulté : ●●●
Coût : ●●●

ORLÉANAIS

Voilà ce fameux mot
« halicot » qui,
dans le français ancien,
signifiait tout simplement
« petit morceau ».
Certains l'ont confondu
avec le mot « haricot »
et s'imaginent
tout à fait faussement,
qu'un « halicot »
ou « haligot » de mouton
doit contenir des flageolets!
Saluons au passage
la mirepoix, préparation
de petits légumes,
qui aurait été inventée
par le cuisinier du maréchal
duc de Lévis-Mirepoix
(1699-1757).
Le truffiat,
tourte de pommes de terre,
est la garniture appropriée
à cet halicot.

Vin rouge :
de l'Orléanais, Sancerre.

POUR 6 PERSONNES

Eléments principaux
1,5 kg d'épaule d'agneau
3 pieds de mouton
150 g de lard gras
1 l de vin rouge (Sancerre)
80 g de carottes
80 g d'oignons
30 g d'échalotes
3 gousses d'ail
1 bouquet garni fort en thym
4 cl de vieux marc de pays
100 g de saindoux.

Eléments de la barbouille
250 g de foie d'agneau
50 g de noix
2 tranches de pain de mie
1 dl de lait
3 dl de crème fraîche
3 gousses d'ail.

Eléments de finition
70 g de beurre
5 cl de sang (si possible)

Assaisonnements et condiments
Sel, poivre, 1 clou de girofle.

1. Désosser et halicoter en grosses lanières l'épaule d'agneau, parer, dégraisser et traverser les morceaux d'un lardon gras (facultatif).

2. Tailler en mirepoix (en morceaux) les oignons et les carottes.

3. Faire chauffer du saindoux ou de la graisse de volaille dans une grande sauteuse. Faire rissoler les morceaux d'agneau et les pieds. Dégraisser (jeter l'excédent de gras), ajouter la mirepoix de légumes et faire suer. Déglacer avec le marc et dissoudre les sucs. Mouiller hors du feu avec le vin rouge, adjoindre le bouquet garni, l'ail, l'échalote piquée d'un clou de girofle, le poivre et le sel. Couvrir, porter à ébullition et flamber. Laisser cuire à couvert à feu doux pendant 40 min.

4. Préparer la barbouille : passer au hachoir, le foie, les noix, la mie de pain trempée dans le lait et pressée, les gousses d'ail, et mélanger avec la crème fraîche. Assaisonner de sel, de poivre et de quelques râpures de noix muscade.

5. Retirer les morceaux de viande dans une terrine après cuisson et tenir au chaud. Passer la sauce au chinois (passoire fine), la remettre sur le feu et la tenir à ébullition frémissante.

6. Lier avec la barbouille et laisser mijoter à feu très doux pendant 20 min en remuant fréquemment. Rectifier l'assaisonnement. Incorporer peu à peu le sang, en fouettant sans faire bouillir. Ajouter hors du feu,

D'après une spécialité de Max Erta.

70 g de beurre par parcelles. Verser la sauce sur les morceaux d'agneau et servir aussitôt.

124. Navarin aux pommes

Difficulté : ●●
Coût : ●●

ILE-DE-FRANCE

Ce nom de « navarin », tardivement né après la bataille navale qui en 1827 libéra la Grèce du joug turc et enthousiasma la jeunesse romantique, est une spécialité rustique aussi ancienne que la campagne française : un simple ragoût de mouton aux pommes de terre, plat de base de la cuisine régionale.

Vin rouge :
Côtes de Gien, Coteaux de la Marne.

POUR 4 PERSONNES

Eléments principaux
1 kg de sauté d'agneau (8 morceaux dans l'épaule, le collier ou la poitrine)
50 g de saindoux ou 5 cl d'huile
25 g de farine
25 g de concentré de tomate
2 gousses d'ail

80 g de gros oignons
1 bouquet garni
1 l d'eau.

Eléments de garniture
100 g de petits oignons
20 g de beurre.

Assaisonnements et condiments
Sel, poivre, sucre.

1. Ciseler 80 g de gros oignons et les réserver. Faire revenir au saindoux ou à l'huile les morceaux d'agneau et les assaisonner de sel, de poivre et d'une prise de sucre. Dégraisser presque complètement après belle coloration des morceaux. Adjoindre les oignons ciselés. Saupoudrer de farine. Remuer et laisser cuire pendant 4 à 5 min. Mouiller d'un litre d'eau environ. Ajouter le concentré de tomate, l'ail écrasé et le bouquet garni. Assaisonner. Porter vivement à ébullition sur le feu et mettre ensuite au four doux pendant une heure.

2. Disposer les petits oignons dans une sauteuse les contenant juste, sans les superposer. Couvrir d'eau à hauteur. Ajouter 20 g de beurre. Assaisonner de sel et d'une prise de sucre. Poser au-dessus une feuille de papier sulfurisé ou d'aluminium. Faire cuire à feu doux jusqu'à évaporation totale de l'eau et laisser colorer dans la réduction. Réserver au chaud.

3. Retirer les morceaux d'agneau dans une autre casserole. Ajouter les pommes de terre (1) à la viande. Dégraisser la sauce et la verser sur la viande et les pommes de terre. Couvrir et continuer la cuisson pendant 40 min au four.

4. Répartir dans un légumier les morceaux d'agneau, les pommes de terre et les petits oignons. Dégraisser à nouveau la sauce et la verser au-dessus.
Servir bien chaud.

(1) Les pommes de terre peuvent être blanchies pendant 10 min auparavant mais si le temps le permet, il est préférable de les faire cuire dans la sauce du ragoût.

125. Ragoût de chevreau

Difficulté : ●●
Coût : ●●●

COMTÉ DE NICE

La chèvre, qui a apaisé depuis des millénaires la faim des populations de toute la Méditerranée, n'apparaît plus guère dans les fastes de la cuisine régionale française que par le biais de cette préparation de chevreau. Mais hors saison, la recette est valable pour l'agneau. On l'accompagnera d'une *polenta*, bouillie de semoule de maïs.

Vin blanc ou rosé :
Bellet, Côtes de Provence.

POUR 4 PERSONNES

Eléments principaux
1,4 kg d'épaule ou de gigot
    de chevreau avec os
5 cl d'huile d'olive
500 g d'oignons
750 g de tomates
100 g d'olives noires dénoyau-
    tées

4 gousses d'ail
1 dl de bon vin blanc sec
1 bouquet garni.

Assaisonnements et condiments
Sel, poivre fraîchement mou-
    lu.

1. Tronçonner le chevreau en 4 morceaux avec os. Réserver au frais. Peler, épépiner et concasser les tomates. Ciseler finement les oignons et hacher l'ail.

2. Faire rissoler la viande à l'huile d'olive dans une sauteuse. Retirer les morceaux de chevreau après belle coloration.

3. Egoutter la graisse de la sauteuse. Ajouter les oignons et les faire suer légèrement 1 min.

4. Déglacer hors du feu avec le vin blanc, puis laisser réduire de moitié sur un feu vif.

5. Adjoindre les tomates concassées, l'ail et le bouquet garni. Assaisonner et faire cuire pendant 10 à 15 min.

6. Remettre la viande dans la sauce. Laisser mijoter à simple frémissement et achever sa cuisson. Ajouter les olives 1 min avant de servir. Accompagner ce plat de riz créole ou pilaf, de pâtes ou de pommes de terre à la vapeur.

126. Rôti de porc à la limousine

Difficulté : ●
Coût : ●●

LIMOUSIN

Le vin dit « gris », que nous recommandons ici, appartient à cette belle famille de vins rosés à peine teintés, que l'on obtient en traitant la vendange rouge comme une vendange blanche. On en trouve aussi dans

POUR 4 PERSONNES

Eléments principaux
800 g à 1 kg de carré, ou
    d'échine, de porc
    désossé
50 g de saindoux ou de
    beurre.

Eléments de garniture

1 chou rouge
20 marrons
50 g de beurre.

Assaisonnements et condiments
Sel, poivre, sauge.

le Val de Loire
(Saumur, Cabernet)
et dans l'Est (Côtes de Toul).

Vin gris : *de Verneuil,*
ou vin rouge : *Bordeaux.*

1. Faire rôtir le porc bien assaisonné de sel, de poivre et de sauge en cocotte ou au four pendant 40 à 50 min environ.

2. Eplucher et couper en morceaux les marrons à cru. Tailler le chou en fine julienne. L'assaisonner et le mettre dans une casserole en terre avec un peu d'eau ou de bouillon, le beurre et les marrons. Faire cuire lentement sur un feu doux pendant 30 min environ.

3. Retirer le rôti et le tenir au chaud. Dégraisser presque totalement le récipient. Mouiller avec un peu d'eau pour dissoudre les sucs.

4. Ajouter la moitié du jus au chou rouge et laisser compoter encore quelques minutes.

5. Servir le rôti sur un plat, avec le chou rouge aux marrons dans un légumier et le reste de la sauce en saucière.
Le chou rouge cuit dans la graisse de cuisson du porc. Il est plus digeste lorsqu'il est moins gras et surtout lorsqu'il n'est pas trop cuit. Le temps de cuisson dépend de la finesse de la julienne et ne peut être qu'approximatif.

127. Rôti de porc aux reinettes du Mans

Difficulté : ●●
Coût : ●●

MAINE

Reinette? Les étymologistes se plaisent à dire que sa chair acidulée et très fine est recouverte d'une peau tachetée comme celle de la grenouille verte dite « rainette ». Mais qu'elle est aussi la petite reine, la reinette, des pommes.

POUR 4 PERSONNES

Eléments principaux
750 g de rôti de porc (échine ou pointe sans os)
5 cl d'huile.

Eléments de garniture

1 kg de pommes reinettes
80 g de beurre
50 g de sucre semoule.

Assaisonnements et condiments
Sel, poivre.

1. Mettre le rôti, assaisonné de sel et de poivre fraîchement moulu, dans un plat. Arroser d'huile et faire cuire à four moyen pendant 45 min à 1 h. Retourner souvent. La viande doit être bien cuite.

2. Préparer la garniture pendant la cuisson de la viande : peler, couper les pommes en quartiers et les disposer dans un plat beurré. Saupoudrer de sucre semoule. Mouiller avec 5 cl d'eau. Parsemer de quelques petits morceaux de beurre. Recouvrir d'une feuille de papier aluminium. Cuire 15 à 20 min à four moyen.

3. Retirer la viande après cuisson. Dégraisser presque complètement le récipient. Déglacer les sucs de la viande avec le jus des pommes cuites.

4. Dresser la viande dans un plat creux. Répartir les pommes tout autour. Arroser celles-ci avec la sauce passée au chinois (passoire fine). Servir le tout bien chaud.

Cidre sec.

128. Tourte de la vallée de Munster

Difficulté : ●●●●
Coût : ●●●

ALSACE

N'allons pas confondre :
le pineau d'Aunis,
cépage rouge;
le pineau de la Loire,
cépage des grands
vins blancs
d'Anjou et de Touraine;
le pineau des Charentes,
vin de liqueur,
à base de cognac;
le pinot noir, cépage rouge
qui produit les grands vins
de Bourgogne, et...
le pinot gris, cépage
typiquement alsacien,
dit Tokay, produisant
des vins blancs corsés.

POUR 6 PERSONNES

**Eléments
de la pâte
demi-feuilletée (1)**
250 g de farine tamisée
200 g de beurre
5 g de sel
1 dl environ d'eau
1/2 jus de citron
1 œuf pour la dorure.

**Eléments
de la farce**

700 g de porc maigre
1/2 petit pain au lait
500 g d'oignons
1 gousse d'ail
1 œuf entier
12 g de sel fin
1,5 g de poivre fraîchement
moulu
quelques râpures de
noix muscade
25 g de beurre
2,5 dl de lait.

1. Émincer les oignons et les faire suer sans coloration dans le beurre. Ajouter l'ail à mi-cuisson. Réserver.
Tremper le pain dans le lait puis le presser.
Hacher le porc.
Réunir dans une terrine la viande, l'oignon, le pain, l'œuf, le sel et les épices.
Bien travailler le tout et réserver la farce au frais.

2. Disposer la farine cn fontaine.
Mettre au centre le beurre légèrement ramolli, le jus de citron et le sel délayé dans 1 dl environ d'eau froide.
Mélanger grossièrement et rapidement le tout du bout des doigts en incorporant peu à peu la farine sans trop travailler.

3. Rouler la pâte en boule et donner immédiatement deux tours pour bien mélanger le beurre : abaisser la

(1) La pâte demi-feuilletée peut être remplacée par une pâte brisée.

pâte au rouleau pour former un rectangle et plier en trois. Déplacer la pâte d'un quart de tour. Abaisser à nouveau et former un rectangle.

Plier à nouveau en trois (2).

4. Couper la pâte en deux morceaux.

Abaisser chaque pâton et foncer avec la première abaisse une tourtière, en terre cuite de préférence, de 25 cm de diamètre.

Garnir avec la farce.

Mouiller les bords de l'abaisse avec un pinceau.

Disposer au-dessus la deuxième abaisse.

Souder et ourler les bords des deux abaisses.

Faire un trou (cheminée) au centre de la deuxième abaisse pour permettre l'évaporation de la vapeur.

Dorer (badigeonner) avec un œuf entier battu, à l'aide d'un pinceau.

Strier légèrement la surface avec la pointe d'un couteau pour décorer.

Mettre à cuire à four chaud pendant 35 min environ.

Servir chaud accompagné d'une salade de saison.

(2) Voir en fin de volume les recettes des préparations de base.

Vin blanc : *Sylvaner.*

129. *Ragoût de porc à la potée d'Ancenis*

Difficulté : ●●
Coût : ●●

BRETAGNE

Le ragoût de porc à la potée est toujours à l'honneur dans les campagnes.

POUR 4 PERSONNES

Eléments principaux
800 g d'échine de porc désossée
50 g d'oignons
50 g de beurre
2,5 dl de lait
2,5 dl de crème fraîche.

Eléments de la potée
1kg de pommes de terre

300 g de verts de poireaux tendres
100 g de beurre
1 dl de crème fraîche liquide.

Assaisonnements et condiments
Sel, poivre de Cayenne, sauge.

1. Émincer finement les oignons.

2. Couper le porc en morceaux d'environ 100 g et les faire colorer au beurre dans une cocotte sur un feu doux, à couvert, sans jamais laisser brûler le beurre. Dégraisser presque totalement le récipient après belle coloration des morceaux de porc.

Assaisonner de sel, de poivre de Cayenne et d'un peu de sauge.

Ajouter les oignons et les faire suer 2 min environ.

Mouiller avec le lait et la crème fraîche.

Faire cuire à couvert, jusqu'à réduction de la sauce à 2 dl environ en retournant les morceaux de temps à autre.

Rectifier l'assaisonnement et lier la sauce avec un peu de fécule si nécessaire.

3. Servir bien chaud avec une purée de pommes de terre mélangées à une fine brunoise (1) de poireaux fondus, au beurre.

Cidre sec ou vin blanc :
Muscadet.

(1) Couper le poireau en deux ou en quatre dans le sens de la longueur puis émincer très finement.

130. *Baeckaoffe ou Bäckeofe*

Difficulté : ●
Coût : ●●●

ALSACE

La coopération
du boulanger et de son four
aide à réussir
cette fête de vin blanc
et des trois viandes – clefs
du terroir français

POUR 4 PERSONNES

Eléments principaux
400 g d'échine ou d'épaule de porc sans os
400 g d'épaule de mouton sans os
400 g de poitrine de bœuf désossée ou paleron
1 queue ou un pied de porc (facultatif)
1 kg de pommes de terre

250 g d'oignons
4 gousses d'ail
5 dl de vin blanc d'Alsace sec
1 bouquet garni.

Assaisonnements et condiments
Sel, poivre, thym, laurier, persil.

1. Découper la viande en morceaux de 100 g.
Émincer finement les oignons.
Mettre à mariner la viande avec le vin, les oignons, l'ail, le bouquet garni et le poivre.

2. Émincer les pommes de terre.
Disposer dans une cocotte en terre, une couche de pommes de terre, la viande et les oignons puis une nouvelle couche de pommes de terre et d'oignons.
Assaisonner chaque couche.
Mouiller avec le vin blanc.

3. Fermer la cocotte avec son couvercle et faire cuire obligatoirement au four du boulanger pendant 2 h à 2 h 30.
Servir tel quel accompagné d'une salade de saison.

Vin blanc ou rouge :
Tokay d'Alsace, Pinot noir ou blanc.

131. Potée lorraine

Difficulté : ●
Coût : ●●

LORRAINE

La potée lorraine est
une ancienne soupe,
du temps que la soupe
n'était pas un simple
bouillon, et faisait l'essentiel
du repas dit « souper ».
Il y a un siècle,
le vignoble lorrain était
dix fois plus grand
qu'aujourd'hui,
mais les vins (français)
de la Moselle et les Côtes
de Toul défendent
encore solidement
les qualités du passé.

Vin blanc : *Klang, vin
de la Moselle.*
Vin rosé :
Clairet de Moselle.

POUR 4 PERSONNES

Eléments principaux
1 jambonneau dessalé ou
  une palette de porc
250 g de poitrine de porc
  maigre non salée
1 saucisson à cuire
200 g de couennes fraîches
250 g de carottes
200 g de navets

250 g de poireaux
1 kg de pommes de terre
1 petit chou vert
1 bouquet garni.

**Assaisonnements
et condiments**
Sel, poivre fraîchement
moulu.

1. Faire blanchir un chou vert entier :
mettre le chou à l'eau froide et le retirer après quelques
minutes d'ébullition.
Rafraîchir le chou à l'eau courante.

2. Tapisser avec les couennes le fond d'une marmite en
terre.
Disposer au-dessus, le jambonneau, le lard ou la palette
de porc, les carottes, les navets, les poireaux en petits
bouquets ficelés et le chou vert entier.
Enfouir le bouquet garni.
Recouvrir à hauteur d'eau froide.

3. Faire cuire à four doux pendant 2 h 30.
Piquer avec une aiguille le saucisson, l'ajouter à la
potée et laisser cuire encore pendant 30 min.
Mettre à cuire séparément les pommes de terre à
l'anglaise ou à la vapeur.
Servir généreusement la potée avec les pommes de
terre.

132. Pounti auvergnat

Difficulté : ●●●
Coût : ●●

AUVERGNE

Le pounti rend hommage
à un légume vert
trop dédaigné aujourd'hui,
les feuilles de blette ou bettes.
Au Moyen Age, elles étaient
le principal ingrédient
d'une soupe très populaire,

POUR 4 PERSONNES

Eléments principaux

200 g de viande de porc ou
  de jambon
200 g de poitrine de porc
  maigre fraîche

100 g de feuilles de blettes
100 g d'oseille
50 g d'oignons
2 cuillerées à potage de
  persil haché
20 g de beurre.

la porée, ce qui leur valut le nom de poirée.
Avant ses Halles,
Paris n'avait comme centre commercial que « la rue du Marché à la poirée ».
Le pounti peut se consommer chaud, ou froid avec des condiments.

Vin rouge : *d'Auvergne, Saint-Pourçain.*

**Eléments
de l'appareil à flan**
*2,5 dl de lait
  2 œufs entiers et 2 jaunes
75 g de farine tamisée.*

Eléments de garniture
*100 g de pruneaux dénoyau-
        tés.*

**Elément
complémentaire**
*20 g de beurre pour grais-
  ser la sauteuse.*

**Assaisonnements
et condiments**
Sel, poivre, muscade.

1. Ciseler finement les oignons et les faire suer et cuire au beurre sans coloration, à couvert, pendant 5 mn.

2. Hacher, de préférence au couteau, les viandes, les feuilles de blettes, l'oseille et le persil.
Ajouter les oignons cuits.
Assaisonner de sel, de poivre et mélanger le hachis.

3. Battre les œufs.
Incorporer la farine et le lait.
Verser la composition sur le hachis et mélanger.

4. Beurrer grassement une sauteuse en terre.
Garnir avec le pounti.
Enfouir quelques pruneaux.

5. Faire cuire à four chaud pendant 10 min, puis à four modéré pendant 1 h.
Le pounti peut également être cuit au bain-marie à four modéré pendant 1 h 30.

133. *Andouillettes bourguignonnes*

Difficulté : ●
Coût : ●●

BOURGOGNE

La géographie
de l'andouillette
ne se confond pas avec
celle de l'andouille.
L'andouillette de Cambrai
est pur veau,
celle de Fargeau (Loiret)
pur porc, mais avec
beaucoup d'oignons.
L'andouillette
bourguignonne
est un savoureux mélange
de fraises de veau
et de fraises de porc.
Il n'est pas trop
de l'A.A.A.A.A. (Association
Amicale des Amateurs
d'Authentiques
Andouillettes)
pour s'y reconnaître.

POUR 4 PERSONNES

**Eléments
principaux**
*600 g d'andouillettes
30 g de beurre.*

**Eléments
du beurre d'escargot**
100 g de beurre

*10 g d'échalotes
1 gousse d'ail
1 cuillerée à café de persil
  haché.*

**Assaisonnements
et condiments**
Sel, poivre.

1. Préparer le beurre d'escargot.
Ciseler très finement les échalotes.
Hacher le persil et l'ail.
Malaxer tous ces ingrédients avec 100 g de beurre ramolli.

2. Couper en rouelles de 1 cm d'épaisseur les andouillettes, et les faire rissoler dans 30 g de beurre chaud.

3. Égoutter totalement la graisse et la remplacer par le beurre d'escargot.

Faire sauter sans laisser cuire le beurre.

Servir aussitôt.

Vin blanc :
Montagny, Rully, Aligoté.

134. Andouillettes de Troyes en ficelle

Difficulté : ●●●
Coût : ●●

CHAMPAGNE

L'andouillette est ici pur porc. L'onctueux gratin qu'elle compose peut nous donner l'occasion de découvrir un cru rare : le rosé des Riceys que l'Aube produit. Il fut mentionné dès 711. Sa vinification est très délicate. Il lui faut au moins dix-huit mois de fût. Les vignerons préfèrent, à ce compte, livrer leur récolte pour la préparation du champagne.

POUR 4 PERSONNES

Elément principal
4 andouillettes de Troyes.

**Eléments
de la pâte à crêpes**
*40 g de farine tamisée
1 œuf
1 dl de lait cru
1 prise de sel
15 g de beurre pour cuire les
crêpes.*

**Eléments
de la sauce Béchamel**

*35 g de beurre
35 g de farine
5 dl de lait.*

**Eléments
complémentaires**
*50 g de fromage râpé
50 g de beurre.*

**Assaisonnements
et condiments**
Sel, poivre de Cayenne, muscade, moutarde.

1. Confectionner et faire cuire les crêpes sans sucre (1).

2. Plonger les andouillettes dans l'eau frémissante salée et les laisser pocher pendant 15 min environ (ou les faire griller).

Égoutter et réserver au chaud.

3. Préparer la sauce Béchamel pendant la cuisson des andouillettes :

mettre à fondre le beurre dans une casserole et ajouter la farine.

Remuer et faire cuire environ 4 à 5 min à feu doux.

Verser peu à peu 5 dl de lait froid en fouettant pour obtenir une sauce bien homogène et sans grumeaux.

Assaisonner de sel, de poivre de Cayenne, de quelques râpures de noix muscade et d'une demi-cuillerée de moutarde forte.

(1) Voir en fin de volume les recettes des préparations de base.

4. Beurrer un plat à gratin.

Mettre un peu de béchamel dans le fond du plat.

Envelopper chaque andouillette dans une crêpe, et les disposer dans le plat.

Recouvrir de sauce Béchamel.

Saupoudrer de fromage râpé.

Arroser de beurre fondu et faire gratiner au gril ou au four.

Vin rosé.

135. Boudin à la flamande

Difficulté : ●
Coût : ●

FLANDRES

Les Flamands ont une manière subtile d'accommoder les pruneaux et les raisins secs. Leurs boudins régionaux peuvent être farcis aux pommes, aux châtaignes ou comme ici aux raisins secs. A défaut de boudin ainsi confectionné, on pourra présenter un boudin ordinaire, grillé avec une bouillie de semoule, parfumée aux amandes et aux raisins secs macérés dans du genièvre.

POUR 4 PERSONNES

Eléments principaux
750 g de boudin aux raisins (1)
1 kg de pommes fruits

150 g de beurre.

Assaisonnements et condiments
100 g de sucre semoule.

1. Piquer le boudin avec une aiguille.

Beurrer grassement un plat à gratin contenant juste le boudin.

Faire réchauffer au four.

2. Peler et couper les pommes en quartiers. Saupoudrer de sucre semoule.

Faire sauter et légèrement caraméliser les quartiers de pommes au beurre.

3. Servir aussitôt le boudin aux pommes bien chaud.

(1) Si on ne peut se procurer du boudin aux raisins, spécialité de la région de Valenciennes, on pourra réaliser cette recette de la manière suivante :
faire macérer la veille 50 g de raisins de Corinthe dans 5 cl de liqueur de genièvre.
Ajouter les raisins au boudin et réchauffer au four.

D'après une spécialité de Mme France Barth

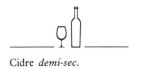

Cidre *demi-sec.*

136. Salade de cervelas

Difficulté : ●
Coût : ●

ALSACE

Comme son nom ne l'indique guère, le cervelas est

POUR 2 PERSONNES

Eléments principaux
2 cervelas d'Alsace
30 g d'oignons.

Eléments de la vinaigrette
3 cuillerées à potage d'huile

une grosse saucisse, faite d'une farce maigre fine, soit pur porc, soit porc et bœuf.

1 cuillerée à potage de vinaigre
un peu de moutarde.

Eléments de garniture
Quelques feuilles de laitue

1 œuf dur
1 pincée de persil haché.

Assaisonnements et condiments
Sel, poivre fraîchement moulu.

1. Faire cuire l'œuf pendant 10 à 12 mn à l'eau bouillante. Le rafraîchir et l'écaler.

2. Garnir le plat de service avec quelques feuilles de laitue. Retirer la peau des cervelas.
Couper chacun d'eux dans le sens de la longueur.
Inciser finement (sans couper totalement) la partie bombée et ranger les cervelas, côté lisse sur la laitue.
Ciseler également finement l'oignon et le répartir sur les cervelas.
Couper l'œuf en deux ou en quatre dans le sens de la longueur.
Disposer les quartiers d'œuf sur le plat.

3. Préparer la vinaigrette légèrement moutardée et arroser les cervelas. Parsemer de persil haché.

Vin blanc :
Sylvaner, Pinot blanc.
Vin rosé.

137. Fromage de tête vendéen

Difficulté : ●●●
Coût : ●●

POITOU

Pourquoi se donner tant de peine pour une préparation assez difficile qui se trouve si aisément dans le commerce? Qui a dégusté un pâté de tête réalisé « à la ferme », après le tuage du porc, conviendra toujours que les deux préparations n'ont absolument rien de commun.

POUR 8 PERSONNES

Eléments principaux
1/2 tête de porc échaudée et grattée
1 langue de porc
250 g de couennes de porc
200 g d'oignons dont un piqué de 4 clous de girofle
100 g de carottes
50 g d'échalotes

5 dl de vin blanc sec
1 bouquet garni
3 gousses d'ail.

Elément complémentaire
1 dl de vinaigre de vin.

Assaisonnements et condiments
Sel, poivre blanc, épices, 4 clous de girofle.

1. Laver très soigneusement la tête de porc, la langue et les couennes, et les mettre à dégorger au frais pendant 24 h dans de l'eau froide.

2. Disposer la tête et les couennes de porc dans une marmite.
Couvrir d'eau froide et porter à ébullition lentement.
Écumer constamment très soigneusement et à fond.

Ajouter les légumes et les aromates ainsi que le vin blanc. Assaisonner de sel, poivre blanc fraîchement moulu et d'épices.

Poser au-dessus du liquide de cuisson un linge propre mouillé à l'eau froide (pour éviter le contact avec l'air).

3. Laisser cuire à très léger frémissement pendant 2 h. Ajouter la langue de porc et continuer la cuisson pendant 2 h environ.

4. Retirer et désosser la tête (les os se retirent très facilement lorsque la tête est cuite). Dégraisser.

Enlever la peau de la langue.

Couper en gros morceaux les chairs et la couenne et garnir une terrine ou un plat creux de viande par couches successives de tête, de langue et de couennes.

5. Dégraisser complètement et passer lentement le bouillon sur une mousseline mouillée à l'eau froide, placée au-dessus d'une passoire (ou clarifier avec un blanc d'œuf si nécessaire) (1).

Verser au-dessus du fromage de tête.

Réserver au frais pendant 24 h et démouler.

(1) Ajouter au bouillon tiède un blanc d'œuf. Porter sans précipitation à ébullition et passer ensuite à la mousseline.

Vin blanc :
Sauvignon du Poitou.
Vin rosé :
Cabernet de Saumur.

138. *Gayettes de foie de porc*

Difficulté : ●●
Coût : ●●

PROVENCE

La gayette, ou caillette,
est un morceau de crépinette
qui sert d'enveloppe
à un hachis savoureux.
**En Ardèche et
dans la Drôme,
ce hachis sera largement
additionné d'herbes.**

POUR 8 PERSONNES

**Eléments
principaux**
*500 g de foie de porc
500 g de graisse d'intestin ou
    de lard gras frais sans
    couenne
15 g d'ail*

*1 morceau de crépinette
    ou toilette de porc
100 g de saindoux.*

**Assaisonnements
et condiments**
Sel, poivre, sucre, épices.

1. Tremper la crépinette dans de l'eau un peu tiède pour la faire ramollir.

Détailler en lardons (bâtonnets de 1 cm de côté sur 8 cm de longueur), le foie de porc et le lard. Réserver séparément.

Assaisonner de sel, de poivre fraîchement moulu, de 5 g de sucre, d'épices et d'ail finement broyé.

Découper la crépinette égouttée en 8 morceaux carrés de 15 cm de côté.

Ranger au centre une couche de gras, puis une couche de foie en alternant, pour finir par une couche de gras. Envelopper et entourer chaque gayette de quelques tours de fil.

2. Disposer sur un plat graissé les 8 crépinettes et arroser de saindoux.

Faire cuire à four moyen pendant 1/2 h environ.

Laisser refroidir et servir comme hors-d'œuvre seulement le lendemain.

Vin rosé :
*Côtes de Provence,
Coteaux varois.*

139. Quenelles de foie ou lewerknepfle

Difficulté : ●●●
Coût : ●●

ALSACE

Les Alsaciens sont de savants préparateurs de quenelles; ils apprécient le bouillon aux quenelles à la mœlle (marknepfle), le potage aux noques, quenelles de farine et d'œufs, ou ces quenelles de foie dont ils garnissent la choucroute, mais qu'ils font aussi simplement revenir au beurre, avec des oignons ou des échalotes.

POUR 10 QUENELLES

Eléments principaux
125 g de foie de porc ou de génisse
75 g de lard gras fumé ou non
65 g de mie de pain
1 dl de lait
50 g d'oignons
25 g de farine ou de

semoule très fine
15 g de persil
1 gousse d'ail (facultatif)
2 œufs
3 cl d'huile.

Assaisonnements et condiments
Sel, poivre fraîchement moulu, noix muscade.

1. Faire tremper la mie de pain dans le lait et bien la presser.

Émincer et faire suer sans coloration les oignons dans l'huile.

Hacher finement le foie, le lard, la mie de pain, les oignons et l'ail.

Mélanger dans une terrine.

Ajouter la farine ou la semoule, le persil haché, un œuf entier et un jaune battus en omelette.

2. Travailler pendant 5 min la farce (lisser) à l'aide d'une spatule en bois.

3. Mouler et pocher les quenelles à l'eau frémissante salée pendant 10 min environ à l'aide de deux cuillères à potage :

prendre la farce avec la première cuillère. La mouler avec la deuxième pour lui donner la forme d'un oeuf et faire tomber la quenelle en glissant la deuxième cuillère sous la farce.

4. Retirer les quenelles à l'aide d'une écumoire et les faire égoutter sur un linge.

Vin rosé :
Pinot rosé d'Alsace.

140. Saupiquet du Morvan

Difficulté : ●●●●
Coût : ●●●

NIVERNAIS

Au temps du roi Henri IV, Saupiquet était un célèbre chef, attaché à la maison du baron de Vieuville... Mais il n'a rien de commun avec cette fameuse manière morvandelle d'accommoder le jambon. Ici « saupiquet » voudrait plutôt signifier « piqué avec du sel ».

Vin blanc : *Pouilly.*

POUR 6 PERSONNES

Eléments principaux
- 6 tranches épaisses de jambon cuit à l'os
- 30 g de beurre
- 50 g d'échalotes
- 1 dl de madère.

Eléments de la sauce hollandaise

- 300 g de beurre
- 5 jaunes d'œufs
- 1/2 citron
- 2 cuillerées à café de vinaigre blanc.

Assaisonnements et condiments
Sel, poivre.

1. Préparer la sauce hollandaise (1).

2. Faire colorer sur un feu très doux les tranches de jambon.
Ciseler les échalotes.
Retirer le jambon après coloration et faire suer les échalotes, 2 à 3 min environ.
Déglacer avec le madère et laisser réduire presque entièrement.
Mouiller avec 2 dl d'eau, laisser réduire à nouveau de moitié, et passer à la passoire fine.

3. Incorporer délicatement ce jus à la sauce hollandaise.

4. Dresser les tranches de jambon sur un plat et les napper de sauce.
Faire glacer très vivement sous le gril. Servir aussitôt.

(1) Voir en fin de volume les recettes des préparations de base.

141. Jambon au foin

Difficulté : ●●●
Coût : ●●●

LORRAINE

Une façon originale, curieuse et surtout très écologique de déguster le jambon. Elle est onéreuse, mais convient pour un grand nombre de participants.

POUR UN JAMBON ENTIER (1)

Elément principal
- 1 jambon frais.

Eléments du sel sec

(composition pour 1 kg de gros sel)
- 1 kg de gros sel
- 50 g de salpêtre
- 100 g de sucre semoule

5 g de poivre concassé
5 g d'épices
5 g d'herbes aromatiques.

**Elément
complémentaire**
Foin.

1. Préparer le sel sec : mélanger le gros sel, le salpêtre et le sucre.

Ajouter le poivre, les épices et les herbes aromatiques.

2. Mettre au sel le jambon pendant deux semaines : frotter le jambon du jambonneau vers le quasi avec le sel sec et l'enfouir entre deux bonnes couches.
Tenir dans un endroit bien frais.

3. Mettre à dessaler le jambon dans l'eau froide 12 h., en changeant souvent l'eau.
L'égoutter, l'envelopper dans un linge et le coudre.

4. Disposer le jambon dans une grande marmite, bien calé entre deux bonnes couches de foin.
Mouiller amplement à l'eau et faire cuire 4 à 5 h.

(1) Recette pouvant être réalisée avec un morceau de jambon frais à faire saler, ou avec du jambon salé vendu chez le charcutier.

Bière
ou vin blanc :
*de la Moselle, Gris de
Toul.*

142. *Rillettes de la Sarthe*

Difficulté : ●
Coût : ●●

MAINE

Les rillettes du Mans
se réalisent
de la même manière
mais la composition
est différente
(400 g de porc maigre
pour 600 g de gras de porc).
Elles sont plus moelleuses,
mais aussi
un peu plus grasses.

POUR 8 PERSONNES

Eléments principaux
*700 g de porc maigre
300 g de gras de porc
 40 g d'oignons.*

**Assaisonnements
et condiments**
*24 g de sel fin, 1 g de poivre
blanc, 1 g d'épices.*

1. Couper le porc en petits dés et le gras en lardons.
Ciseler les oignons.

2. Mettre tous les ingrédients dans une casserole.
Assaisonner.
Faire cuire sur un feu très doux pendant 6 h en remuant souvent à l'aide d'une spatule en bois.

3. Retirer la graisse.
Écraser le maigre avec un pilon ou une louche.
Ajouter peu à peu la graisse en remuant avec la spatule pour obtenir un mélange bien homogène.

4. Verser la composition encore chaude dans des pots à rillettes ou des récipients et couvrir d'une feuille de papier d'étain ou sulfurisé.
Laisser refroidir. Servir 24 h après.

Cidre sec,
vin blanc : *Jasnière.*

143. Saucisson chaud à la lyonnaise

Difficulté : ●
Coût : ●●

LYONNAIS

Saucisson et salade
ont le même radical latin :
sal, qui signifie sel.
Loin de tout pédantisme,
ils se retrouvent ici :
la succulente pièce
de charcuterie lyonnaise,
et les pommes de terre
à la vapeur.

POUR 4 PERSONNES

Elément principal
*1 saucisson à cuire de 600
à 800 g.*

Eléments de la garniture
1 kg de pommes de terre

*100 g de beurre
1 paquet de persil frisé.*

**Assaisonnements
et condiments**
Sel.

1. Piquer légèrement le saucisson de Lyon pur porc avec une épingle, le mettre dans une casserole et le couvrir d'eau froide.
Porter à ébullition et laisser cuire à simple frémissement pendant 20 min. Laisser tiédir dans le jus de cuisson.

2. Éplucher et faire cuire les pommes de terre à la vapeur.

3. Détailler le saucisson en tranches sur un plat sans enlever la peau.
Servir aussitôt avec les pommes de terre chaudes et du beurre frais présenté à part.

Vin blanc : *Condrieu,*
ou rosé : *Beaujolais*

144. Jambon persillé de Dijon

Difficulté : ●●
Coût : ●●●

BOURGOGNE

Cette magnifique spécialité froide était jadis réservée aux festivités pascales. Au même titre que l'andouillette, elle fait partie de la grande gastronomie charcutière de la Bourgogne, où tant de vins aimables font passer le goût du salé.

POUR 8 PERSONNES

Eléments principaux
1/2 kg de jambon salé (1)
1 pied de veau blanchi
100 g de couennes fraîches
50 g d'échalotes
80 g d'oignons
100 g de carottes
1 fort bouquet garni avec
2 feuilles de sauge
3 dl de vin blanc sec.
Eléments de la persillade

200 g de persil haché
30 g d'estragon (facultatif)
30 g de cerfeuil
50 g d'échalotes
2 gousses d'ail
20 g de beurre.

Assaisonnements et condiments
Sel, poivre en grains, clou de girofle.

1. Faire bien dessaler la viande à l'eau froide pendant 2 h.
La mettre ensuite dans une casserole et la couvrir d'eau froide.
Porter à ébullition. Jeter l'eau et rafraîchir le jambon à l'eau courante.

2. Réunir dans l'ordre, dans une marmite contenant juste tous les ingrédients, la viande, les échalotes entières, l'oignon piqué de 3 clous de girofle, les carottes, le bouquet garni, le pied de veau et le vin blanc.
Mouiller à hauteur d'eau.
Ajouter les grains de poivre. Saler légèrement.
Recouvrir avec les couennes fraîches et poser au-dessus une feuille de papier sulfurisé.

3. Faire cuire à couvert pendant 2 h 30 à toute petite ébullition. Laisser refroidir dans le jus de cuisson.

4. Préparer la persillade : ciseler finement les échalotes, écraser l'ail et les faire étuver lentement dans 20 g de beurre.
Ajouter hors du feu, le persil, le cerfeuil et l'estragon hachés.

5. Retirer le jambon refroidi et le découper en morceaux. Écraser légèrement chaque morceau à l'aide d'une fourchette.

6. Tapisser une terrine avec un peu de persillade.
Disposer au-dessus une couche de jambon et continuer en alternant les deux éléments.
Terminer par une couche de persillade.
Tasser et presser le jambon.

Vin blanc :
Petit Chablis, Aligoté.

(1) En cuisine familiale, le jambon peut être remplacé par de l'épaule de porc.

7. Dégraisser la gelée (jus de cuisson), la réchauffer à peine et la passer délicatement au chinois (passoire fine).

Verser la gelée presque froide dans la terrine.

Réserver au frais 24 h.

145. Confit de porc

Difficulté : ●●●
Coût : ●●●

BÉARN

Les confits de volaille se préparent de la même façon. La conservation reste assurée par la couche de graisse de couverture, qui doit toujours rester propre et épaisse.

POUR CINQ BOCAUX D'UN LITRE

Eléments principaux
3 kg de porc sans os (palette, filet)
1,5 kg de panne ou de lard.
Eléments pour le salage de la viande

2 kg de sel marin
100 g de sucre semoule
7 g de poivre blanc en grains
laurier, thym, sauge, baies de genièvre.

1. Couper le porc en morceaux et le dégraisser.

Mélanger tous les éléments de salage de la viande.

Garnir un récipient en grès de la moitié du sel de salage. Disposer la viande au-dessus.

Recouvrir avec le reste de sel.

Placer une planchette au-dessus avec un poids pour tasser la viande. Laisser au frais pendant 24 h.

(Supprimer cette opération, si la viande est salée par le charcutier.) Faire dessaler la viande à l'eau froide courante pendant 2 h ou plus si nécessaire.

2. Couper la panne ou le lard en petits dés et la faire fondre à feu doux. Passer à l'étamine.

3. Bien éponger les morceaux de porc et les faire revenir dans une cocotte avec un peu de graisse fondue.

Ajouter le reste de graisse après coloration de la viande et laisser cuire à feu doux pendant 2 à 3 h suivant la qualité du porc.

Arrêter la cuisson lorsque la chair est très tendre. Une cuisson trop prolongée rendrait la viande dure et sèche.

4. Laver et ébouillanter les bocaux.

Laisser bien sécher.

Ranger les morceaux de porc dans les pots.

Recouvrir de 2 cm au moins avec la graisse bien bouillante. Laisser refroidir 24 h.

Ajouter ensuite encore un peu de graisse fondue.

Poser au-dessus un papier sulfurisé et fermer le bocal.

Conserver au frais.

Vin rouge :
Madiran, Saint-Émilion.

Chapitre VI

VOLAILLES, GIBIERS

146. Poularde de la mère Filloux

Difficulté : ●●●
Coût : ●●●●

LYONNAIS

C'est Lyon qui a inventé
« les mères » :
probablement, à l'origine,
quelques « cordons bleus »
retraitées de maison
bourgeoise et soucieuses
de continuer à leur compte
un art savoureux.
Ces femmes,
à l'image des « mères »
du compagnonnage,
ne s'en laissaient pas compter.
A la façon aussi un peu
des « sorcières » d'autrefois,
elles connaissaient
des secrets onctueux
pour attiser et guérir la faim
des plus blasés.
Ces « philtres » là
les ont rendues célèbres
au XXᵉ siècle, mère Rijean,
mère Filloux, mère Brazier,
mère Brigousse.
A cause de la couleur
de ses truffes,
la poularde de la mère
Filloux est dite
aussi « demi-deuil ».

Vin rouge
*Moulin à vent, Juliénas,
Saint-Amour.*

POUR 4 PERSONNES

Eléments principaux
1 volaille de Bresse de
  1,4 kg environ
2 truffes moyennes bros-
  sées et pelées.

**Eléments
du fonds de volaille**
  1 poule
160 g de carottes
 80 g d'oignons
  1 bouquet garni avec une
  branche de céleri

2 l d'eau.

**Eléments
de garniture**
500 g de carottes
250 g de blancs de poireaux
150 g de navets (facultatif)
 50 g de beurre.

**Assaisonnements
et condiments**
Sel, poivre blanc, poivre en
grains, clou de girofle.

1. Préparer un fonds de volaille avec la poule et tous les ingrédients (1).

2. Flamber et vider la volaille de Bresse.
Émincer les truffes et les glisser généreusement sous la peau des cuisses et du bréchet.

3. Mettre la poularde dans le fonds refroidi.
Ajouter les carottes, les poireaux et les navets.
Porter vivement à ébullition, écumer et laisser cuire à simple frémissement pendant 30 min environ.
Couvrir à moitié avec un couvercle.
Retirer les légumes du bouillon.
Réduire le feu, juste pour conserver la poularde au chaud et la tenir ainsi pendant 20 min.

4. Faire suer les légumes de la garniture au beurre sur un feu doux à couvert.

5. Dresser la volaille sur un plat et mettre les légumes tout autour.
Facultatif : ajouter des pommes cuites à la vapeur.
Présenter, à part, un ravier de cornichons, du gros sel, et de la moutarde.

Variante :
  On peut présenter la poularde avec une sauce béarnaise (1) additionnée de raifort râpé.

(1) Voir en fin de volume les recettes des préparations de base.

147. Poularde à la Vichy

Difficulté : ●●
Coût : ●●●

BOURBONNAIS

Le Bourbonnais avait
beaucoup développé
l'aviculture. Les élevages
de cinquante à cent poules,
de cinq cents poulets,
d'une centaine d'oies
et de dindons,
n'y étaient pas rares.
Les principes du métayage
qui laissent le paysan
largement maître
de sa production de volailles,
y étaient respectés.
L'élevage industriel
pratiqué ailleurs
a beaucoup nui
à cette production,
mais les traditions culinaires
demeurent.

POUR 8 PERSONNES

Eléments principaux

1 poularde de 2 kg environ
1 citron.

Eléments de garniture aromatique

150 g d'oignons
200 g de carottes
150 g de poireaux
1 bouquet garni avec une branche de céleri.

Eléments de la sauce

100 g de rouge de carotte
150 g de beurre
120 g de farine
4 dl de crème fraîche.

Elément de finition

100 g de beurre.

Assaisonnements et condiments

Sel, poivre blanc, clous de girofle, sucre.

1. Flamber, vider et brider la volaille.
Frotter la peau avec le jus d'un citron.
Préparer toute la garniture aromatique. Piquer un oignon de deux clous de girofle.

2. Mettre la poularde dans une casserole et bien la couvrir d'eau.
Porter vivement à ébullition.
Écumer souvent et à fond. Saler.
Ajouter toute la garniture aromatique.
Faire bouillir, écumer et laisser cuire à feu doux à simple frémissement pendant 40 à 50 min.
Couvrir à moitié.

3. Préparer le roux blanc :
faire fondre 120 g de beurre dans une sauteuse, à feu doux.
Ajouter la farine dans le beurre fondu.
Remuer constamment à l'aide d'une spatule en bois.
Faire cuire pendant 4 à 5 min à feu doux, jusqu'à ce que la composition mousse et devienne plus blanche.
Laisser refroidir.

4. Faire étuver le rouge émincé des carottes avec 30 g de beurre et un peu de bouillon de volaille.

5. Retirer la poularde dès que la cuisson est à point.
Tenir au chaud.
Passer le fonds (3 l environ) au chinois (passoire fine) et le verser bien bouillant sur le roux blanc froid.
Fouetter pour obtenir un velouté bien homogène.
Faire bouillir et cuire ensuite à feu doux pendant 8 min en remuant très fréquemment.

Ajouter la crème fraîche et laisser réduire à nouveau lentement pendant 20 min.

6. Passer les carottes au chinois ou au moulin à légumes grille fine et les adjoindre à la sauce. Incorporer, hors du feu, 100 g de beurre par petites parcelles.

7. Enlever la peau de la poularde, la dresser aussitôt, bien égouttée, sur un plat creux et la napper de sauce Vichy.

Vin gris :
Saint-Pourçain.

148. Coq à la bière

Difficulté : ●●
Coût : ●●●

PICARDIE

La « Chevalerie du Fourquet », confrérie belge de la bière, assure que près de trois cents recettes peuvent utiliser judicieusement le liquide blond ou brun cher à Gambrinus. Dans les plats au vin, d'origine plus méridionale, la bière remplace à bon droit le jus de la treille. Attention : elle doit être ici légère et sans amertume.

POUR 4 PERSONNES

Eléments principaux
  1 petit coq d'environ 1,5 kg
  50 g de saindoux
  80 g de carottes
  60 g d'échalotes.

Eléments de la sauce
  5 dl de bière
  5 cl d'alcool de genièvre
  1 dl de crème fraîche

  épaisse
  1 bouquet garni.

Eléments de garniture
  250 g de champignons
  1 citron
  20 g de beurre.

Assaisonnements et condiments
  Sel, 10 grains de poivre.

1. Couper le coq en 8 morceaux.
Émincer les carottes et ciseler les échalotes.

2. Faire dorer sans précipitation les morceaux de volaille dans une cocotte avec du saindoux.
Ajouter les carottes puis, en dernier, les échalotes. Laisser légèrement colorer.
Dégraisser (enlever l'excédent de matière grasse).
Adjoindre l'alcool de genièvre, flamber et mouiller avec la bière.
Ajouter le bouquet garni et saler (les grains de poivre seront ajoutés seulement 5 min avant la fin de la cuisson du coq). Porter vivement à ébullition à découvert, puis couvrir et laisser mijoter à feux doux.

3. Mettre dans une petite casserole, les champignons coupés en quartiers avec 20 g de beurre, un petit filet de citron et juste assez d'eau pour les couvrir. Saler.
Poser une feuille de papier d'aluminium au-dessus et laisser cuire à feu moyen.

4. Retirer les morceaux de volaille et les tenir au chaud.

Bière.

Faire réduire la sauce d'un tiers puis ajouter la crème fraîche épaisse et l'eau de cuisson des champignons. Laisser encore réduire et passer au chinois (passoire fine).

5. Dresser la viande sur un plat.
Garnir avec les champignons et napper le tout avec la sauce. Servir bien chaud.

149. Coq au vin de Chanturgues

Difficulté : ●●●●
Coût : ●●●●

AUVERGNE

Le vin de Chanturgues, qui fit jadis partie d'une très grande région viticole française, n'appartient guère qu'à la légende. N'importe. Un vin rouge de Gamay, léger comme lui, fera l'affaire et l'appellation « Coq au vin de Chanturgues » nous rappellera toujours que cette spécialité, peut-être aussi ancienne que Vercingétorix, fait la gloire de l'Auvergne.

POUR 4 PERSONNES

Elément principal
    1 coq d'environ 1,5 kg.

**Eléments
du fonds de volaille**
    Abattis et carcasse de la volaille
    80 g de carottes
    40 g d'oignons
    40 g de poireaux
    1 bouquet garni avec une branche de céleri
    1 l d'eau.

Eléments de la sauce
    2 dl de vin rouge de Chanturgues
    5 dl de fonds de volaille
    20 g de beurre

    20 g de farine.

Eléments de garniture
    150 g de poitrine de lard maigre fraîche
    150 g de petits oignons
    150 g de petits champignons de Paris
    80 g de beurre
    1/2 citron.

Elément de finition
    1 cuillerée à potage de persil haché.

**Assaisonnements
et condiments**
    Sel, poivre, clou de girofle, sucre.

1. Découper le coq en 8 morceaux (ailes et cuisses partagées en deux).
Réserver au frais.

2. Préparer le fonds de volaille (1).

3. Mettre les petits oignons de la garniture dans une sauteuse sans les superposer, avec 20 g de beurre.
Mouiller à hauteur d'eau froide.
Assaisonner de sel et de sucre.

4. Porter à ébullition et laisser ensuite à feu doux à couvert jusqu'à cuisson et évaporation totale de l'eau.

(1) Voir en fin de volume les recettes des préparations de base.

Faire sauter quelques minutes dans la réduction pour les colorer légèrement.

5. Mettre à cuire à feu doux et à couvert les champignons entiers ou coupés en quartiers, mouillés à l'eau froide additionnée d'un filet de citron, et de 20 g de beurre.

Assaisonner.

6. Couper le lard découenné en petits lardons. Cuire ensuite à l'eau sur un feu modéré pendant 10 min, égoutter et le faire revenir ensuite au beurre dans une sauteuse moyenne sans le dessécher.

Réserver dans un bol.

7. Ajouter les morceaux de volaille dans la graisse des lardons et les faire rissoler. Assaisonner.

Laisser cuire ensuite à couvert à feu doux pendant 30 min.

Retirer et réserver les morceaux au chaud.

8. Dégraisser légèrement le récipient si nécessaire. Déglacer avec le vin de Chanturgues (2) et dissoudre les sucs.

Laisser réduire de moitié sur un feu vif.

Verser 5 dl de fonds de volaille et laisser à nouveau réduire de moitié.

Incorporer en fouettant le beurre manié (20 g de beurre mélangé intimement avec 20 g de farine).

Faire cuire à feu doux encore pendant 10 min.

Rectifier l'assaisonnement et passer la sauce si nécessaire.

9. Ajouter la garniture dans la sauce pour la réchauffer.

Dresser le coq dans un plat creux.

Répartir la sauce et la garniture. Saupoudrer de persil haché.

Servir très chaud, avec des pommes de terre vapeur ou rissolées.

Vin rouge : *Auvergne.*

(2) (Facultatif) : pour enlever l'acidité du vin tout en lui conservant sa saveur, il est conseillé de le faire bouillir avant le déglaçage.

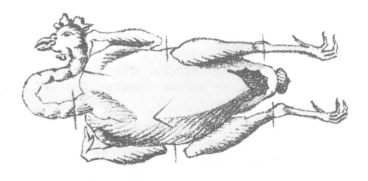

150. Épigrammes de poulet

Difficulté : ●●
Coût : ●●

LORRAINE

Un épigramme est un petit poème en langue grecque. Mais pourquoi baptiser « épigramme » une aile de poulet... ou une côtelette d'agneau? Cette erreur fut commise, dit-on, par Madame de Pompadour qui savait pourtant beaucoup de choses, mais ignorait sans doute le grec. Les cuisiniers de la marquise entrèrent, paraît-il, dans son jeu et se déclarèrent enchantés de ce nouveau prétexte à spécialités gourmandes.

Vin gris :
*Kentz, Toul,
vin de la Moselle.*

POUR 4 PERSONNES

**Eléments
principaux**
    4 ailes de poulet (1)
    80 g de beurre.

**Eléments
de la sauce**
    *3 dl de bouillon de
    volaille ou, à défaut,
    d'eau*
100 g de beurre frais.

Eléments pour paner
    2 œufs
    3 cl d'huile
    *300 g de mie de pain fraîche
    ou de chapelure*
    40 g de farine.

**Assaisonnements
et condiments**
*Sel, poivre blanc fraîche-
ment moulu.*

1. Laisser adhérer aux filets de la volaille l'os du moignon. Couper le reste et dégager la chair de l'os pour « manchonner » (2).

2. Faire sauter les filets au beurre, à feu doux. Assaisonner et retirer à mi-cuisson. Laisser tiédir.

3. Dégraisser en partie la sauteuse et déglacer avec le bouillon ou l'eau. Laisser réduire de moitié.

4. Passer au tamis la mie de pain fraîche.
Battre deux œufs en omelette, adjoindre l'huile, saler et poivrer.
Mettre la farine sur une assiette.
Passer chaque filet dans la farine, puis le tremper dans l'œuf, et enfin le rouler dans la mie de pain fine.
Mettre bien à plat les filets et marquer avec le côté non tranchant d'une lame de couteau un petit quadrillage sur un seul côté du filet.

5. Faire chauffer le beurre sans excès dans une poêle. Poser les filets sur la partie quadrillée. Faire cuire lentement sans remuer chaque face pendant 4 à 5 min.

6. Manchonner (2) et dresser les filets en turban, partie quadrillée au-dessus.
Monter la sauce bien chaude en lui incorporant hors du feu 100 g de beurre par petites parcelles.
Servir la sauce dans une saucière.
Les épigrammes de poulet s'accompagnent de petits pois, de pointes d'asperge, de salades ou de purées diverses.

(1) Autrefois, les épigrammes se préparaient avec l'aile et la cuisse du poulet, la cuisse étant pilée en farce mousseline en forme de côtelette, panée, sautée ou grillée.
(2) Facultatif : garnir d'une papillote, sorte de manchette en papier blanc, de belle présentation.

151. Escauton de volaille sarthoise

Difficulté : ●●●
Coût : ●●

MAINE

On pourra juger bien laborieux d'aller ainsi mettre en valeur deux ailes de poulet pour deux personnes. Mais les spécialités régionales peuvent relever du grand art culinaire, et celui-ci met en jeu tout à la fois calme, patience, lenteur calculée, diligence, attention... Toutes vertus qu'exige, il est vrai, la vie à deux et pas seulement l'escauton.

POUR 2 PERSONNES

Eléments principaux
2 ailes de poulet
20 g de farine
40 g de beurre
5 cl de madère.

250 g de petites pommes de terre
50 g de beurre
1 cuillerée à café de persil haché.

Eléments de garniture
250 g de carottes
250 g de haricots verts

Assaisonnements et condiments
Sel, sucre, poivre blanc.

1. Couper les carottes pelées en morceaux de 2 cm de longueur et les mettre dans une sauteuse sans les superposer.
Mouiller légèrement à l'eau froide.
Ajouter 10 g de beurre, du sel et un demi-morceau de sucre.
Faire cuire à couvert, à feu doux, jusqu'à cuisson et évaporation complète de l'eau de cuisson.
Glacer : laisser colorer légèrement les carottes dans la réduction.

2. Mettre à cuire les haricots verts à l'eau bouillante salée sur un feu vif. Les rafraîchir au terme de leur cuisson, à l'eau courante, et les égoutter. Les haricots verts ne doivent être ni trop cuits, ni trop craquants.

3. Peler les petites pommes de terre et les mettre dans une casserole, recouvertes largement d'eau froide. Ne pas saler.
Porter vivement à ébullition. Les retirer aussitôt et les égoutter dans une passoire.
Les faire ensuite rissoler, au beurre chaud sans excès, dans une sauteuse, à découvert, sans les superposer. Ne pas trop remuer. Saler après cuisson.

4. Faire cuire la volaille pendant la préparation de la garniture :
Enlever la peau et couper les ailerons du poulet.
Saler, poivrer et fariner légèrement chaque suprême (blanc de la volaille).
Laisser colorer légèrement au beurre, à couvert, d'abord sur le côté externe, puis retourner et laisser cuire à feu doux, toujours à couvert, pendant 15 à 20 min.

5. Dresser les suprêmes sur un plat rond.

Garnir avec les carottes glacées, les pommes de terre rissolées et les haricots verts.

Dégraisser, puis déglacer les sucs de la volaille avec le madère.

Faire réduire de moitié sur un feu vif.

Incorporer, hors du feu, 20 g de beurre.

Arroser de jus les suprêmes.

Saupoudrer les pommes de terre de persil haché.

Verser 20 g de beurre fondu sur les haricots verts.

Servir bien chaud.

Vin rouge :
Coteau du Loir.

152. *Poulet basquaise*

Difficulté : ●●●
Coût : ●●

BÉARN

**Il y a belle lurette
que le poulet à la basquaise
a dépassé les frontières
de sa province.
Mais l'Irouléguy,
vin assez rare
et produit du côté
de Saint-Jean-Pied-de-Port,
mérite qu'on le salue
avec transport.
Curnonsky assurait
qu'il fait « danser
les filles ».**

POUR 4 PERSONNES

**Eléments
principaux**
*1 poulet de 1,2 kg
5 cl d'huile d'olive.*

**Eléments
complémentaires**
*150 g de jambon de Bayonne
1 kg de tomates fraîches
80 g d'oignons*

*300 g de poivrons
2 gousses d'ail
5 cl d'huile
1 bouquet garni
1 cuillerée à café de persil
haché.*

**Assaisonnements
et condiments**
Sel, poivre, sucre, piment.

1. Disposer les poivrons sur une plaque avec un peu d'eau et les mettre 5 min à four chaud pour les peler plus facilement (facultatif).

Enlever les graines et couper les poivrons en fines lamelles.

Peler, épépiner et concasser les tomates.

Émincer finement les oignons.

2. Faire suer les oignons à l'huile en remuant à l'aide d'une cuillère en bois pendant 3 min.

Ajouter les poivrons, l'ail écrasé et faire cuire à feu doux pendant 7 min environ.

Adjoindre la tomate concassée et le bouquet garni.

Assaisonner de sel, d'une prise de sucre et de piment avec modération.

Laisser à couvert, à feu doux pendant 10 min, puis à feu modéré jusqu'à cuisson et complète évaporation de l'eau de végétation.

3. Vider, flamber et couper le poulet en quatre.

Assaisonner les morceaux avec du sel et du poivre et les mettre dans l'huile chaude sans excès sur un feu modéré, à couvert, pendant 10 min.

Laisser mijoter lentement ensuite à feu doux pendant 10 min environ.

4. Dresser le poulet sur un plat creux. Tenir au chaud.

Dégraisser le jus de cuisson.

Ajouter le jambon coupé en dés.

Laisser colorer légèrement.

Adjoindre tous les légumes.

Laisser compoter 2 à 3 min.

Napper les morceaux de poulet avec la sauce.

Saupoudrer de persil haché.

Accompagner d'un riz pilaf.

Vin rouge :
Irouléguy.

153. *Poulet à la catalane*

Difficulté : ●●
Coût : ●●

ROUSSILLON

Le vin blanc, qui mouille largement sa sauce, empêche qu'on le confonde avec la spécialité basquaise précédente. Mais c'est aussi un vrai méridional, qui a tout avantage à être dégusté l'été, quand les tomates fleurent bon.

POUR 4 PERSONNES

Eléments principaux
1 poulet de 1,2 kg
5 cl d'huile d'olive.

Eléments de garniture
400 g d'aubergines
400 g de courgettes
100 g d'oignons
100 g de jambon de montagne
100 g d'olives noires dénoyautées.

Eléments de la sauce
400 g de tomates

1 dl de vin blanc sec
2,5 dl de fonds de volaille, ou, à défaut, d'eau
3 gousses d'ail
1 bouquet garni.

Elément complémentaire
1 cuillerée à café de persil haché.

Assaisonnements et condiments
Sel, poivre.

1. Peler et couper en rondelles de 1 cm les aubergines et les courgettes.

Peler, épépiner et concasser les tomates.

Ciseler très finement les oignons.

Dénoyauter les olives noires.

2. Tailler le jambon en petits dés.

Couper le poulet en quatre, saler, poivrer et le faire revenir dans une casserole en terre, à feu modéré.

Retirer les quartiers après belle coloration.

Mettre les aubergines et les courgettes dans l'huile qui a servi à la cuisson de la volaille et faire sauter à feu vif.

Retirer et réserver.

Ajouter les oignons et le jambon et laisser suer 1 min. Dégraisser si nécessaire.

3. Mouiller avec le vin blanc.

Laisser réduire de moitié sur un feu vif en faisant dissoudre les sucs.

Additionner de fonds de volaille (1) ou d'eau.

Adjoindre les tomates concassées, l'ail écrasé et le bouquet garni.

Faire réduire à nouveau de moitié. Assaisonner de sel et de poivre.

4. Remettre le poulet et les légumes et laisser compoter à couvert à feu doux ou à four modéré pendant 15 à 20 min.

Ajouter, 5 min avant la fin de la cuisson, les olives noires.

Rectifier l'assaisonnement.

Saupoudrer de persil haché et servir tel quel.

(1) Voir en fin de volume les recettes des préparations de base.

Vin rouge :
Roussillon, dels Aspres, Corbières.

154. *Poulet aux écrevisses*

Difficulté : ●●●●
Coût : ●●●●

DAUPHINÉ

Les écrevisses savaient jadis que le Dauphiné était le château d'eau de la France, et elles en connaissaient bien les détours.

Leur disparition ou leur rareté ne doit pas empêcher la réalisation de ce savant mariage de saveurs terriennes et aquatiques.

POUR 4 PERSONNES

Eléments principaux
1 poulet de 1,2 à 1,5 kg
30 g de beurre.

**Eléments
du fonds de volaille**
Abattis et carcasse de la volaille
80 g de carottes
40 g d'oignons
40 g de poireaux
1 bouquet garni avec une branche de céleri
1 l d'eau.

Eléments de garniture
16 ou 20 écrevisses
80 g d'oignons
50 g d'échalotes

250 g de tomates fraîches
2 gousses d'ail
1 bouquet garni
6 cl d'huile
5 cl de cognac
2,5 dl de vin blanc sec
5 dl de fonds de volaille.

**Eléments
de la sauce**
2,5 dl de crème fraîche épaisse
1 cuillerée à café d'estragon haché.

**Assaisonnements
et condiments**
Sel, poivre de Cayenne, clou de girofle.

1. Découper la volaille en 8 morceaux (ailes et cuisses partagées en deux). Réserver au frais.

2. Préparer le fonds de volaille (1).

3. Faire revenir au beurre les morceaux de poulet.
Saler après belle coloration.
Retirer la sauteuse hors du feu.

4. Ciseler finement les oignons et les échalotes.
Peler, épépiner et concasser les tomates.
Châtrer (2) et trousser (3) les écrevisses. Les faire sauter à l'huile très chaude.
Jeter l'huile après coloration bien rouge des écrevisses.
Ajouter les oignons et les échalotes et faire suer 2 min.
Flamber au cognac et mouiller au vin blanc.
Laisser réduire très fortement.
Ajouter le fonds de volaille, la tomate concassée, l'ail écrasé et le bouquet garni.
Assaisonner de sel et de poivre de Cayenne.
Faire cuire environ 15 min.
Retirer les écrevisses et les réserver au chaud.

5. Mouiller le poulet avec le jus de cuisson des écrevisses et laisser cuire à simple frémissement pendant 30 min environ.
Retirer les morceaux de volaille et tenir au chaud.

6. Faire réduire la sauce de moitié sur un feu vif.
Ajouter la crème fraîche et l'estragon et laisser encore réduire pour obtenir une sauce onctueuse.
Rectifier l'assaisonnement.

7. Dresser les morceaux de poulet sur un plat et les napper de sauce.
Disposer les écrevisses tout autour.
Servir avec un riz créole (1).

Vin rouge :
*Hermitage, Cornas,
Condrieu.*

(1) Voir en fin de volume les recettes des préparations de base.
(2) Arracher la nageoire caudale (queue) centrale en entraînant le boyau intestinal.
(3) Retourner les pinces et piquer la plus petite sur le dernier anneau de la queue.

155. Poulet vallée d'Auge

Difficulté : ●●
Coût : ●●

NORMANDIE

Contrairement
à ce qu'on pourrait croire,
l'Auge n'est pas un
cours d'eau, mais un « pays »

POUR 4 PERSONNES

Eléments principaux
  1 poulet de 1 kg
50 g de beurre
  1 dl d'eau-de-vie de cidre.

Eléments de garniture

*500 g de pommes de reinette
  50 g de beurre.*

**Assaisonnements
et condiments**
Sel, poivre.

normand, de l'Est du Calvados. Il y pleut beaucoup, les rivières y sont nombreuses, et c'est le royaume de l'herbe et du pommier.

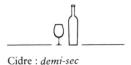

Cidre : *demi-sec*

1. Flamber, vider et découper le poulet en 4 morceaux et le faire sauter au beurre, à feu doux, à couvert, sans jamais laisser brûler le beurre.

Réserver les abats pour un autre usage.

2. Peler et couper les pommes en quartiers.

Beurrer grassement une terrine. Tapisser le fond avec les pommes.

3. Retirer les morceaux de volaille à mi-cuisson et les poser sur les pommes.

Dégraisser légèrement la sauteuse, la déglacer avec l'eau-de-vie de cidre. Arroser le poulet et les pommes avec ce jus.

4. Couvrir et faire cuire le tout à four chaud.

Servir dans la terrine.

156. *Fricassée de volaille aux morilles*

Difficulté : ●●●
Coût : ●●●●

BOURGOGNE

Comment le poète Baudelaire a-t-il pu dire que l'écrivain gastronome Brillat-Savarin était une « brioche insipide »? Peut-être parce que Baudelaire préférait les paradis artificiels aux « bonnes recettes » des régions françaises. Le grand Brillat était né à Belley, tout comme cette fricassée aux morilles, particulièrement succulente. Belley, Ain, capitale du Bugey, région de haute gastronomie, où même la brioche est sapide.

POUR 4 PERSONNES

Eléments principaux
   1 poulet de Bresse de 1,2 à 1,5 kg
50 g d'oignons
50 g de farine
40 g de beurre
   1 dl de vin blanc sec de bonne qualité.

Eléments du fonds de volaille
   Abattis et carcasse de la volaille.
80 g de carottes
40 g d'oignons
40 g de poireaux
   1 bouquet garni avec une
   branche de céleri
1 l d'eau.

Eléments de garniture
250 g de morilles fraîches
25 g d'échalotes
30 g de beurre.

Eléments de la sauce
   2,5 dl de crème fraîche épaisse
   2 jaunes d'œufs
1/2 citron.

Assaisonnements et condiments
Sel, poivre blanc, clou de girofle, noix muscade.

1. Découper la volaille en 8 morceaux (ailes et cuisses partagées en deux).

Réserver au frais.

2. Préparer le fonds de volaille (1).

(1) Voir en fin de volume les recettes des préparations de base.

3. Laver très soigneusement les morilles à plusieurs eaux, en supprimant les pieds.

Égoutter, couper en quartiers et étuver les champignons à couvert, au beurre, sur un feu doux, pendant 10 min.

Assaisonner.

4. Saler, poivrer et faire raidir les morceaux de volaille au beurre, sans coloration, dans une sauteuse, sur un feu doux, pendant 10 min, en retournant de temps en temps les morceaux.

Ciseler 50 g d'oignons et les adjoindre. Laisser suer 2 à 3 min.

Saupoudrer d'une cuillerée à potage de farine.

Mélanger délicatement.

5. Porter à ébullition et laisser réduire des deux tiers le vin blanc, dans une casserole à découvert (à faire pendant la cuisson du poulet).

Flamber (facultatif).

Incorporer au vin réduit, 5 dl de fonds de volaille et faire bouillir.

6. Mouiller les morceaux de poulet avec le fonds et le vin réduits et mélanger parfaitement le tout.

Laisser cuire doucement à couvert pendant 20 min, à feu doux.

7. Retirer les morceaux de volaille et les réserver au chaud dans un plat creux avec les morilles bien égouttées.

Ajouter 2 dl de crème fraîche et le jus de cuisson des morilles au fonds de volaille et laisser réduire de moitié.

Fouetter deux jaunes d'œufs avec 5 cl de crème fraîche et un filet de citron dans un bol.

Assaisonner de sel, de poivre et de quelques râpures de noix muscade.

8. Incorporer peu à peu cette composition pour lier la sauce (2) et la verser, à travers une passoire, sur le poulet et les morilles.

Mélanger le tout délicatement.

Servir aussitôt accompagné d'un riz créole (1).

Vin blanc :
Chablis grand cru,
Meursault.

---

(2) A faire juste au dernier moment. Ne plus faire bouillir.

157. Croûte de poulet aux salsifis

Difficulté : ●●●●
Coût : ●●●

ANGOUMOIS

Honneur au salsifis!
Ce légume d'hiver, cette humble racine de couleur ivoire « boit » à merveille les sucs et les graisses, il en rend au centuple les saveurs... Avant de juger compliquée et difficile cette spécialité, goûtez-la : vous oublierez d'un coup, toute la peine prise.

POUR 4 PERSONNES

Eléments principaux
 1 croûte en pâte feuilletée ou en pâte levée (1)
 1 poulet de 1,2 kg
 50 g d'oignons
 50 g de farine
 40 g de beurre.

 250 g de champignons de Paris
 150 g de petits oignons
 100 g de poitrine de porc maigre
 400 g de salsifis
 1/2 citron
 60 g de beurre.

Eléments du fonds de volaille
 Abattis et carcasse de la volaille
 80 g de carottes
 40 g d'oignons
 40 g de poireaux
 1 bouquet garni avec une branche de céleri
 1 l d'eau.

Eléments de garniture

Eléments de la sauce
 5 dl de fonds de volaille
 1 dl de vin blanc sec
 5 cl de cognac
 2,5 dl de crème fraîche épaisse
 2 jaunes d'œufs
 1/2 citron.

Assaisonnements et condiments
 Sel, poivre blanc, sucre, clou de girofle, muscade.

1. Découper la volaille en 8 morceaux (ailes et cuisses partagées en deux).
Réserver au frais.

2. Préparer le fonds de volaille (2).

3. Confectionner la garniture :
Couper en quartiers les champignons et les mettre dans une casserole avec 20 g de beurre.
Recouvrir juste d'eau additionnée d'un filet de citron. Assaisonner.
Faire cuire à couvert pendant 15 min environ.
Disposer les petits oignons, sans les superposer dans une sauteuse avec 20 g de beurre.
Mouiller à hauteur d'eau.
Saler, sucrer légèrement et laisser cuire à couvert.
Faire colorer les oignons, après cuisson et évaporation totale de l'eau.
Mettre le lard dans une casserole à l'eau froide.

(1) La croûte est à faire réaliser par le pâtissier.
(2) Voir en fin de volume les recettes des préparations de base.

Porter vivement à ébullition. Écumer et faire cuire à couvert pendant 20 min à l'eau frémissante.

Enlever la couenne et les petits os du cartilage.

Découper le lard en petits bâtonnets.

Faire cuire les salsifis à l'eau salée en les tenant un peu fermes.

Égoutter et les couper en tronçons de 3 cm environ.

Chauffer 20 g de beurre à la poêle.

Faire colorer les petits lardons sans les dessécher.

Ajouter les salsifis et les faire sauter. Réserver toute la garniture au chaud.

4. Assaisonner, fariner et faire raidir les morceaux de volaille au beurre, sans coloration, dans une sauteuse, sur un feu doux, pendant 10 min.

Retourner de temps en temps les morceaux.

Ciseler 50 g d'oignons et les adjoindre.

Laisser suer 2 à 3 min. Verser le cognac, flamber et laisser réduire presque complètement.

Saupoudrer d'une cuillerée à potage de farine.

Mélanger délicatement.

5. Porter à ébullition et faire réduire des deux tiers le vin blanc, dans une casserole, à découvert (à faire pendant la cuisson du poulet).

Flamber (facultatif).

Incorporer au vin réduit 5 dl de fonds de volaille et laisser bouillir.

Mouiller les morceaux de poulet avec le fonds et le vin réduits et mélanger parfaitement.

Faire cuire doucement à couvert pendant 20 min environ, à feu doux.

6. Retirer les morceaux de volaille après cuisson. Tenir au chaud.

Ajouter 2 dl de crème fraîche au fonds de volaille et laisser réduire de moitié.

7. Enlever la peau du poulet et le détailler en petits morceaux.

Garnir la croûte bien chaude, de volaille, de champignons, de petits oignons, de lardons et de salsifis.

Lier la sauce au dernier moment :

fouetter deux jaunes d'œufs avec 5 cl de crème fraîche et un petit filet de citron.

Assaisonner de sel, de poivre et de quelques râpures de noix muscade.

Verser cette composition dans la sauce du poulet bien chaude en remuant, sans plus faire bouillir.

Verser à travers une passoire la sauce sur le poulet et la garniture.

Servir bien chaud.

Vin blanc :
Barsac, Rosette.

158. Poulet à l'orléanaise

Difficulté : ●●●
Coût : ●●

ORLÉANAIS

Le vin du Giennois
que nous conseillons
est devenu rare,
alors qu'il était produit
au siècle dernier
par huit cents vignerons.
Dommage que la faïence
et un remarquable musée
de la chasse soient devenus
les seuls atouts
de la célébrité de Gien!

POUR 4 PERSONNES

Eléments principaux
    1 poulet de 1,2 kg environ
    50 g de beurre
    50 g de farine.

**Eléments
du fonds de volaille**
    Abattis et carcasse de la
    volaille
    50 g de carottes
    50 g de poireaux
    1 gros oignon
    1 bouquet garni.

Eléments de la garniture

    125 g de petits oignons
    250 g de champignons
    40 g de beurre
    1 citron.

Eléments de la sauce
    1 dl de vin rouge de très
    bonne qualité
    50 g de beurre.

**Assaisonnements
et condiments**
    Sel, poivre, clou de girofle,
    sucre.

1. Flamber, vider et découper le poulet en quatre morceaux (deux ailes et deux cuisses).

2. Confectionner le fonds de volaille (1).

3. Préparer la garniture : couper les champignons en quartiers et les mettre dans une casserole avec 20 g de beurre.
Recouvrir juste d'eau additionnée d'un filet de citron. Assaisonner.
Faire cuire à couvert pendant 15 min environ.
Disposer les petits oignons, sans les superposer, dans une sauteuse avec 20 g de beurre.
Mouiller, à hauteur, d'eau.
Saler, sucrer légèrement et faire cuire à couvert.
Laisser colorer les oignons après cuisson et évaporation totale de l'eau.

4. Assaisonner, fariner puis faire sauter les morceaux de poulet au beurre, pendant la cuisson du fonds de volaille.
Faire colorer sans jamais laisser brûler le beurre.
Retirer après cuisson et tenir au chaud.

5. Dégraisser presque totalement le récipient.
Saupoudrer d'une cuillerée à potage de farine.
Laisser blondir.
Mouiller avec le vin rouge (2) 5 dl de fonds de volaille et le jus de cuisson des champignons.

(1) Voir en fin de volume les recettes des préparations de base.
(2) Facultatif : réduire le vin rouge de moitié et le flamber pour supprimer toute acidité.

Vin rouge :
Coteau du Giennois.

Laisser réduire de moitié et incorporer, hors du feu, 50 g de beurre par petites parcelles.

Disposer le poulet sur un plat et répartir harmonieusement la garniture.

Napper de sauce et servir bien chaud.

159. *Poule en daube*

Difficulté : ●●
Coût : ●●

BERRY

La chanson de mariage dit : « Au pays du Berry, quand une fillette a fixé son choix, oui da, sur un amoureux, les parents, les enfants, en habit de fête... » La poule en daube doit se déguster... au son des cornemuses.

POUR 6 PERSONNES

Eléments principaux
1 poule
50 g de beurre
200 g de couennes de lard fraîches.

Eléments de la marinade
1 bouteille de vin rouge
50 g d'échalotes
1 oignon piqué de 2 clous de girofle

4 gousses d'ail
1 bouquet garni
5 cl d'huile.

Eléments de garniture
250 g de petits oignons
125 g de champignons de Paris.

Assaisonnements et condiments
Sel, poivre, clous de girofle.

1. Préparer la marinade :

Mettre dans une terrine le vin rouge (1), les échalotes ciselées, l'ail écrasé, un bouquet garni, un oignon piqué de 2 clous de girofle et la poule découpée en morceaux. Assaisonner de sel et de poivre.

2. Laisser mariner 3 h au frais.

3. Éponger soigneusement les morceaux de volaille et les faire colorer au beurre.

Faire colorer également les petits oignons de la garniture.

Ranger le tout dans une terrine tapissée de couennes de lard (le gras en-dessous) avec les champignons coupés en quartiers.

Ajouter la marinade avec le bouquet garni et l'oignon clouté.

4. Couvrir presque hermétiquement et laisser cuire à four moyen pendant 4 h.

Retirer le bouquet garni et l'oignon clouté.

Dégraisser et servir tel quel avec des pommes de terre cuites à la vapeur.

Vin rouge : *Sancerre.*

(1) Facultatif : pour supprimer l'acidité du vin, le faire bouillir et le flamber. Laisser complètement refroidir.

160. Poule au pot

Difficulté : ●●●
Coût : ●●

BÉARN

Bon Henri IV! Il souhaitait que le labourage et le pastourage, mamelles si chères à son ministre, aboutissent au moins à garnir chaque dimanche le pot (au feu) des Français. Cette fameuse poule n'est à vrai dire qu'une de ces « potées » paysannes qu'illustrent maintes régions de France. Seule la pièce de viande y diffère, mais non les légumes.

POUR 4 A 6 PERSONNES

Eléments principaux
1 poule
1 citron.

Eléments de la farce
200 g de mie de pain rassis
2,5 dl de lait
200 g de jambon de Bayonne
20 g d'échalotes
1 gousse d'ail
1 œuf
1 cuillerée à potage de fines herbes (persil, ciboulette, estragon ciselés.

Eléments du bouillon
200 g de carottes
200 g d'oignons
200 g de poireaux
1 bouquet garni avec une branche de céleri.

Assaisonnements et condiments
Sel, poivre blanc, un clou de girofle.

1. Flamber et vider la poule.
Frotter la peau de la volaille avec le citron pour la raffermir et lui conserver une couleur bien blanche.

2. Préparer la farce :
Tremper la mie de pain dans le lait et la presser.
Hacher le foie de la volaille avec le jambon cru, les échalotes et l'ail.
Ajouter les fines herbes et mélanger le tout avec la mie de pain.
Saler très légèrement (à cause du jambon cru) et poivrer.
Lier avec un œuf.
Farcir la volaille et coudre l'ouverture.

3. Mettre la poule dans une casserole la contenant juste.
Couvrir largement d'eau froide et porter vivement à ébullition.
Écumer complètement et à fond.
Ajouter les carottes, les poireaux, les oignons, dont l'un piqué d'un clou de girofle, et le bouquet garni.
Saler.
Faire bouillir à nouveau et laisser cuire ensuite à simple frémissement sur un feu doux.
Couvrir à moitié pour ne pas troubler le bouillon. Le temps de cuisson varie selon la qualité de la volaille.

4. Verser le bouillon en soupière.
Dresser la poule dans un plat avec les légumes.
Accompagner d'un riz créole (1).

Vin rouge :
Bouchy, Tursan, Madiran.

(1) Voir en fin de volume les recettes des préparations de base.

161. Gâteau de foies blonds de volaille

Difficulté : ●●
Coût : ●

BOURGOGNE

Le coût de cette spécialité s'élèvera, si vous y utilisez des foies de volailles de Bresse, mais ce sont les meilleurs.
On ne la confondra pas en tous les cas avec les « gâteaux de foie grand-mère » auvergnats qui sont des crépinettes aux champignons.

POUR 4 PERSONNES

Eléments principaux
200 g de foies de volaille
1 dl de crème fraîche épaisse
5 dl de lait
6 œufs
50 g de farine tamisée
1 petite gousse d'ail

1 cuillerée à café de persil haché
10 g de beurre.

Assaisonnements et condiments
Sel, poivre de Cayenne, noix muscade.

1. Beurrer un moule rond.

2. Passer au tamis ou deux fois au moulin à légumes grille fine, les foies de volaille.
Ajouter la farine.
Mélanger à la spatule en bois en incorporant, un à un, 3 œufs entiers et 3 jaunes.
Fouetter et adjoindre la crème fraîche, le lait, l'ail réduit en pommade et le persil.
Assaisonner de sel, de poivre de Cayenne et de quelques râpures de noix muscade.
Travailler le tout au fouet pour obtenir un mélange parfait de tous les ingrédients.
Garnir le moule avec la préparation et le mettre au bain-marie dans un récipient empli à mi-hauteur d'eau bouillante.

3. Faire cuire à four doux, à simple frémissement de l'eau du bain-marie, pendant 45 min environ.
Démouler et servir avec une sauce Nantua (1), un velouté de volaille à la tomate ou tout simplement une sauce tomate.

(1) Voir en fin de volume les recettes des préparations de base.

Vin blanc :
Saint-Romain, Rully, Montagny, Bourgogne.

162. Omelette au sang de poulet

Difficulté : ●
Coût : ●

TOURAINE

Rien ne se perd dans la gastronomie régionale et même pas le sang du poulet. Cette « omelette » sans œuf peut être aisément comparée au sanquet languedocien ou à la sanguette, aussi chère à Saint-Etienne que sa Manufacture d'armes et cycles.

Vin rouge :
Touraine, Amboise.

POUR 4 PERSONNES

Eléments principaux
Sang d'une volaille
50 g d'échalotes
100 g de poitrine de lard frais
1 cuillerée à café de fines herbes (persil, estragon, ciboulette)
60 g de beurre.

Assaisonnements et condiments
Sel, poivre, vinaigre.

1. Ciseler les échalotes et tailler en très petits lardons la poitrine de porc débarrassée de la couenne et du cartilage.

2. Faire sauter dans la moitié du beurre et à feu doux, les lardons, sans les dessécher.
Ajouter ensuite les échalotes et laisser suer 1 ou 2 min.

3. Répartir sur un plat de même dimension que la poêle, les échalotes, les lardons et les fines berbes.
Recueillir le sang et le verser au-dessus. Assaisonner et laisser cailler quelques minutes (1).

4. Cuire à la poêle des deux côtés avec le reste du beurre chaud.
Servir aussitôt avec un petit filet de vinaigre.

(1) Ainsi préparée, la composition peut se conserver 24 h au frais.

163. Escalopes samsonnaises

Difficulté : ●
Coût : ●●

DAUPHINÉ

Le Samson qui a fignolé cette escalope n'est pas l'athlétique héros qui aima Dalila. Il évoque directement l'active cité de Rochefort-Samson, proche de Bourg-le-Péage dans la Drôme au pied du Vercors, ce balcon de verts pâturages qui domine la plaine chaude de Valence.

POUR 4 PERSONNES

Eléments principaux
4 escalopes de dindonneau
50 g de farine
25 g de beurre.

Eléments de la sauce Béchamel
35 g de farine
35 g de beurre
5 dl de lait.

Eléments complémentaires
100 g de fromage râpé
50 g de beurre.

Assaisonnements et condiments
Sel, poivre, blanc, poivre de Cayenne, noix muscade.

1. Préparer la sauce Béchamel (1).

2. Assaisonner et fariner les escalopes et les faire sauter au beurre sur un feu doux.

3. Ranger les escalopes dans un plat grassement beurré sans les superposer et les napper de sauce Béchamel. Saupoudrer de fromage râpé.
Arroser de beurre fondu et faire gratiner.

(1) Voir en fin de volume les recettes des préparations de base.

Vin rouge :
*Coteaux du Tricastin,
Cornas.*

164. Salmis de palombes

Difficulté : ●●●●
Coût : ●●●

GASCOGNE

Dans les Landes, on chasse la palombe au filet depuis octobre jusqu'à
la mi-novembre,
soit six semaines par an.
C'est une chasse silencieuse où il s'agit de piéger brusquement les oiseaux à moins d'un mètre du sol, chasse difficile
car le mouvement
de ces migrateurs
est incessant :
parfois les palombes
ne se fixent qu'un trop bref instant, parfois
elles vont et viennent.

POUR 4 PERSONNES

Eléments principaux
 4 palombes de 650 g chacune
 50 g de graisse d'oie.

Eléments de la sauce
 2 dl de bon vin rouge
 5 cl d'armagnac
100 g d'échalotes
 2 dl de fonds de volaille (1) ou, à défaut, d'eau
 2 gousses d'ail
 1 bouquet garni.

Eléments de la garniture

 150 g de champignons
100 g de jambon cru de pays
 1 truffe fraîche ou en conserve
 20 g de beurre
 5 cl de madère
 1/2 citron.

Elément complémentaire
 50 g de beurre.

Assaisonnements et condiments
Sel, poivre, poivre concassé.

1. Couper le jambon en dés.
Ciseler finement les échalotes.

2. Vider, flamber les palombes et les faire rôtir à la graisse d'oie, à four chaud, en les retournant pour bien les dorer de chaque côté, pendant 20 min.

3. Préparer la garniture pendant la cuisson des palombes : mettre dans une casserole les champignons coupés en quartiers avec un peu d'eau froide, 20 g de beurre et un filet de citron.
Assaisonner et faire cuire à couvert pendant 8 min environ à feu moyen.
Nettoyer, brosser soigneusement et émincer la truffe.
La pocher dans le madère pendant 15 min sans ébullition.
Faire revenir à la graisse d'oie les dés de jambon.
Réserver toute la garniture au chaud.

(1) Voir en fin de volume les recettes des préparations de base.

4. Découper les palombes en deux. Enlever la peau et la carcasse.

Réserver les demi-palombes au chaud, dans une sauteuse couverte, avec 5 cl d'armagnac et un peu de graisse d'oie.

5. Faire réduire presque complètement le vin rouge dans une sauteuse avec les échalotes ciselées et le poivre concassé.

Piler ou hacher les carcasses, la peau et les abats et les ajouter dans la réduction de vin rouge avec 2 dl de fonds de volaille ou d'eau, additionné du jus de cuisson des champignons et de celui de la truffe.

Adjoindre le bouquet garni et l'ail écrasé.

Faire cuire pendant 10 min en écumant souvent.

Passer au chinois (passoire fine).

Remettre sur le feu et laisser réduire d'un tiers à feu vif. Dégraisser. Ajouter, hors du feu, 50 g de beurre par petites parcelles.

6. Dresser les palombes dans un plat creux.

Répartir les champignons, le jambon et les lames de truffes. Napper avec la sauce.

7. Pour ceux qui préfèrent une sauce liée, il est nécessaire d'ajouter, dans la sauce bouillante, 10 g de beurre manié avec 10 g de farine.

Donner quelques bouillons pour faire cuire la farine.

Vin rouge : *Madiran.*

165. *Foie d'oie frais aux raisins*

Difficulté : ●●
Coût : ●●●●

GUYENNE

Un foie d'oie pèse environ un kilo et demi. Quand vous achetez, à prix élevé, le foie entier et frais, veillez à ce qu'il soit blanc ivoire ou légèrement rosé, brillant et ferme.

POUR 8 PERSONNES

Eléments principaux
 1 beau foie d'oie frais
80 g de carottes
80 g d'oignons
50 g de beurre.

Eléments de la sauce
1 dl de vin blanc
1 dl de sauce demi-glace; à défaut : du fonds de volaille (1) lié à de la fécule

5 cl de cognac
1 bouquet garni.

Eléments de garniture
 1 grappe de raisins bien mûrs mais fermes
 8 tranches de pain de mie
80 g de beurre.

Assaisonnements et condiments
Sel, poivre blanc, épices fines.

(1) Voir en fin de volume les recettes des préparations de base.

1. Parer le foie : enlever les graisses superflues, le fiel, les parties verdâtres, la pellicule qui l'entoure et les filaments nerveux. Assaisonner de sel, poivre blanc fraîchement moulu et épices fines.

2. Tailler les carottes et les oignons en fine brunoise (en très petits dés).
Faire suer les légumes au beurre dans une sauteuse, sur un feu très doux, pendant 3 min environ.
Ajouter le foie gras et faire cuire toujours à feu doux pendant 25 à 30 min, à couvert.

3. Retirer le foie et le réserver au chaud.
Dégraisser la sauteuse aux trois quarts.
Finir la cuisson des légumes.

4. Déglacer avec le cognac, puis le vin blanc.
Laisser réduire de moitié.
Ajouter la sauce demi-glace ou le fonds de volaille légèrement lié à la fécule.
Laisser à nouveau réduire et passer au tamis.
Rectifier l'assaisonnement.
Remettre sur un feu très doux.

5. Peler et épépiner les raisins frais (cette opération est à faire pendant la cuisson du foie).
Incorporer à la sauce réduite les raisins frais et laisser compoter sans bouillir.

6. Faire sauter au beurre les tranches de pain de mie.
Dresser le foie d'oie frais en tranches sur les croûtons et napper de sauce avec les raisins.

D'après une spécialité de M. Pujo.

Vin blanc :
Sauternes, Preignac,
Barsac.

166. *Terrine de foie gras à l'armagnac*

Difficulté : ●●●
Coût : ●●●●

GASCOGNE

Il est préférable d'utiliser du foie de canard pour une terrine froide, et du foie gras d'oie pour un pâté chaud ou pâté à brioche. Aujourd'hui le canard est beaucoup plus consommé que l'oie : les Landes en élèvent quatre fois plus.

POUR 8 PERSONNES

Eléments principaux
  1 foie gras frais d'environ 500 g
  1 dl de madère
200 g de bardes de lard frais.

Eléments de la farce
200 g de foies de volaille

200 g de blancs de volaille
200 g de lard gras frais de porc
5 cl d'armagnac
1 œuf entier.

Assaisonnements et condiments
Sel, poivre, épices fines.

1. Parer le foie gras, l'assaisonner de sel, poivre, épices et le faire macérer avec le madère, pendant 1 h.

2. Hacher finement les foies et les blancs de volaille avec les bouts de foie gras frais.
Incorporer l'armagnac et l'œuf battu.
Assaisonner de sel, de poivre et d'épices.
Travailler longuement et lisser à la spatule.

3. Tapisser la terrine de bardes de lard.
Disposer une couche de farce.
Placer le foie gras au-dessus coupé en morceaux.
Recouvrir avec le reste de farce et d'une barde de lard pour finir.
Luter (fermer le couvercle hermétiquement avec un cordon de pâte composée de farine diluée à l'eau).

4. Faire cuire à four modéré pendant 2 h au bain-marie, dans un récipient empli, à mi-hauteur de la terrine, d'eau bouillante.
Vérifier souvent la hauteur de l'eau pendant la cuisson, qui doit être juste frémissante.
Laisser refroidir la terrine au froid pendant 24 h.

Vin blanc :
*Pacherenc du Vic-Bilh
Sauternes, Jurançon.*

167. Canard aux olives

Difficulté : ●●●
Coût : ●●●

LANGUEDOC

Il existe beaucoup
d'espèces de canards :
de Normandie, de Rouen,
de Duclin ou de Picardie,
d'Ailesbury, de Pékin,
de Labrador. Le canard
de Barbarie – qui n'est pas
berbère, mais
sud-américain
– est le plus gros.
On l'élève généralement
pour l'accoupler
avec une cane de Rouen.

POUR 4 PERSONNES

**Eléments
principaux**
   *1 canard de 1,8 kg envi-
ron (de préférence une
canette de Barbarie)
80 g de carottes
80 g d'oignons
100 g de tomates fraîches
5 cl d'huile d'olive.*

**Eléments
de la sauce**
   5 cl de vin blanc

*5 cl de muscat de Fronti-
gnan
3,5 dl de fonds de volaille
ou, à défaut, d'eau
2 gousses d'ail
1 bouquet garni.*

Elément de la garniture
200 g d'olives.

**Assaisonnements
et condiments**
Sel, poivre.

1. Flamber, vider et brider le canard (réserver le foie pour une autre préparation).
Assaisonner de sel et de poivre.

2. Faire chauffer l'huile dans une sauteuse.
Ajouter le canard dans l'huile chaude sans excès.
Disposer tout autour le cou concassé en petits morceaux.

Couvrir et faire cuire le canard à feu modéré en le retournant sur toutes ses faces pour bien le colorer. Compléter, après coloration, avec les carottes et les oignons taillés grossièrement.

Laisser cuire à couvert à four modéré pendant 25 min.

Adjoindre les tomates pelées, épépinées et concassées.

Finir la cuisson à découvert pendant environ 15 min.

Retirer le canard.

3. Préparer les olives pendant la cuisson du canard : dénoyauter les olives, les mettre dans une casserole avec de l'eau froide et les faire bouillir pendant 5 min environ.

Égoutter et réserver dans un bol.

4. Confectionner la sauce :

Réduire le jus de cuisson du canard sur un feu vif sans le faire brûler.

Mouiller avec le vin blanc. Dissoudre les sucs et laisser réduire de moitié.

Ajouter 3,5 dl de fonds de volaille (1) ou d'eau, l'ail écrasé et le bouquet garni.

Assaisonner légèrement de sel et de poivre.

Faire bouillir pendant 5 min sur un feu modéré.

Dégraisser.

Délayer 20 g de fécule avec 5 cl de muscat et l'adjoindre à la sauce en fouettant.

Laisser mijoter à feu doux pendant 10 min.

Passer la sauce au chinois (passoire fine).

5. Poser le canard sur un plat creux.

Mettre à four chaud pendant 5 min en l'arrosant constamment avec la moitié de la sauce pour le glacer (lui donner une belle couleur brillante).

Ajouter les olives dans le reste de sauce et laisser compoter à feu doux pendant 4 min.

6. Débrider le canard et le placer dans la cocotte avec les olives disposées autour.

Accompagner de pommes frites, chips ou gaufrettes.

Vin rouge :
Fitou, Gigondas,
Villandric, Quartouze.

(1) Voir en fin de volume les recettes des préparations de base.

168. Canard aux pêches

Difficulté : ●●●
Coût : ●●●

ROUSSILLON

Il convient de choisir des fruits à chair jaune et ferme.
Ils absorbent tout à la fin les graisses superflues et y prennent un supplément de saveur.
Le Roussillon est une des grandes régions de la pêche française.

POUR 4 PERSONNES

Eléments principaux
1 canard de 1,8 kg environ (de préférence, une canette de Barbarie)
80 g de carottes
80 g d'oignons
100 g de tomates fraîches
30 g de beurre.

Eléments de la sauce
5 cl de vin blanc
2 dl de muscat de Rivesaltes (qui sert à cuire les pêches)

2,5 dl de fonds de volaille ou, à défaut, d'eau
1 bouquet garni.

Eléments de garniture
6 belles pêches jaunes
30 g de beurre
30 g de sucre en poudre
30 g de gelée d'abricot.

Assaisonnements et condiments
Sel, poivre.

1. Flamber, vider et brider le canard. Réserver le foie pour une autre préparation.
Assaisonner de sel et de poivre.

2. Faire chauffer l'huile dans une sauteuse.
Ajouter le canard dans l'huile chaude sans excès.
Disposer tout autour, le cou concassé en petits morceaux.
Couvrir et faire cuire à feu modéré en le retournant sur toutes ses faces pour bien le colorer.
Compléter, après coloration, avec les carottes et les oignons taillés grossièrement.
Laisser cuire à couvert à four modéré pendant 25 min.
Adjoindre les tomates pelées, épépinées et concassées.
Finir la cuisson à découvert pendant 15 min environ.
Retirer le canard.

3. Préparer les fruits pendant la cuisson du canard : échauder (pocher rapidement) les pêches dans de l'eau bouillante.
Les retirer, les peler, les ouvrir en deux et enlever les noyaux.
Faire réduire de moitié, sur un feu vif, le muscat de Rivesaltes et le délayer ensuite avec la gelée d'abricots.
Beurrer grassement un plat contenant juste les pêches sans les superposer et les arroser avec le muscat réduit.
Faire cuire lentement au four en les arrosant de temps à autre (le temps de cuisson est fonction de la qualité des fruits).

4. Confectionner la sauce :

Faire réduire le jus de cuisson du canard sur un feu vif sans le brûler.

Mouiller avec le vin blanc. Dissoudre les sucs et faire réduire de moitié.

Ajouter 2,5 dl de fonds de volaille (1) ou d'eau et le bouquet garni.

Assaisonner de sel et de poivre.

Faire bouillir pendant 5 min sur un feu modéré. Dégraisser.

Délayer 20 g de fécule avec le muscat ayant servi à la cuisson des pêches et l'adjoindre à la sauce en fouettant (le muscat doit être froid).

Laisser mijoter à feu doux pendant 10 min.

Passer la sauce au chinois (passoire fine).

Découper le canard en morceaux et les poser sur un plat creux.

Disposer les oreillons de pêches tout autour en les saupoudrant légèrement de sucre semoule.

Mettre le tout à four chaud pendant 5 min en arrosant constamment les morceaux de canard avec la sauce pour le glacer (lui donner une belle couleur brillante).

Servir aussitôt bien chaud.

(1) Voir en fin de volume les recettes des préparations de base.

Vin rouge :
Corbières, Minervois.

169. *Terrine de caneton rouennais*

Difficulté : ●●●
Coût : ●●●

NORMANDIE

Le canard rouennais, plus gros que le nantais, est tué par étouffement et non pas saigné. Cela lui donne un goût particulier. D'autant qu'il est engraissé loin des mers et des rivières.

POUR 8 PERSONNES

Eléments principaux
1 caneton
200 g de bardes de lard
1 dl d'eau-de-vie de cidre ou de cognac.

Eléments de la farce
250 g de foies de canard
100 g de lard gras
50 g de beurre
30 g d'échalotes.

Eléments de la gelée

Carcasse et os du caneton
2 l d'eau
100 g de carottes
100 g d'oignons
1 bouquet garni
6 feuilles de gélatine
4 grains de poivre
quelques feuilles de cerfeuil.

Assaisonnements et condiments
Sel, poivre, thym et laurier pulvérisés.

1. Désosser entièrement le caneton par le dos sans entailler la peau.
Réserver les chairs au frais.

 2. Concasser les os et la carcasse et les mettre dans une casserole avec 2 l d'eau froide.
Porter vivement à ébullition à découvert.
Écumer à fond pendant un quart d'heure.
Ajouter les carottes, les oignons et le bouquet garni.
Saler très légèrement.
Faire cuire à moitié couvert à simple frémissement pendant 3 h environ. (A ce moment, il ne reste plus qu'un demi-litre de bouillon.)
Mettre les feuilles de gélatine à tremper dans un peu d'eau froide pendant 15 min.
Poser une mousseline mouillée à l'eau froide sur le chinois ou un tamis et passer lentement le fonds (bouillon) de canard.
Ajouter les feuilles de gélatine égouttées et pressées et les faire dissoudre dans le fonds de canard chaud.
Rectifier l'assaisonnement.

3. Préparer la terrine pendant la cuisson du fonds (bouillon).
Ciseler finement les échalotes.
Couper le lard gras débarrassé de la couenne, en petits dés.
Faire sauter au beurre, sans coloration, les foies de canard.
Retirer les foies, ajouter les dés de lard et les laisser fondre.
Adjoindre les échalotes et faire suer quelques minutes.
Remettre les foies.
Assaisonner de sel, de poivre, de thym et de laurier pulvérisés.
Passer la farce tiède au tamis.

4. Tapisser la terrine de bardes de lard.
Garnir le caneton avec la farce et le mettre dans la terrine le contenant tout juste.
Arroser avec l'eau-de-vie de cidre, couvrir d'une barde de lard et fermer la terrine.

5. Faire cuire à four chaud au bain-marie dans un récipient empli, à mi-hauteur de la terrine, d'eau bouillante pendant 50 min environ.

Retirer la terrine après cuisson et la couvrir avec la gelée.

Dégraisser si nécessaire.

Laisser refroidir et réserver au frais pendant 24 h avant de servir.

Cidre : *sec.*
Vin blanc : *Muscadet.*

170. *Foie de canard en gelée*

Difficulté : ●●●
Coût : ●●●●

GASCOGNE

C'est le vin des Hautes et Basses-Pyrénées, Pacherenc du Vic-Bihl, que l'on utilise ici. Ses vignes poussent haut jusqu'à deux mètres, comme celles du Jurançon, auquel il ressemble, même si son terroir se confond plutôt avec celui du Madiran.

POUR 6 PERSONNES

Eléments principaux
> 1 foie de canard de 600 à 700 g environ
> 1 dl de vin blanc moelleux.

**Eléments
du fonds de volaille**
> Abattis et carcasse d'une volaille
> 80 g de carottes
> 40 g d'oignons
> 40 g de blanc de poireau
> 1 bouquet garni avec une branche de céleri.

Eléments de la gelée
> 200 g de tomates
> 6 feuilles de gélatine
> 2 cuillerées à potage de cerfeuil et estragon ciselés
> 5 cl de vin blanc moelleux.

**Assaisonnements
et condiments**
> Sel, poivre, poivre concassé, épices fines.

1. Préparer la veille un excellent fonds de volaille (1) et le faire réduire pour en obtenir 1/2 l.

2. Poser une mousseline mouillée à l'eau froide sur le chinois (passoire fine).

Verser peu à peu le bouillon chaud au-dessus sans jamais presser, ni remuer.

Laisser reposer au froid pendant 24 h.

3. Parer le foie de canard. L'assaisonner de sel, de poivre, d'épices et le faire macérer pendant 1 h avec 1 dl de vin blanc moelleux.

4. Tremper 6 feuilles de gélatine à l'eau froide pendant 10 min.

Concasser les tomates et les réserver dans un bol.

5. Dégraisser et chauffer lentement le fonds de volaille. Ajouter le foie de canard et le pocher 15 min environ

(1) Voir en fin de volume les recettes des préparations de base.

sans que jamais la température du bouillon ne dépasse 65 °C. Le foie cuit est encore souple et bien rose au centre.

Retirer le foie et le recouvrir d'une feuille de papier sulfurisé.

6. Égoutter et presser les feuilles de gélatine dans la main.

Mélanger avec la tomate concassée.

Verser au-dessus, peu à peu, le bouillon.

Remettre sur le feu.

Porter lentement à ébullition en remuant constamment.

Laisser ensuite à simple frémissement pendant 20 min. Adjoindre avant la fin de la cuisson, le poivre concassé, et les fines herbes.

Passer, à nouveau, très délicatement la gelée sur l'étamine mouillée à l'eau froide, sans presser ni remuer. Dégraisser complètement, et laisser refroidir.

7. Garnir une petite terrine avec le foie de canard. Verser au-dessus la gelée à peine prise.

Servir bien frais.

Vin blanc :
*Pacherenc du Vic-Bihl,
Jurançon.*

171. *Lapereau en cabessol aux morilles*

Difficulté : ●●
Coût : ●●●●

PROVENCE

« En cabessol » signifie dans les spécialités méridionales :
« à la façon dont on farcit la « cabèche », – c'est-à-dire la tête, de mouton.
Mais cabussel veut dire aussi « couvercle », et cabessol est le nom d'une marmite.

POUR 6 PERSONNES

Eléments principaux
 1 beau lapereau de 2 kg
100 g de carottes
100 g d'oignons
 5 bardes de lard frais
1,2 l de bon vin blanc sec de
 Provence.

Eléments de la farce
500 g de chair à saucisses
200 g de jambon blanc maigre

100 g de mie de pain
 2 dl de lait
 80 g d'oignons
 2 gousses d'ail
300 g de morilles
 2 dl d'huile.

**Assaisonnements
et condiments**
*Sel, poivre, thym, laurier
romarin et sariette pulvérisés, poudre de quatre épices*

1. Émincer très finement 80 g d'oignons et les faire suer dans un peu d'huile sans aucune coloration.

Broyer l'ail.

Hacher le jambon et le foie du lapin.

Émincer les morilles.

Faire la farce avec la chair à saucisses, le jambon, la mie de pain trempée dans le lait et bien pressée, les oignons, l'ail, les fines herbes, les épices et les morilles.

2. Farcir le lapereau et le recoudre.

Barder de lard frais.

Éplucher les oignons et les carottes et les tailler en grosses brunoises (en gros morceaux).

3. Faire rissoler le lapereau dans une cocotte avec le saindoux.

Adjoindre la brunoise d'oignons et de carottes.

Ajouter le vin blanc, hors du feu, après coloration.

Faire réduire d'un quart à découvert sur un feu vif.

Couvrir la cocotte et laisser cuire à four très doux pendant 2 h en arrosant très souvent.

Servir avec le jus de cuisson dégraissé et des pommes vapeur.

D'après une spécialité de J. Giraud.

Vin rouge :
Côtes de Provence.

172. Lapereau de Foix aux beignets de maïs

Difficulté : ●●
Coût : ●●●

COMTÉ DE FOIX

Le livre de chasse de Gaston Phaebus, qui fut au XIVᵉ siècle le plus illustre des comtes de Foix, montre toutes les curieuses manières de prendre au piège les lapins. Ici un lapereau d'élevage suffira et des beignets de maïs lui porteront un succulent soutien.

POUR 4 PERSONNES

Eléments principaux
1 jeune lapereau
5 cl d'huile d'olive.

Eléments de la sauce
600 g de tomates fraîches
80 g d'oignons
3 gousses d'ail
1 bouquet garni
1 cuillerée à café de persil
haché.

Eléments de garniture
200 g de maïs cuit, au naturel ou en conserve
50 g de farine tamisée
3 œufs
1 pointe d'ail
1 dl d'huile.

Assaisonnements et condiments
Sel, sucre, poivre.

1. Ciseler finement les oignons.

Peler, épépiner et concasser les tomates.

Découper le lapereau en 8 morceaux.

Assaisonner de sel et de poivre.

2. Faire revenir les morceaux dans l'huile chaude à feu modéré.

Laisser colorer et cuire à couvert pendant 30 min.

Ajouter les oignons et faire suer 2 à 3 mn.

Adjoindre les tomates, l'ail écrasé et le bouquet garni.

Porter à ébullition et laisser cuire ensuite à feu doux pendant 20 à 30 min.

3. Préparer les beignets de maïs pendant la cuisson du lapereau :

Passer au moulin à légumes ou au hachoir le maïs égoutté.

Ajouter la farine, les œufs, une pointe d'ail. Saler et poivrer.

Mélanger le tout pour obtenir une pâte pas trop épaisse.

4. Faire chauffer l'huile dans une poêle.

Confectionner des petits beignets de pâte et les faire colorer de chaque côté.

Poser les beignets sur un linge ou sur un papier absorbant pour les égoutter.

5. Présenter le lapereau dans un plat creux avec la sauce. (Retirer l'ail et le bouquet garni.)

Saupoudrer de persil haché.

Servir les beignets en même temps sur un autre plat.

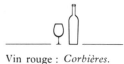

Vin rouge : *Corbières.*

173. Lapereau aux herbes

Difficulté : ●
Coût : ●●●

COMTÉ DE NICE

Le lapereau est directement préparé avec les herbes et herbettes parmi lesquelles il aimait folâtrer : le thym, le romarin. Sa jeune chair s'imprègne de leurs arômes.

POUR 6 PERSONNES

Eléments principaux

1 jeune lapereau très tendre
5 cl d'huile d'olive

2 gousses d'ail.

Assaisonnements et condiments
Romarin, thym, laurier, sel, poivre fraîchement moulu.

1. Couper le lapereau en morceaux.

Frotter chaque morceau avec l'ail écrasé, les herbes aromatiques.

Poivrer. Saler uniquement au moment de la cuisson.

Mettre le lapereau dans un plat à gratin ou une terrine le contenant tout juste.

Arroser d'huile d'olive et réserver au frais au moins pendant 2 h en retournant de temps à autre chaque morceau.

2. Faire cuire ensuite à four chaud, en arrosant souvent.

Vérifier que la cuisson est à point.

Servir bien chaud accompagné de coquillettes au beurre.

Vin rouge : *Bellet.*

174. Gigue de chevreuil champenoise

Difficulté : ●●●
Coût : ●●●●

CHAMPAGNE

Le temps des grands gibiers est révolu en France. Mais en une saison on tuera tout de même dans les forêts domaniales : 4 951 brocards, chevreuils ou cerfs d'un an environ et 4 646 chevrettes. Auberive, en Haute-Marne, est un « enclos » de 525 ha, où ils sont particulièrement chassés.

Champagne demi-sec.

POUR 6 PERSONNES

Eléments principaux
1 cuissot de jeune chevreuil
100 g de lard gras
100 g de beurre.

Eléments de la sauce

2 dl de champagne
150 g de gelée de groseille
1 cuillerée à café de raifort râpé.

Assaisonnements et condiments
Sel, poivre, muscade, cannelle.

1. Enlever la mince pellicule qui recouvre une partie du cuissot.
Piquer au lard gras.

2. Cuire à la broche ou au four en comptant 20 min par livre.

3. Faire réduire d'un tiers dans une petite casserole, le champagne assaisonné de muscade, cannelle, sel et poivre.
Ajouter la gelée de groseille mélangée à une demi-cuillerée de raifort râpé.

4. Retirer la gigue après cuisson et la laisser reposer au chaud pendant quelques minutes avant de servir.
Présenter la sauce à part.
Accompagner de pommes de reinette sautées au beurre.

175. Civet de lièvre à l'alsacienne

Difficulté : ●●●
Coût : ●●●●

ALSACE

'Alsace, à cause de ses lois ommunales particulières, e ses forêts et de sa plaine lboyeuses, reste le paradis es chasseurs. A l'origine, civet, qui a la même ymologie que le mot latin caepa », signifiant oignon, ait un ragoût aux civettes, est-à-dire à la ciboulettes.

POUR 6 PERSONNES

Eléments principaux
1 lièvre de 2,8 kg non dépouillé
100 g de gros oignons
70 g de beurre
40 g de farine
1 bouquet garni
4 gousses d'ail.

Eléments de la marinade
1 l de bon vin rouge
5 cl de cognac
5 cl d'huile
50 g d'oignons
2 gousses d'ail
20 grains de poivre
1 clou de girofle

1 bouquet garni.

Eléments de garniture
250 g de petits oignons
250 g de champignons de
Paris
250 g de poitrine de porc

salée
60 g de beurre
1/2 citron.

Assaisonnements
et condiments
Sel, sucre, poivre.

1. Dépouiller et vider le lièvre.
Réserver au frais le foie, débarrassé du fiel, et le sang.
Découper le lièvre en morceaux.

2. Préparer la marinade : vin rouge, cognac, oignons émincés, deux gousses d'ail écrasées, bouquet garni, poivre en grains et girofle.
Mettre les morceaux de lièvre dans la marinade et arroser avec 5 cl d'huile.
Réserver au frais 3 à 4 h.

3. Détailler la poitrine de porc salée débarrassée de la couenne et du cartilage, en petits lardons (bâtonnets) de 1/2 cm d'épaisseur et les mettre dans une casserole à l'eau froide. Porter à ébullition puis laisser frémir pendant 10 min. Égoutter.

4. Faire cuire à couvert les champignons dans une casserole avec un peu d'eau salée, un filet de citron et 20 g de beurre. Réserver après cuisson.

5. Mettre les petits oignons de la garniture dans une sauteuse sans les superposer avec 20 g de beurre.
Mouiller à hauteur d'eau froide.
Assaisonner de sel et de sucre.
Porter à ébullition et laisser ensuite à feu doux à couvert jusqu'à cuisson et évaporation totale de l'eau.
Faire sauter quelques minutes dans la réduction pour colorer légèrement.

6. Faire revenir les lardons dans une grande sauteuse avec 20 g de beurre sans les dessécher. Retirer, égoutter et réserver.
Faire sauter ensuite dans le jus de cuisson des lardons les morceaux de lièvre bien épongés auparavant dans un linge et les faire dorer.
Ajouter les gros oignons coupés en quartiers.
Singer (saupoudrer de 40 g de farine). Laisser torréfier puis mouiller avec la marinade additionnée de 4 gousses d'ail et du bouquet garni.
Assaisonner.
Couvrir et faire cuire lentement sur un feu doux.

7. Escaloper le foie, le faire sauter au beurre juste avant de servir et l'adjoindre à la sauce.
Ajouter le sang réservé pour lier la sauce, sans faire bouillir.

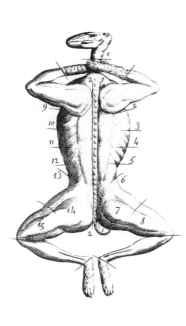

8. Décanter le civet (retirer chaque morceau de lièvre dans un autre récipient).

Ajouter les lardons, les petits oignons glacés et les champignons.

Verser la sauce au-dessus et dresser, à travers une passoire fine, dans un plat creux bien chaud.

Servir avec des nouilles fraîches à l'alsacienne (1) ou des pommes en robe des champs.

(1) Voir recettes page 277.

Vin rouge :
Pinot noir, Pommerol.

176. *Râble de lièvre à la Piron*

Difficulté : ●●●
Coût : ●●●●

BOURGOGNE

L'écrivain Alexis Piron
(1689-1773) a illustré
le nom d'une grande famille
bourguignonne. Son père,
apothicaire, écrivait
en dialecte bourguignon.
Il composa en français
des comédies, se moqua
de tout le monde, et surtout
de l'Académie française.
Sa burlesque épitaphe
est restée célèbre :
«Ci-gît Piron qui ne fut rien
– Pas même académicien ».
Au moins son nom reste-t-il
attaché à une recette de
râble de lièvre.

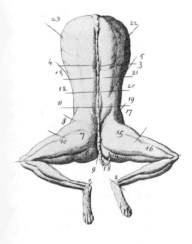

POUR 4 PERSONNES

Eléments principaux
1 râble de lièvre
100 g de lard
50 g de beurre.

Eléments de la marinade
50 g de carottes
80 g d'oignons
30 g d'échalotes
2 gousses d'ail
1 bouquet garni
5 grains de poivre
1 clou de girofle
3 dl de vin blanc sec
1 cuillerée à potage de vinaigre de vin
5 cl d'huile.

Eléments de la sauce
1 dl de marc de Bourgogne
2 dl de crème fraîche
1 citron
50 g de beurre.

Elément de garniture
2 belles grappes de raisin.

Assaisonnements et condiments
Sel, poivre.

1. Parer, dénerver et piquer, avec le lard, le râble de lièvre.

2. Émincer les carottes, les oignons et les échalotes.
Réunir tous les éléments de la marinade dans une terrine.
Assaisonner le râble de sel et de poivre et le mettre dans la marinade pendant 12 h au frais en le retournant de temps à autre.

3. Égoutter, éponger soigneusement, et beurrer le râble.
Faire rôtir à four très chaud dans un plat grassement beurré pendant 10 min puis à four moyen pendant 20 min.
Arroser souvent. Le beurre ne doit jamais brûler.
Retirer le râble après cuisson.

4. Dégraisser le récipient et le déglacer avec le marc de Bourgogne. Dissoudre les sucs en remuant.

Laisser réduire de moitié.

Ajouter la crème fraîche et la faire réduire également de moitié.

Adjoindre, hors du feu, un petit filet de citron et 50 g de beurre par petites parcelles en remuant.

Passer la sauce à la passoire fine.

5. Retirer la peau et les pépins des raisins.

Faire chauffer la sauce à feu très doux sans la faire bouillir. Ajouter les grumes de raisin.

6. Disposer le râble de lièvre sur un plat et le recouvrir de sauce.

Vin blanc :
*Corton-Charlemagne,
Montrachet.*

177. *Faisan en caquelon*

Difficulté : ●●
Coût : ●●●●

FRANCHE-COMTÉ

Un caquelon, ou câclon,
est la pièce maîtresse
de l'art ménager
et culinaire d'autrefois.
E. de Pomiane a dit :
« C'est tout simplement
la petite marmite de terre,
vernissée à l'intérieur,
possédant un manche creux.
Il doit être sans un défaut,
sans une craquelure ».
On l'emploi aussi
pour la fondue au fromage.

POUR 2 PERSONNES

Eléments principaux	Assaisonnements et condiments
1 jeune faisan *80 g de beurre* *5 cl de cognac.*	*Sel, poivre fraîchement moulu.*

1. Plumer, flamber, vider et brider le faisan.
Saler et poivrer.

2. Faire cuire le faisan, dans un caquelon en terre, au beurre, à couvert et à four chaud pendant 1/2 h.

3. Déglacer, au terme de la cuisson, les sucs du gibier avec 5 cl de cognac.
Couvrir et servir bien chaud.

Vin rouge : *Arbois.*

178. *Perdreau à la cendre*

Difficulté : ●●
Coût : ●●●●

ANJOU

Pour réussir cette recette
simple, il est évidemment
indispensable d'avoir
une bonne cheminée.

POUR 2 PERSONNES

Éléments principaux	
1 jeune perdreau *50 g de beurre* *150 g de champignons de Paris* *2 cuillerées à potage de fines herbes (persil,*	*ciboulette, cerfeuil, estragon)* *250 g de bardes de lard.*

Assaisonnements et condiments

Sel, poivre fraîchement moulu.

1. Plumer, flamber, vider, trousser le perdreau.
Hacher les champignons de Paris.
Ciseler les fines herbes.

2. Faire revenir le perdreau dans le beurre à feu pas trop vif dans une sauteuse, juste pour le colorer légèrement.

3. Retirer hors du feu, assaisonner, répartir les fines herbes et les champignons et barder complètement le perdreau. L'envelopper ensuite dans du papier sulfurisé plié en quatre (ou dans une feuille d'aluminium).
Mouiller le papier pour l'empêcher de brûler.

4. Enterrer le perdreau dans la cendre rouge pendant 20 min environ.
Enlever le papier et les bardes de lard et servir aussitôt.

Vin rouge :
Champigny, Anjou.

179. Caille au nid

Difficulté : ●●
Coût : ●●●

DAUPHINÉ

**Des pommes de terre farcies de cailles!
L'originale présentation!
Il y faut des oiseaux pas trop gros
et des tubercules pas trop minces.**

POUR 4 PERSONNES

Éléments principaux
*4 cailles
4 grosses pommes de terre
    à chair ferme
4 fines bardes de lard très
    fraîches*

*4 feuilles de vigne
100 g de beurre.*

**Assaisonnements
et condiments**
Sel, poivre.

1. Creuser les pommes de terre qui serviront de nids aux cailles, et les mettre dans une casserole recouverte d'eau froide.
Saler très légèrement.
Porter l'eau à ébullition et faire cuire les pommes de terre sur un feu modéré pendant 12 min environ, puis les faire égoutter.

2. Envelopper chaque caille, bien assaisonnée, dans une feuille de vigne grassement beurrée et dans une mince barde de lard bien fraîche.

3. Ranger les pommes de terre dans un plat beurré les contenant juste et les assaisonner.
Nicher les cailles dans le creux des pommes de terre.
Arroser de beurre fondu.

4. Faire cuire à four assez chaud pendant 10 min.
Retourner les cailles et les laisser cuire encore pendant 10 min.
Arroser souvent de beurre fondu pendant la cuisson.

Vin rouge :
Côte rôtie, Saint-Joseph.

180. Pintadon aux figues sèches

Difficulté : ●●●
Coût : ●●●

POUR 4 PERSONNES

Éléments principaux
- 1 pintadon
- 60 g de saindoux ou 5 cl d'huile d'olive
- 100 g d'oignons
- 100 g de carottes
- 80 g de tomates
- 1 bouquet garni.

Éléments de garniture
- 150 g d'échalotes
- 3 cl d'huile d'olive
- 200 g de figues sèches de bonne qualité
- 2 dl de vin blanc moelleux.

Éléments de la sauce
- 2 dl de fonds de volaille (1) ou, à défaut, d'eau
- 3 cl de cognac (facultatif).

Assaisonnements et condiments
- Sel, poivre fraîchement moulu, une prise de sucre.

(Faire macérer les figues sèches dans un bon vin blanc moelleux, la veille.)

1. Flamber, vider, brider le pintadon. Réserver les abats.

Tailler en grosses brunoises (morceaux) les carottes et les oignons.

Peler, épépiner et concasser les tomates.

2. Graisser ou huiler une sauteuse contenant tout juste la volaille.

Assaisonner le pintadon et le coucher sur une cuisse dans la sauteuse. L'arroser d'huile.

Disposer tout autour les abats en petits morceaux, sauf le foie qui sera cuit à part, la brunoise de carottes et d'oignons.

Couvrir et faire cuire à four chaud, en arrosant très souvent.

Adjoindre la tomate après 20 min de cuisson.

Coucher le pintadon sur l'autre cuisse pendant 20 min.

Découvrir et laisser colorer en le plaçant sur le dos pendant encore 10 min.

3. Préparer les échalotes pendant la cuisson du pintadon et les mettre dans une sauteuse suffisamment grande pour éviter qu'elles ne se superposent.

Ajouter 3 cl d'huile et couvrir à hauteur avec de l'eau.

Saler et sucrer très légèrement.

Poser une feuille d'aluminium au-dessus.

Faire cuire à feu doux jusqu'à évaporation totale du liquide et laisser bien colorer dans la réduction. Réserver.

4. Mettre le pintadon cuit sur un plat. Tenir au chaud.

Placer la sauteuse sur le feu et déglacer le jus avec le cognac.

Laisser réduire et déglacer à nouveau avec le vin de macération des figues. Laisser encore bien réduire.

Ajouter le fonds de volaille (1) ou 2 dl d'eau (2).

Passer la sauce au chinois (passoire fine) et dégraisser soigneusement.

Adjoindre les figues dans la sauce et faire compoter pendant 10 min à feu doux.

Disposer le pintadon dans une cocotte ou casserole en cuivre.

Ranger tout autour les figues et les échalotes. Arroser de sauce.

Servir avec des pommes vapeur noisettes ou des pommes sautées.

Il faut éviter de trop laisser cuire le pintadon afin de ne pas le dessécher.

(1) Voir en fin de volume les recettes des préparations de base.
(2) La sauce peut être liée avec un peu de beurre manié (20 g de beurre mélangé à 20 g de farine). Elle est plus onctueuse mais perd un peu de son authenticité.

181. Pâté de mauviettes à la beauceronne

Difficulté : ●●●●
Coût : ●●●●

ORLÉANAIS

Une mauviette, c'est une personne chétive, mais ce fut d'abord une alouette, assez grasse pour être mangée. Pithiviers, voisin de la Beauce, a une spécialité toute semblable et très célèbre, mais consommée froide. Grimod de la Reynière en disait : « C'est un des délicieux mangers que puisse ingurgiter le palais d'un galant homme ».

POUR 8 PERSONNES

Eléments principaux
10 alouettes
30 g de beurre.

**Eléments
de la pâte brisée salée**
250 g de farine
125 g de beurre
  1 jaune d'œuf
  5 g de sel
  5 cl d'eau.

**Eléments
de la farce à gratin**
200 g de lard gras
200 g de chair de lapin de
  garenne

200 g de foies de volaille e
  de gibier
75 g de champignons
30 g d'échalotes
  4 jaunes d'œufs
30 g de beurre
  1 dl de madère.

Elément complémentaire
  20 g de beurre pour grais
  ser le moule.

**Assaisonnements
et condiments**
Sel, poivre, thym et laurie
pulvérisés, épices.

1. Préparer la pâte brisée (1).

2. Plumer, flamber, vider et désosser les mauviettes
Réserver au frais.

3. Préparer la farce à gratin :
Escaloper les champignons et ciseler les échalotes.
Détailler en morceaux le lard, le lapin et le foie.
Faire revenir le lard, sur un feu vif et au beurre trè
chaud sans brûler le beurre.
Le retirer et le mettre à égoutter.
Ajouter les morceaux de lapin, faire colorer très vive
ment.
Faire égoutter avec le lard.
Faire revenir également les foies.
Remettre le tout ensemble dans la sauteuse avec le
champignons, les échalotes, les herbes aromatiques e
assaisonner.
Laisser suer pendant 2 min puis ajouter 5 cl de madèr
et faire étuver pendant 5 min environ.
Égoutter complètement.
Piler finement la farce et lui incorporer 4 jaune
d'œufs et 5 cl de madère.

(1) Voir en fin de volume les recettes des préparations de base.

Passer au tamis si nécessaire.

Lisser la farce à la spatule.

4. Beurrer une sauteuse et faire colorer vivement les mauviettes sur un feu modéré.

Les faire cuire ensuite à four chaud pendant 10 min environ.

5. Abaisser la pâte et garnir un moule à pâté cannelé, beurré. Piquer le fond avec une fourchette.

Farcir les mauviettes.

Disposer sur la pâte une couche de mauviettes farcies, une couche de farce, en alternant pour terminer par une couche de farce.

Saupoudrer de thym et de laurier pulvérisés.

Poser au-dessus une abaisse de pâte.

Mouiller les bords à l'aide d'un pinceau puis les souder.

Faire un petit trou au centre (cheminée) pour permettre l'évacuation de la vapeur.

6. Faire cuire à four moyen 45 min environ.

Servir le pâté chaud, renversé sur un plat.

Vin rouge : *Orléanais.*

182. Ortolans des Landes

Difficulté : ●●
Coût : ●●●●

GUYENNE

Les ortolans sont de petits oiseaux, des passereaux, qui comme ce nom l'indique, migrent à l'automne vers des pays plus chauds. Leur « passée » dans le Sud-Ouest atlantique leur est fatale, mais combien profitable à la gastronomie, voire à l'économie régionale? On assure qu'en une seule journée de « saison » Saint-Vincent-de-Tyrosse peut expédier une demi-tonne de petits oiseaux (25 000 pièces) à la Côte d'Azur et à la région lyonnaise. Gavé à la farine de maïs et à l'armagnac, rôti, l'ortolan doit être savouré, tous volets fermés, dans l'obscurité!... pour que son fumet demeure...

Vin rouge : *Médoc (Château-Margaux), Graves.*

POUR 2 PERSONNES

Éléments principaux	
4 ortolans	
50 g de beurre d'excellente qualité	

5 cl de vieil armagnac.

Assaisonnements et condiments
Sel, poivre.

1. Préparer minutieusement, mais sans les vider, les ortolans, et les coucher dans une coquelle ou une petite terrine (avec couvercle).

Verser au-dessus le beurre fondu, tiède. Saler, poivrer et arroser avec le vieil armagnac flambé.

Couvrir et luter (fermer hermétiquement la terrine avec un cordon de pâte faite de farine et d'eau).

2. Mettre à four bien chaud pendant 6 à 7 min.

Découvrir le récipient à table afin que l'odeur des ortolans, parfumés à l'armagnac, embaume tous les convives. Deux bouchées seulement, croquer même les petits os, si tendres.

D'après une spécialité de A. Robine.

183. Bécasse rôtie

GUYENNE

Les seules forêts domaniales fournissent 15 000 bécasses. Leur migration de descente se situe à la Toussaint. Elle suit trois grandes voies : littoral atlantique, centre, vallée du Rhône. Le gel peut provoquer de nouveaux passages fin décembre. La bécasse doit un peu attendre pour être consommée. On dit que Brillat-Savarin en gardait longtemps une paire dans ses poches, en réserve pour la bonne bouche.

POUR 2 PERSONNES

Difficulté : ●●●●
Coût : ●●●●●

Eléments principaux
   1 bécasse
   1 barde de lard frais
   5 cl de cognac de qualité
   1 dl de fonds de gibier lié (1)
100 g de foie gras au naturel
50 g de beurre fin.

Eléments de la farce
   20 g de foie gras
   20 g de beurre

1 cuillerée à potage de cognac.

Eléments complémentaires
   2 croûtons de pain frits au beurre
50 g de beurre fin
   cresson.

Assaisonnements et condiments
   Sel, poivre blanc, muscade.

1. Extirper le gosier, avec la pointe d'une aiguille à brider, qui sortira au-dessus de la hanche.
Brider avec le bec dans la blessure.

2. Envelopper la bécasse d'une barde de lard et la faire rôtir. Retirer quand la poitrine, piquée, donne une goutte rose.

3. Déballer la bécasse. Détacher les ailes et les cuisses en réservant intégralement la carcasse. Dégraisser le jus. Flamber les morceaux avec 5 cl de cognac et les réserver.

4. Ajouter au jus 1 dl de fonds de gibier (1), 100 g de foie gras au naturel passé au tamis. Assaisonner de sel, de poivre fraîchement moulu et de quelques râpures de noix muscade. Faire chauffer sur un feu doux. Ajouter, hors du feu, 50 g de beurre par petites parcelles. Rouler les morceaux de bécasse dans la sauce qui ne doit pas bouillir.

5. Préparer la farce et les croûtons :
ouvrir la carcasse et retirer le précieux contenu.
Ajouter très peu de lard de la barde et la pellicule de filets demeurés attachés au sternum, 20 g de foie gras passé et 10 g de beurre.
Assaisonner hautement de poivre blanc frais, d'une râpure de muscade et pétrir le tout.
Tartiner les deux croûtons frits et les poser sur un plat.
Passer rapidement sous le gril pour achever la cuisson.
Flamber sur le plat avec du cognac. Celui-ci éteint, ajouter une noix de beurre et laisser le plat sur la lampe jusqu'à complète résorption du jus.
Arroser. Le point de cuisson est atteint quand les croûtons sont devenus rigides.

(1) Supprimer le fonds de gibier lié si l'on n'a pas les éléments nécessaires pour le réaliser. Ne pas remplacer.

D'après une spécialité de Paul Dubern.

Vin rouge :
Médoc (Pauillac), Graves (Château-Haut-Brion).

Chapitre VII

LÉGUMES, FARINAGES

Marchand d'artichauts.
A la tendresse, la verduresse ! artichauts !
artichauts !

184. Asperges d'Argenteuil sauce Chantilly

Difficulté : ●●●
Coût : ●●●

ILE-DE-FRANCE

Avec le temps, Argenteuil a perdu ses champs d'asperges, mais a donné son nom à plusieurs variétés d'asperges excellentes – que l'on préfèrera pour l'instant aux hybrides doubles, inventés par la recherche agronomique, même s'ils portent les jolis noms de Diane ou Minerve. Gard, Vaucluse. Loir-et-Cher sont les plus gros producteurs.

POUR 4 PERSONNES

Elément principal
   1 kg d'asperges fraîchement cueillies.

Eléments de la sauce Chantilly
   2 jaunes d'œufs
   2 dl d'huile
   1/2 cuillerée à café de vinaigre
   1/2 cuillerée à café de moutarde
   5 cl de crème fraîche.

Assaisonnements et condiments
   Sel, poivre de Cayenne ou poivre blanc.

1. Peler et laver rapidement les asperges. Les botteler et les faire cuire à l'eau bouillante salée. Laisser refroidir.

2. Préparer une sauce mayonnaise (1).
Fouetter la crème fraîche bien glacée et l'incorporer peu à peu à la mayonnaise.

3. Servir les asperges froides, sur une grille spéciale ou sur une serviette, accompagnées de la sauce présentée à part.

Variante :
Les asperges, servies tièdes, sont souvent présentées accompagnées d'une sauce hollandaise ou mousseline. Cette dernière est une hollandaise, additionnée de crème fouettée.

(1) Voir en fin de volume les recettes des préparations de base.

185. Cardons de Tours au gratin

Difficulté : ●●●
Coût : ●●

TOURAINE

Le cardon se démode et c'est dommage. La Rome antique réservait aux riches ce descendant du chardon sauvage, ce frère de l'artichaut.

POUR 4 PERSONNES

Eléments principaux
   1 pied de cardon
   1 citron.

Eléments du blanc pour la cuisson
   1 l d'eau
   1 cuillerée à potage de farine
   5 cl d'huile, 1 citron.

Eléments de la sauce Mornay
   35 g de beurre
   35 g de farine
   5 dl de lait
   3 jaunes d'œufs
   40 g de fromage râpé.

**Eléments
de finition**
*40 g de fromage râpé.
30 g de beurre.*

**Assaisonnements
et condiments**
*Sel, poivre de Cayenne, noix
muscade.*

1. Préparer un blanc composé d'une cuillerée à potage de farine délayée dans un litre d'eau froide avec 5 cl d'huile et le jus d'un demi-citron.
Porter lentement à ébullition.

2. Couper les tiges des cardons en tronçons de 8 cm de longueur.
Les peler et les frotter au citron pour les empêcher de noircir.

3. Plonger les cardons dans le blanc bouillant et faire cuire à feu doux pendant 1 h environ.

4. Faire fondre 35 g de beurre dans une casserole moyenne. Ajouter 35 g de farine.
Mélanger constamment à la spatule en bois en évitant toute coloration. Laisser cuire 4 à 5 min à feux doux.
Incorporer peu à peu le lait froid en remuant vivement à l'aide d'un petit fouet pour obtenir une sauce bien homogène. Faire cuire environ 10 min.
Assaisonner de sel, de poivre de Cayenne et de quelques râpures de noix muscade.
Ajouter, hors du feu, 3 jaunes d'œufs et 40 g de fromage râpé.

5. Beurrer un plat à gratin.
Répartir les cardons bien égouttés et les napper avec la sauce Mornay. Saupoudrer de fromage râpé.
Arroser de beurre fondu et faire gratiner au four.

186. *Chou-fleur au gratin*

Difficulté : ●●
Coût : ●

POITOU

C'est la Bretagne (Finistère, Côtes-du-Nord, Ille-et-Vilaine) qui est devenue la province du chou-fleur. Elle totalise 75 % de la production française. La Provence vient loin derrière, avec le Nord. Cette recette poitevine prouve que jadis ce quasi monopole n'existait pas.

POUR 4 PERSONNES

Eléments principaux
*1 chou-fleur bien blanc de
   1,5 kg
30 g de beurre.*

**Eléments
de la sauce Béchamel**
*35 g de beurre
35 g de farine
5 dl de lait.*

**Eléments
complémentaires**
*2 jaunes d'œufs
90 g de fromage râpé
30 g de beurre.*

**Assaisonnements
et condiments**
*Sel, poivre de Cayenne, noix
muscade.*

1. Supprimer les feuilles et les grosses tiges du chou-fleur et le diviser en petits bouquets.

Le laver et le faire cuire ensuite à l'eau bouillante salée ou, de préférence, à la vapeur, sur un feu vif, pendant 10 à 15 min.

Égoutter.

2. Préparer la sauce Béchamel (1) pendant la cuisson du chou-fleur.

3. Confectionner la sauce Mornay :

ajouter à la sauce Béchamel, hors du feu, 2 jaunes d'œufs et 40 g de fromage râpé.

Bien remuer le tout en rectifiant l'assaisonnement.

4. Faire sauter très rapidement le chou-fleur dans 30 g de beurre chaud.

5. Beurrer un plat à gratin et garnir le fond avec une couche de sauce Mornay.

Mouler le légume dans une petite louche ou un petit bol en fourrant le centre d'un peu de sauce.

Démouler chaque louche de chou-fleur sur le plat.

Napper avec le reste de sauce.

Saupoudrer de fromage râpé.

Arroser de 30 g de beurre fondu.

Faire gratiner à four très chaud.

(1) Voir en fin de volume les recettes des préparations de base.

187. Croûtes aux morilles

Difficulté : ●●
Coût : ●●●●

FRANCHE-COMTÉ

Ce qu'il y a de vraiment rassurant chez la morille, si rare, c'est qu'elle est vraiment impossible à confondre avec l'amanite phalloïde ou quelque autre champignon mortel.

POUR 4 PERSONNES

Eléments principaux
4 tranches de pain de ménage de 3,5 cm d'épaisseur
50 g de beurre
500 g de morilles fraîches

5 dl de crème fraîche
50 g de comté râpé.

Assaisonnements et condiments
Sel, poivre, noix muscade.

1. Nettoyer soigneusement les morilles en supprimant les pieds et les laver à plusieurs eaux.

Les égoutter puis les couper en quartiers et faire étuver au beurre.

Saler et poivrer.

Faire cuire à feu doux et laisser réduire le liquide.

Ajouter la crème fraîche.

Assaisonner de sel, poivre et quelques râpures de noix muscade et laisser à nouveau réduire d'un tiers.

2. Creuser légèrement le centre de chaque tranche de pain.

Remplir les cavités des croûtes avec les morilles à la crème.

Saupoudrer de comté râpé.

3. Faire gratiner à four chaud.

Vin blanc : *Arbois*
ou jaune :
Arbois, Château-Chalon, l'Etoile.

188. Morilles à la crème

Difficulté : ●●
Coût : ●●●●

FRANCHE-COMTÉ

Un printemps frais et humide, mais où passe bien le soleil, voilà la morille comtoise prête à sortir.

POUR 2 PERSONNES

Eléments principaux
500 g de morilles fraîches (1)
50 g d'échalotes
80 g de beurre
1/2 citron

2 dl de crème fraîche épaisse.

Assaisonnements et condiments
Sel, poivre de Cayenne, muscade.

1. Nettoyer soigneusement les morilles en supprimant les pieds et les laver à plusieurs eaux.
Les égoutter puis les couper en quartiers.

2. Ciseler très finement les échalotes et les faire suer au beurre sans coloration.

3. Mettre les morilles dans une autre casserole avec le beurre et un petit filet de citron.
Assaisonner de sel fin, poivre de Cayenne (sans excès) et quelques râpures de noix muscade.
Faire bouillir puis laisser cuire à simple frémissement pendant 10 min.

4. Retirer les morilles avec une écumoire et les joindre aux échalotes.

5. Faire réduire de moitié l'eau des morilles.
Ajouter à la réduction 2 dl de crème fraîche épaisse.
Faire à nouveau réduire de moitié.
Ajouter les morilles à la crème et laisser mijoter 5 min.
Rectifier l'assaisonnement et servir bien chaud.

Vin blanc : *Arbois.*

(1) On peut utiliser des morilles séchées qu'il faut faire tremper préalablement pendant 3 h.

189. Mique de maïs

Difficulté : ●
Coût : ●

GASCOGNE

Le maïs est relativement récent en Europe.
Il y date de la découverte de l'Amérique.
La mique existait avant lui au Périgord.
C'était une boulette grasse de farine qui, déjà au Moyen Age, remplaçait avantageusement le pain.
Sarlat a toujours sa spécialité de mique au pain (de blé) rassis.
Mais la mique de maïs s'est généralisée pour accompagner le salé aux choux ou le civet de lapin.
On cuit parfois cette mique dans la graisse d'oie où ont déjà mijoté des saucisses.

Vin blanc : *Jurançon.*

POUR 4 PERSONNES

Eléments principaux

100 g de semoule fine de maïs
50 g de graisse d'oie
100 g de poitrine de porc maigre

4 gousses d'ail
5 dl de bouillon ou, à défaut, d'eau.

Assaisonnements et condiments

Sel, poivre de Cayenne.

1. Couper le lard, débarrassé de la couenne et du cartilage, en tout petits lardons et le mettre dans une petite casserole à l'eau froide. Porter vivement à ébullition et laisser cuire ensuite à simple frémissement pendant 10 min.
Égoutter.

2. Faire revenir dans une poêle, à la graisse d'oie, les gousses d'ail épluchées et coupées en deux.
Retirer l'ail et adjoindre les lardons.
Les faire rissoler sans les dessécher (1).
Ajouter la semoule fine de maïs et laisser torréfier 1 min environ en remuant constamment.
Mouiller avec le bouillon ou avec l'eau chaude.
Assaisonner.
Faire cuire à couvert pendant 5 min environ à feu doux en remuant fréquemment.

3. Verser la mique sur un plat et lisser la surface avec la spatule.
Présenter à part une salade de pissenlits et de la « roussette ».

(1) Les lardons peuvent être mélangés à la semoule de maïs ou parsemés sur la mique après cuisson de celle-ci.

190. Mogettes à la crème

Difficulté : ●
Coût : ●●

POITOU

Mogette? En Poitou, le nom désigne plus spécialement une variété de haricots-grains, les « rognons roses », mais dans toute l'aire occitane, c'est le nom du haricot blanc. Il faut, paraît-il, voir l'origine de ce nom régional dans la forme courbée du grain ressemblant à celle d'une religieuse (mougette) en prière. On écrit, on prononce mougette, mohjette, monjette, de l'Angoumois aux Pyrénées; si la recette ici décrite est celle du Luçon (Vendée), l'Aunis et l'Angoumois en ont des voisines, et Saint-Gaudens la Pyrénéenne a sa « mongetado » aux couennes.

POUR 4 PERSONNES

Eléments principaux
500 g de haricots blancs
80 g d'oignons
1 bouquet garni
1 l de fonds de volaille (1),
  ou, à défaut, d'eau.

Eléments complémentaires
2 dl de crème fraîche

épaisse
75 g de beurre
1 cuillerée à café de persil
  haché.

Assaisonnements et condiments
Sel, poivre blanc ou de Cayenne, noix muscade, deux clous de girofle.

1. Faire tremper les haricots blancs pendant quelques heures (2) puis les mettre à cuire dans un litre d'eau froide non salée.
Amener très lentement à ébullition.
Écumer.
Ajouter le bouquet garni et un oignon entier piqué de deux clous de girofle.
Faire cuire très doucement à couvert.
Le temps de cuisson est fonction de la qualité des haricots.
Saler peu de temps avant la fin de la cuisson.
Retirer le bouquet garni et l'oignon avec les clous de girofle.

2. Incorporer la crème fraîche.
Rectifier l'assaisonnement.
Faire encore mijoter 10 min à feu doux.
Adjoindre, hors du feu, 75 g de beurre par petites parcelles.

3. Dresser en timbale ou dans un légumier.
Saupoudrer de persil haché.

(1) Voir en fin de volume les recettes des préparations de base.
(2) Utiliser des haricots blancs de l'année.
Si les haricots sont trop vieux, les mettre à tremper à l'eau froide le temps nécessaire pour les faire gonfler.
Pour faire tremper et cuire les haricots, utiliser de l'eau non calcaire.

191. Fèves des marais

Difficulté : ●
Coût : ●

AUNIS

Il faut « dérober » les fèves, leur enlever leur peau. Les peuples anciens de la Méditerranée, qui ignoraient le haricot (tard venu d'Amérique), appréciaient beaucoup « faba », la fève. Une grande famille romaine y prit son nom, la famille Fabia qui donna plusieurs grands hommes à la République, tel Fabius. Un doux prénom féminin en est sorti aussi : Fabiola, sainte fille de surcroît.

POUR 4 PERSONNES

Eléments principaux
1,5 kg de petites fèves fraîches
80 g de beurre.

Eléments de garniture

160 g de jambon de pays
20 g de beurre.

Assaisonnements et condiments
Sel, sucre, sarriette.

1. Écosser, laver et égoutter les fèves.
Couper le jambon en petits bâtonnets.
2. Faire bouillir 1,5 l d'eau salée, aromatisée avec quelques feuilles de sarriette.
Mettre les fèves dans l'eau bouillante.
Faire cuire à découvert sur un feu vif.
Le temps de cuisson est fonction de la qualité des fèves.
Égoutter.
Rectifier l'assaisonnement.
Sucrer légèrement.
3. Passer aussitôt au moulin à légumes.
Incorporer 80 g de beurre par petites parcelles.
Dresser dans un légumier ou un plat creux.
Tenir au chaud.
4. Faire sauter le jambon dans 20 g de beurre chaud.
5. Parsemer le jambon sur la purée de fèves et arroser avec le beurre fondu.

192. Haricots verts à la tourangelle

Difficulté : ●
Coût : ●●

TOURAINE

La Touraine apparaît souvent dans ce chapitre des légumes. Elle fut longtemps avant l'apparition des engrais chimiques et des sélections savantes, le terroir privilégié où poussaient tous les meilleurs légumes (et fruits) de France.

POUR 4 PERSONNES

Elément principal
1,2 à 1,5 kg de haricots verts (1).

Eléments de la sauce Béchamel à la crème
25 g de beurre
25 g de farine
2,5 dl de lait
1,5 dl de crème fraîche.

Eléments de finition
80 g de beurre
1 cuillerée à café de persil haché.

Assaisonnements et condiments
Sel, poivre de Cayenne, noix muscade.

1. Effiler les haricots verts et les faire cuire à l'eau bouillante salée, à découvert.

Laisser bien égoutter après cuisson.

2. Préparer la sauce Béchamel pendant la cuisson des haricots verts :

faire fondre 25 g de beurre dans une petite casserole.

Ajouter la farine.

Mélanger à la spatule en bois en évitant toute coloration. Cuire pendant 4 à 5 min à feu doux.

Incorporer peu à peu le lait froid en remuant vivement à l'aide d'un fouet pour obtenir une sauce bien homogène. Assaisonner de sel, de poivre de Cayenne et de quelques râpures de noix muscade.

Laisser cuire environ 10 min.

Adjoindre la crème fraîche.

Chauffer et incorporer, hors du feu, 80 g de beurre par petites parcelles.

3. Mélanger délicatement les haricots verts bien égouttés à la sauce et dresser dans un légumier ou une timbale. Parsemer la surface de persil haché.

(1) Hors saison, utiliser des haricots verts surgelés.

193. Petits pois d'Aunis

Difficulté : ●
Coût : ●●●

AUNIS

Le petit pois frais disparaît de nos tables. Il y faut trop de main-d'œuvre, et la saison est très courte. C'est grand dommage. Rappelons qu'il est d'invention récente. Il a fallu beaucoup d'inspiration aux jardiniers italiens et aux horticulteurs de Louis XIV, pour cueillir des pois avant maturité, avant qu'ils ne grossissent et ne deviennent des « pois ».

POUR 4 PERSONNES

Éléments principaux
1,5 kg de petits pois pour obtenir 600 g de petits pois écossés

80 g de beurre.

Assaisonnements et condiments
Sel, sucre.

1. Écosser, laver et égoutter les petits pois.

2. Faire bouillir 1,5 l d'eau salée.

Mettre les petits pois dans l'eau bouillante.

Faire cuire à découvert sur un feu vif. Le temps de cuisson est fonction de la qualité des petits pois.

Égoutter.

Rectifier l'assaisonnement. Sucrer légèrement.

3. Dresser dans un légumier. Ajouter le beurre par petites parcelles.

Faire sauter dans le récipient pour bien lier le tout.

Servir aussitôt.

194. *Bombine ardéchoise*

Difficulté : ●
Coût : ●

LANGUEDOC

Le Vivarais (Ardèche)
est situé tout au nord
du Languedoc.
Il est composé d'une plaine
qui borde le Rhône
et de montagnes riches
en châtaigniers.
Que les marrons
qui ont rendu
Privas célèbre
puissent aussi nourrir
les porcs,
est une garantie de saveur
du « salé » ardéchois.

Vin rouge : *Tavel.*

POUR 4 PERSONNES

Eléments principaux
300 g de poitrine de porc salée bien maigre
1 kg de pommes de terre
200 g d'oignons

4 gousses d'ail
1 bouquet garni.

Assaisonnements et condiments
Sel, poivre.

1. Couper la poitrine de porc dessalée en 4 tranches.
Émincer les oignons et tailler les pommes de terre en quatre.

2. Mettre dans un caquelon en terre ou dans une cocotte en fonte, le lard, les oignons, les pommes de terre, l'ail écrasé et le bouquet garni.
Recouvrir d'eau et assaisonner.

3. Faire cuire lentement au four à couvert.
Servir dans le caquelon en terre.

195. *Gnocchi à la niçoise*

Difficulté : ●●●
Coût : ●

COMTÉ DE NICE

Se souvenant parfois
qu'elle fut italienne
ou plutôt savoyarde
jusqu'en 1860,
la cuisine niçoise
a emprunté outre-Alpes
cette solide spécialité à base
de purée de pommes de terre,
qui garnit bien les daubes
et les plats en sauce.

POUR 4 PERSONNES

Eléments principaux
500 g de pommes de terre (bintche)
125 g de farine tamisée
1 œuf entier
1 cuillerée d'huile d'olive ou 25 g de beurre.

Eléments complémentaires
100 g de beurre
100 g de fromage râpé (1).

Assaisonnements et condiments
Sel, poivre, noix muscade.

1. Faire cuire les pommes de terre, de préférence à la vapeur.
Les égoutter et les passer rapidement au tamis ou au moulin à légumes.
Incorporer à la purée bien chaude l'huile d'olive ou le beurre, l'œuf battu, la farine et assaisonner.
Travailler pour obtenir une pâte bien homogène.

(1)Les Niçois utilisent du parmesan.

2. Prendre un peu de pâte et la rouler sous la main sur une table de marbre farinée pour obtenir un rouleau d'environ 1 cm de diamètre.

Découper le rouleau en morceaux d'environ 3 cm de longueur.

Écraser légèrement avec le pouce le centre de chacun des gnocchi, ou les aplatir légèrement avec une fourchette pour former une sorte de grillage sur le dessus ou y appuyer la fourchette en la déplaçant vers la droite pour former des coquilles cannelées.

3. Faire bouillir de l'eau salée dans une grande marmite.

Pocher les gnocchi dans l'eau frémissante environ 5 min et les retirer dès qu'ils remontent bien à la surface.

Égoutter ensuite sur un linge.

4. Beurrer grassement un plat à gratin et disposer les gnocchi.

Saupoudrer de fromage râpé et arroser de beurre fondu. Faire gratiner sous le gril.

Servir tel quel ou avec la sauce d'une daube, le jus d'un rôti de veau ou une sauce tomate.

196. *Gratin dauphinois*

Difficulté : ●
Coût : ●●

DAUPHINÉ

Grenoble marie le fromage et le four. Ces épousailles engendrent un fameux enfant : le gratin dauphinois. Pourquoi gratin? Parce que les restes adhèrent à ce point aux parois, qu'il faut les gratter vigoureusement pour en extraire la succulence. Attention! ce qui distingue le dauphinois de son frère ennemi le gratin savoyard, c'est l'usage qu'il fait du lait.

POUR 4 PERSONNES

Éléments principaux
750 g de pommes de terre à chair jaune
5 dl de lait bouilli
2,5 dl de crème fraîche
2 œufs
80 g d'emmenthal râpé

2 gousses d'ail
80 g de beurre.

Assaisonnements et condiments
Sel, poivre de Cayenne, noix muscade.

1. Émincer finement les pommes de terre sans les laver.

Frotter à l'ail un plat à gratin et le beurrer grassement.

Disposer les pommes de terre en couches régulières dans le plat et les assaisonner de sel, de poivre de Cayenne et de quelques râpures de noix muscade.

Mouiller avec le lait bouilli.

Couvrir d'une feuille de papier sulfurisé ou d'aluminium.

2. Porter à ébullition et laisser cuire à feu doux pendant 15 min environ.

3. Retirer le lait et le remplacer par la crème fraîche bien mélangée avec les œufs battus.

Saupoudrer avec le fromage râpé et arroser la surface de beurre fondu.

4. Mettre à cuire à four modéré pour faire dorer le gratin pendant 20 min environ.

197. Pâté de pommes de terre

Difficulté : ●●●
Coût : ●●

BERRY

La cuisine berrichonne a su utiliser les ustensiles réalisés par les potiers locaux. Dès le XIIIe siècle, ceux-ci savaient produire un grès vitrifié, bon à tous les usages. On dit berrichon, mais aussi berriot et berruyer.

POUR 6 PERSONNES

Éléments de la pâte brisée sans sucre (1)
250 g de farine tamisée
125 g de beurre
  1 jaune d'œuf
  5 g de sel fin
  5 cl d'eau.

Éléments de la garniture
500 g de pommes de terre
 50 g de beurre
  1 cuillerée à potage de

persil haché
1 dl de crème fraîche épaisse.

Éléments complémentaires
  20 g de beurre pour graisser la tourtière
  1 œuf pour la dorure.

Assaisonnements et condiments
Sel, poivre blanc.

1. Préparer la pâte brisée sans sucre (2).

2. Couper la pâte en deux pâtons.
Abaisser chaque pâton.
Garnir une tourtière beurrée avec la première abaisse.
Piquer le fond avec une fourchette.

3. Tailler les pommes de terre en très fines rondelles et les ranger par couches successives sur la pâte sans atteindre le haut de la tourtière.
Assaisonner de sel et de poivre fraîchement moulu et parsemer de persil haché chaque couche.
Arroser de beurre fondu.
Recouvrir avec la deuxième abaisse.
Souder et pincer les bords.
Battre un œuf et badigeonner la surface à l'aide d'un pinceau pour la dorure. Piquer 6 ou 8 fois avec une aiguille.

(1) Le pâté de pommes de terre peut se faire également avec une pâte feuilletée.
(2) Voir en fin de volume les recettes des préparations de base.

Vin blanc :
Sancerre, Pouilly fumé.

Décorer avec la pointe d'un couteau ou strier avec une fourchette.

4. Faire cuire à four modéré pendant 45 min.
Retirer le pâté du four.
Pratiquer un petit trou au centre.
Verser dans cet orifice la crème fraîche.
Servir aussitôt.

198. *Pommes de terre à la berrichonne*

Difficulté : ●
Coût : ●

BERRY

Cette spécialité, c'est sûr,
n'est pas légère, légère.
Mais aux jours de fêtes,
elle n'a jamais empêché aucun
berrichon de danser ensuite
la bourrée à deux temps
à la fin de laquelle le danseur
donne un baiser
à sa cavalière :
« Bijez-vous donc ».

POUR 4 PERSONNES

Eléments principaux
  1 kg de pommes de terre
    moyennes
250 g de poitrine de porc
100 g d'oignons
 80 g de beurre

1 bouquet garni
1 cuillerée de persil haché.

**Assaisonnements
et condiments**
Sel, poivre.

1. Détailler la poitrine de porc en petits dés et faire blanchir les lardons (1), puis les faire sauter au beurre sans les dessécher.
Ciseler les oignons.

2. Peler, laver et ranger les pommes de terre, sans les superposer, dans un plat en terre grassement beurré, avec les lardons et les oignons.
Mouiller à hauteur de bouillon ou d'eau.
Ajouter le bouquet garni et assaisonner légèrement (2).

3. Couvrir et faire cuire à four moyen pendant 1 h environ.
Arroser fréquemment.
Saupoudrer de persil haché et servir tel quel.

(1) Mettre les lardons à l'eau froide, porter à ébullition, puis laisser cuire à simple frémissement pendant 10 min. Égoutter.
(2) Il faut tenir compte de la réduction presque complète du bouillon.

199. Ratatouille

Difficulté : ●●●
Coût : ●●●
(en saison)

COMTÉ DE NICE

L'écrivain Alfred de Vigny, qui certes n'était point méridional, décernait un grand hommage à la ratatouille niçoise, en la qualifiant d'« agréable mélange ». Il faut convenir que Nice a rendu sa noblesse à un mot et à un mets français si décriés que les militaires l'avaient abrégé en « rata ». A l'origine, le verbe « touiller », remuer, à donné « tatouiller », remuer une seconde fois, puis ratatouiller, c'est-à-dire remuer au moins trois fois!

Vin rouge :
Bellet, Côtes de Provence.

POUR 6 PERSONNES

Eléments principaux
1 kg de courgettes longues
750 g d'aubergines
1,5 kg de tomates
500 g de poivrons verts ou jaunes
500 g d'oignons

5 gousses d'ail
20 g de farine
2,5 dl d'huile d'olive.

Assaisonnements et condiments
Basilic, bouquet garni, sel, poivre.

1. Peler, épépiner et concasser les tomates. Réserver.
Émincer les oignons et les faire suer dans une cocotte avec un peu d'huile.
Ajouter, après légère coloration des oignons, l'ail, la tomate, le bouquet garni et quelques feuilles de basilic hachées.
Assaisonner et laisser cuire à couvert pendant 25 min environ sur un feu doux.

2. Tailler les aubergines et les courgettes en rondelles de 1 cm d'épaisseur, les poivrons en lanières assez larges et réserver séparément tous les légumes.
Saupoudrer de farine les courgettes et les aubergines.

3. Faire sauter et colorer vivement à l'huile d'olive les aubergines dans une poêle, les courgettes dans une deuxième poêle et les poivrons dans une troisième. Assaisonner.

4. Ajouter tous les légumes sautés aux tomates lorsque celles-ci sont réduites et bien concentrées.
Mélanger délicatement à l'aide d'une cuillère en bois.
Faire compoter à feux doux 15 min environ à découvert.
Remuer avec précaution.
Dégraisser et rectifier l'assaisonnement si nécessaire.
Ajouter, selon le goût, quelques feuilles de basilic concassées au moment de servir.

200. Riz créole

Difficulté : ●
Coût : ●

POUR 4 PERSONNES

Éléments principaux
250 g de riz caroline
75 g de beurre ou de saindoux.

Assaisonnement et condiment
Sel.

A quelle date,
le riz est-il entré
dans la cuisine régionale?
Bien plutôt qu'on ne croit,
et bien plus tôt
que le haricot
et la pomme de terre.
Les Espagnols l'introduisirent
en France avant
le XVᵉ siècle,
et le ministre Sully
eût souhaité en faire
une « mamelle »
de la France.
Il n'est toutefois devenu
vraiment un producteur
de terroir arlésien
et camarguais qu'au
lendemain de la Deuxième
Guerre mondiale.

1. Faire bouillir 7,5 dl environ d'eau salée.

Lavez le riz à l'eau courante et le verser dans l'eau bouillante.

Remuer à l'aide d'une spatule en bois.

Cesser de remuer après ébullition et laisser cuire à découvert, sur un feu assez vif pendant 18 min environ suivant la qualité du riz.

2. Égoutter et rafraîchir à l'eau courante.

3. Beurrer un plat creux.

Mettre le riz dans le plat et l'égrener avec une fourchette, en incorporant peu à peu le reste de beurre.

Rectifier l'assaisonnement.

Poser au-dessus, une feuille de papier d'aluminium.

Finir la cuisson à four doux, pendant 15 min environ.

Égrener le riz de temps en temps.

Les grains doivent bien se détacher les uns des autres et, surtout, ne pas coller.

201. Riz pilaf

Difficulté : ●
Coût : ●

Pilaf nous vient de Perse,
par l'intermédiaire
des Turcs. C'est une bien
exotique origine pour
une banale et simple façon
de cuire le riz.
Mais il faut savoir
qu'un grand nombre
de légumes et de fruits
occidentaux ont transité
par les jardins de ce pays
où la Bible situait
« l'Eden ». Épinard
et safran sont aussi
des noms persans.

POUR 4 PERSONNES

**Eléments
principaux**
    200 g de riz
    80 g d'oignons
   100 g de beurre (1)
    1 bouquet garni

*4 dl de bouillon ou, à
   défaut, d'eau*

**Assaisonnement
et condiment**
Sel.

1. Ciseler finement les oignons et les faire suer avec 60 g de beurre, sans coloration, sur un feu doux, en remuant de temps en temps.

Ajouter le riz et bien le mélanger dans le beurre.

Mouiller avec l'eau ou le bouillon.

Adjoindre le bouquet garni.

Saler.

Porter à ébullition.

Couvrir d'une feuille de papier d'aluminium et faire cuire à four chaud pendant 15 à 20 min, suivant la qualité du riz.

2. Laisser reposer hors du feu pendant 2 min, puis mettre dans un plat creux en incorporant 40 g de beurre par petites parcelles en égrenant le riz.

(1) De l'huile d'olive, dans le Midi de la France.

202. Nouilles à l'alsacienne

Difficulté : ●●●
Coût : ●

ALSACE

Les pâtes jouent
un rôle considérable
dans la cuisine de l'Alsace,
apprêtées à la sauce
blanche, au jambon
ou au fromage.
Elles accompagnent le gibier,
surtout lièvre et faisan.

POUR 8 PERSONNES

**Eléments
de la pâte**
400 g de farine tamisée
  4 œufs

8 g de sel fin.

Eléments de finition
150 g de beurre.

1. Disposer la farine en fontaine.
Mettre au centre les œufs et le sel.
Mélanger ces ingrédients du bout des doigts en incorporant peu à peu la farine.
Fraiser deux fois : prendre des parcelles de pâte, pousser et écraser chacune d'elles devant soi avec la paume de la main.
Rouler la pâte en boule et laisser reposer pendant au moins 1 h au frais, enveloppée dans un sac plastique ou dans un linge.

2. Diviser la pâte en 10 morceaux.
Abaisser chaque morceau au rouleau pour obtenir des bandes très fines de 1 à 2 mm d'épaisseur.
Fariner et étendre les bandes pour les faire légèrement sécher.

3. Rouler les bandes sur elles-mêmes et les tailler en lanières de 1/2 cm de largeur.
Dérouler les nouilles, les fariner très légèrement et les étendre quelques minutes (réserver environ 50 g de nouilles).

4. Faire bouillir une quantité suffisante d'eau salée dans une grande casserole.
Mettre à cuire les nouilles pendant 5 min environ.

5. (A faire pendant la cuisson des nouilles.)
Détailler en petits morceaux les nouilles réservées et les faire sauter au beurre, juste pour les dorer et les rendre croustillants.

6. Égoutter les nouilles et les mettre dans un légumier ou dans un plat creux.
Ajouter le beurre par petites parcelles.
Rectifier l'assaisonnement si nécessaire.
Parsemer dessus les petits morceaux de nouilles dorées.
Servir bien chaud.

Chapitre VIII

SPÉCIALITÉS AU FROMAGE

203. Cervelle de canut

Difficulté : ●●
Coût : ●

LYONNAIS

Le canut, c'est l'ouvrier tisserand lyonnais, l'homme laborieux, courageux et terrible à la fois, des journées turbulentes et révolutionnaires du XIXᵉ siècle. « Nous sommes les canuts, qui allons tout nus », chantaient-ils, non sans exagération d'ailleurs. La cervelle de canut, ou claqueret (caillé « claqué » à la cuiller), était servie au « goutillon » de l'après-midi.

POUR 4 PERSONNES

Eléments principaux
2 l de lait frais
quelques gouttes de présure (1/3 de cuillerée à café)
1 cuillerée à café d'échalotes ciselées
1 gousse d'ail hachée

2 cuillerées à café de persil, ciboulette, estragon et cerfeuil ciselés
1 dl de crème fraîche épaisse.

Assaisonnements et condiments
Sel, poivre blanc.

1. Préparer le fromage blanc :
mettre le lait à peine tiédi dans une terrine.
Ajouter quelques gouttes de présure que l'on trouve chez le pharmacien.
Mélanger et faire cailler une journée et plus si nécessaire sans remuer le récipient.

2. Retirer le caillé dans une mousseline placée sur une passoire, à l'aide d'une louche.
Laisser égoutter 8 à 12 h environ.

3. Battre le fromage blanc mélangé à la crème fraîche.
Assaisonner de sel et de poivre blanc fraîchement moulu.
Ajouter les fines herbes et, selon le goût, les échalotes et l'ail haché.
Accompagner de pommes de terre cuites à l'eau ou à la vapeur.

204. Crémés de Fontainebleau

Difficulté : ●
Coût : ●●●

ILE-DE-FRANCE

C'est le premier des fromages, nous voulons dire celui que l'on obtient tout de suite après le lait, additionné de crème fouettée. On disait autrefois : « Prendre patience comme les dames de Fontainebleau quand la cour est à Paris ». Cette spécialité les y aidait sûrement.

POUR 4 PERSONNES

Eléments principaux pour 8 petits crémés
5 dl de crème fraîche (1)
40 gouttes de présure.

Elément complémentaire
1 ou 2 dl de crème fraîche (facultatif).

1. Fouetter la crème dans une terrine assez grande en incorporant goutte à goutte 40 gouttes de présure.

(1) La crème fraîche doit être bien glacée avant d'être battue.

Arrêter de battre dès que la crème est presque ferme, autrement la crème se transformerait en beurre.

2. Garnir les moules spéciaux à fromage, en aluminium ou en porcelaine, en forme de cœurs ou de troncs de cône (2), de petites mousselines ébouillantées pour éviter à la crème de coller.
Répartir à la cuillère la crème dans chaque moule.

3. Laisser égoutter trois bonnes heures puis démouler chaque crémé en retirant délicatement la mousseline.

4. Mettre au réfrigérateur.
Servir bien frais, recouverts d'un peu de crème fraîche épaisse.

(2) Si l'on ne dispose pas des moules spéciaux, garnir une passoire avec une mousseline ébouillantée et ne faire qu'un seul crémé au lieu de huit petits.

205. Croquettes de camembert

Difficulté : ●
Coût : ●

NORMANDIE

POUR 4 PERSONNES

Eléments principaux
1/2 camembert à point
75 g de fromage blanc bien égoutté
25 g de beurre
15 g de fécule
10 g de farine
1 jaune d'œuf.

Elément complémentaire
30 g de farine.

Assaisonnements et condiments
Sel, poivre blanc, noix muscade.

1. Écraser la moitié d'un camembert avec une fourchette et le mélanger avec le fromage blanc.
Manier 25 g de beurre et 15 g de fécule et incorporer la préparation aux fromages, en remuant.
Ajouter 10 g de farine.

2. Travailler le tout avec une cuillère en bois au bain-marie pour obtenir une pâte bien lisse.
Adjoindre hors du feu un jaune d'œuf.
Assaisonner.

3. Laisser refroidir pendant 2 h.

4. Faire des boulettes, les passer à la farine (ou les paner en les passant à la farine, puis à l'œuf battu et enfin à la mie de pain ou la chapelure).
Plonger dans la friture chaude.
Les retirer après cuisson et les disposer sur un linge ou papier absorbant.
Servir bien chaud sur un plat.

Cidre sec
ou vin rouge :
Coteau d'Ancenis.

206. *Fromage fort*

Difficulté : ●
Coût : ●●

BOURGOGNE

Il y a beaucoup de recettes régionales de fromage fort. Celle-la tient sa force du marc de raisins bourguignon.

POUR 4 PERSONNES

Eléments principaux
15 petits fromages de chèvre secs
100 g d'oignons
50 g de beurre
1 dl de vin blanc

1 cuillerée à café de marc de Bourgogne.

Assaisonnements et condiments
Sel, poivre.

1. Ciseler les oignons. Faire bouillir 7,5 dl d'eau. Ajouter les oignons et les faire cuire pendant 20 min. Retirer les oignons et laisser tiédir le bouillon.

2. Râper les fromages très finement. Verser le bouillon sur les fromages râpés et bien remuer. Adjoindre le beurre ramolli, le vin blanc et le marc de Bourgogne.

3. Mettre dans un pot en grès quand le mélange est bien homogène. Servir aussitôt.

Vin blanc ou rouge :
Aligoté, Beaujolais.

207. *Fondue*

Difficulté : ●●
Coût : ●●

SAVOIE

Le beaufort et l'emmenthal sont (avec le comté) des fromages à la « grande forme ». Une meule de beaufort pèse de vingt à soixante-dix kilos, selon les saisons.

POUR 4 PERSONNES

Eléments principaux
300 g d'emmenthal
300 g de beaufort
4 à 5 dl de vin blanc sec (Crépy, Apremont, Ripaille...)
10 g de beurre
1 gousse d'ail.

Elément de finition
5 cl de kirsch.

Elément de la garniture
Pain de campagne.

Assaisonnements et condiments
Sel, poivre blanc.

1. Tailler le pain de campagne en petits dés.

2. Frotter fortement à l'ail un poêlon en terre beurré légèrement.

3. Couper le fromage d'Emmenthal et de Beaufort en fines lamelles et le répartir dans le fond du poêlon. Ne pas râper le fromage. Ajouter le vin blanc sec.

4. Mettre le poêlon sur le réchaud à feu doux et faire fondre le fromage en tournant pour obtenir une pâte lisse et crémeuse. Saler très légèrement et poivrer.

5. Ajouter le kirsch et servir. Laisser mijoter sur le réchaud pendant tout le repas.

6. Piquer un cube de pain de campagne et enrober le croûton de pâte brûlante.

Vin blanc :
Crépy, Apremont, Ripaille.

Chapitre IX

ENTREMETS,
PATISSERIES

LES ÉCHAUDÉS

HISTOIRE ANECDOTIQUE DE L'ALIMENTATION

208. Tourta dé bléa

Difficulté : ●●●
Coût : ●●

POUR 4 PERSONNES

Eléments de la pâte
250 g de farine tamisée
1 dl d'huile d'olive ou
125 g de beurre
50 g de sucre semoule
1 jaune d'œuf
5 cl de vin blanc sec ou
d'eau.

**Eléments
de garniture**
250 g de feuilles vertes de
bettes
50 g de raisins de Corinthe

5 cl de rhum
50 g de pignons ou de noix
60 g de sucre semoule
1 œuf entier
250 g de pommes de reinette
1 cuillerée à potage
d'huile d'olive.

**Eléments
complémentaires**
20 g de beurre pour graisser le moule
20 g de sucre glace
1 œuf pour dorer.

1. Disposer la farine en fontaine.

Mettre au centre le jaune d'œuf, le sucre, l'huile (ou
le beurre préalablement ramolli et coupé en petits
cubes) et le sel délayé dans 5 cl de vin blanc sec ou dans
5cl d'eau.

Mélanger rapidement du bout des doigts tous les ingrédients en incorporant peu à peu la farine. Ne pas trop
travailler.

Fraiser deux fois : prendre des parcelles de pâte, pousser et écraser chacune d'elles devant soi avec la paume
de la main.

Rouler la pâte en boule et la placer dans un sac plastique ou dans un linge.

Laisser reposer une bonne heure au frais.

2. Faire tremper les raisins secs dans 5 cl de rhum.

Laver, égoutter les feuilles de bettes, les rouler et les
émincer en lanières de 4 à 5 mm (1). (Réserver le blanc
pour un autre usage.)

Réunir dans une terrine les raisins, les pignons (ou les
noix), 60 g de sucre semoule, l'œuf entier battu, une
cuillerée à potage d'huile d'olive et les bettes.

Mélanger tous ces ingrédients.

Peler les pommes de reinette et les détailler en tranches.

3. Beurrer une tourtière.

Diviser la pâte en deux pâtons.

(1) Il est conseillé parfois de laver la chiffonnade de bette à plusieurs eaux pour
lui enlever un peu d'âcreté.
Cette pratique fait perdre aussi aux bettes leur qualités nutritive et vitaminique.

Abaisser chaque pâton et foncer le moule avec la première abaisse.

Disposer la garniture avec les tranches de pommes
au-dessus.

Recouvrir avec la deuxième abaisse.

Mouiller, souder et ourler les bords des deux abaisses.

Dorer à l'œuf battu à l'aide d'un pinceau.

Piquer la surface avec une aiguille.

Faire cuire à four chaud pour obtenir une belle coloration pendant 35 à 40 min environ.

Démouler sur une grille au terme de la cuisson et laisser refroidir.

Vin blanc :
Bellet
Côte de Provence

209. *Tarte angoumoise*

Difficulté : ●●●
Coût : ●●

ANGOUMOIS

Le fromage de Ruffec
est un fromage fermier
au lait de chèvre.
Ruffec est un haut lieu
de la gastronomie charentaise.
Les escargots à goût
de cognac y rivalisent,
si l'on peut dire,
avec les oies, les dindons
et les perdreaux.

POUR 8 PERSONNES

**Eléments
de la pâte brisée**
250 g de farine tamisée
125 g de beurre
1 jaune d'œuf
50 g de sucre semoule
5 g de sel fin
5 cl d'eau.

Eléments de garniture

*250 g de fromage de Ruffec
frais ou de fromage
blanc*
75 g de beurre
75 g de sucre semoule
3 œufs.

Elément complémentaire
*20 g de beurre pour grais-
ser la tourtière.*

1. Préparer la pâte brisée (1).

2. Garnir une grande tourtière beurrée d'une abaisse
fine de pâte.

Piquer le fond à l'aide d'une fourchette et laisser reposer 20 min environ.

3. Mélanger et travailler ensemble, le beurre ramolli
en pommade avec le sucre semoule.

Adjoindre ensuite les œufs un à un, puis le fromage.

4. Verser la garniture dans le fond de la pâte jusqu'au
bord.

Egaliser la surface avec une spatule.

5. Faire cuire à four moyen pendant 30 min environ.
Démouler après cuisson et laisser refroidir sur une
grille.

(1) Voir en fin de volume les recettes des préparations de base.

Vin blanc :
Montbazillac.

Variante :

La pâte brisée peut être cuite à blanc (à moitié cuite au préalable) avant de la garnir avec le fromage.

Pour la cuisson à blanc, poser sur la pâte un cercle de papier d'aluminium de même dimension que la tourtière et placer des noyaux de fruits ou des légumes secs au-dessus.

210. *Tarte aux citrons*

Difficulté : ●●●
Coût : ●●

COMTÉ DE NICE

Menton – qui appartenait au comté de Nice – est la capitale du citron français. On l'y fête, la semaine précédant le mardi-gras (en février), par un corso des fruits d'or.

POUR 8 PERSONNES

Eléments de la pâte brisée
250 g de farine tamisée
125 g de beurre
 50 g de sucre semoule
  1 jaune d'œuf
  5 g de sel fin
  5 cl de vin blanc sec ou d'eau.

Eléments de la crème au citron

180 g de sucre semoule
 4 œufs
 1 cuillerée à café de fécule ou de farine
 2 citrons non traités.

Eléments complémentaires
 30 g de sucre glace
 20 g de beurre pour graisser le moule.

1. Préparer la pâte brisée (1).

2. Beurrer un moule à tarte.
Abaisser la pâte et foncer le moule.
Piquer le fond à l'aide d'une fourchette.
Réserver au frais pendant 20 min.

3. Poser un disque de papier d'aluminium sur le fond de la tarte.
Garnir avec des noyaux de fruits ou de légumes secs (2).
Cuire à blanc sans coloration, à four chaud sans excès, pendant 15 min environ.

4. Confectionner la crème de citron pendant la cuisson à blanc de la pâte :
Râper les citrons et en extraire le jus.
Séparer avec beaucoup de soin les blancs des jaunes d'œufs et les réserver dans des terrines différentes. Il ne doit pas subsister de trace de jaune dans les blancs.

(1) Voir en fin de volume les recettes des préparations de base.
(2) Pour empêcher la pâte de se déformer dans le four, utiliser des haricots ou des pois chiches secs réservés à cet usage. Il existe, dans les magasins spécialisés, des pastilles en aluminium alimentaire, qui sont bien pratiques.

Vin blanc :
Bellet. Côtes de Provence.

Travailler les jaunes d'œufs avec 90 g de sucre semoule, jusqu'à obtention d'un mélange mousseux et blanc.

Ajouter le jus, le zeste des citrons, la fécule et mélanger.

Faire épaissir la crème, au bain-marie, pendant 15 min en remuant constamment. L'eau du bain-marie doit être à peine frémissante. Laisser refroidir.

Monter les blancs d'œufs en neige ferme.

Adjoindre peu à peu 90 g de sucre semoule.

Ajouter à la crème une petite quantité de blanc en neige et mélanger.

Incorporer ensuite avec précaution, sans fouetter, le reste des blancs en « coupant » et en soulevant pour donner de l'air.

5. Verser cette composition dans la pâte mi-cuite. Mettre à four chaud pendant 12 min environ. Laisser refroidir (3) et retomber légèrement. Saupoudrer de sucre glace.

(3) Disposer la tarte dès que possible sur une grille.
Cette précaution permet d'obtenir une pâte bien croustillante.

211. *Tarte à la frangipane*

Difficulté : ●●●
Coût : ●●●

LYONNAIS

Curieuse étymologie que celle de frangipane! Le marquis italien Frangipani inventa un parfum pour gants. Une crème de même « flaveur » en prit le nom. L'amande qui fournit aussi le sirop d'orgeat en est le doux support. Lyon, qui a toujours été la porte italienne de la France, revendique pour elle cette frangipane, bien connue dans d'autres régions amandières.

POUR 8 PERSONNES

Eléments de la pâte sucrée
250 g de farine tamisée
125 g de beurre
125 g de sucre semoule
* 1 œuf entier.*

4 œufs
125 g d'amandes en poudre
* 25 g de farine tamisée*
*   3 cl de rhum blanc*
*   quelques gouttes de*
*   vanille.*

Eléments de la crème frangipane
125 g de beurre
125 g de sucre semoule

Elément complémentaire
20 g de beurre pour graisser le moule.

1. Préparer la pâte sucrée (1).

2. Confectionner la crème frangipane :
Travailler longuement le beurre avec le sucre.
Incorporer, dans l'ordre, les œufs un à un, la poudre d'amandes, la farine, le rhum et la vanille.
Réserver la crème dans un récipient recouvert d'une feuille de papier sulfurisé. Laisser reposer 1 h.

(1) Voir en fin de volume les recettes des préparations de base.

Vin blanc :
Beaujolais supérieur.

3. Abaisser la pâte et foncer un moule beurré.
Piquer le fond à l'aide d'une fourchette.
Laisser reposer 20 min.

4. Poser un disque de papier d'aluminium sur la pâte.
Répartir au-dessus des noyaux de fruits ou des légumes secs, pour empêcher la pâte de gonfler pendant la cuisson.
Mettre à four chaud sans excès et faire cuire à blanc (sans coloration) pendant 15 min environ.
Retirer du four.
Débarrasser des noyaux et du papier aluminium.

5. Garnir avec la crème frangipane et finir de cuire à four modéré pendant 20 min environ.
Laisser refroidir et démouler la tarte sur une grille.

212. Tarte aux mirabelles

Difficulté : ●●●
Coût : ●●●

LORRAINE

La mirabelle est une variété de prune blonde, aussi admirée que belle. Elle produit d'excellentes tartes, d'excellentes confitures, d'excellentes eaux-de-vie blanches. Simplement cuite, elle est aussi parfumée que crue et gorgée de soleil.

POUR 8 PERSONNES

**Eléments
de la pâte levée (1)**
250 g de farine tamisée
*125 g de beurre fin bien
ramolli*
3 œufs
8 à 12 g de levure de bière
5 g de sel fin
18 g de sucre semoule
5 cl environ d'eau ou de

lait tiède.

Eléments de garniture
1,5 kg de mirabelles
100 g de sucre semoule.

**Elément
complémentaire**
*10 g de beurre pour
graisser le moule.*

1. Préparer la pâte levée (2).

2. Abaisser la pâte et foncer une grande tourtière légèrement beurrée.
Dénoyauter les mirabelles et les poser sur la pâte.
Saupoudrer de sucre semoule.

3. Faire cuire à four chaud.
Démouler après la cuisson et disposer la tarte sur une grille.
Servir encore tiède.

(1) La tarte aux mirabelles peut être réalisée avec une pâte brisée.
Dans ce cas, étaler sur la pâte une légère couche de semoule fine et poser les fruits au-dessus.
La semoule absorbera une partie de l'eau de végétation des mirabelles.
(2) Voir en fin de volume les recettes des préparations de base.

Vin blanc :
*Côtes de Toul, Blanc de
Moselle.*

213. Tarte aux noix

Difficulté : ●●
Coût : ●●●

DAUPHINÉ

On recommande ici un
« Saint-Péray mousseux »,
excellent vin blanc à goût
de violette des Côtes
du Rhône, que la « méthode
champenoise » pousse à
rivaliser avec
son inégalable aîné
de la Marne.

Vin mousseux :
Saint-Péray

POUR 8 PERSONNES

Eléments de la pâte sucrée
250 g de farine tamisée
125 g de beurre
125 g de sucre semoule
1 œuf entier.

2 œufs
125 g de noix en poudre
25 g de farine
    quelques gouttes de vanille
2,5 cl de rhum.

Eléments de la crème aux noix
125 g de beurre
125 g de sucre semoule

Elément complémentaire
20 g de beurre pour graisser le moule.

1. Préparer la pâte sucrée (1).

2. Beurrer un moule à tarte.
Abaisser la pâte sucrée et foncer le moule.
Piquer le fond à l'aide d'une fourchette.
Laisser reposer au frais pendant 20 min.

3. Préparer la crème aux noix :
Travailler le beurre bien tempéré en ajoutant le sucre semoule, les œufs un à un. Faire crémer.
Incorporer ensuite la poudre de noix, la farine et les parfums. Couvrir d'une feuille de papier sulfurisé et réserver au frais pendant une bonne heure.

4. Recouvrir la pâte sucrée d'une feuille de papier d'aluminium et garnir de noyaux de fruits ou de légumes secs.
Mettre à four chaud sans excès pendant 15 min sans laisser colorer.

5. Retirer la tarte du four et la garnir avec la crème de noix.
Remettre à four moyen et laisser cuire environ 20 min.
Laisser refroidir complètement.
Démouler et poser la tarte aux noix sur une grille.

(1) Voir en fin de volume les recettes des préparations de base.

214. Tarte aux poires

Difficulté : ●●●
Coût : ●●●

TOURAINE

Les variétés françaises de poires portent de merveilleux noms pleins de poésie mystérieuse : la Beurré Hardy, la Doyenné du Comice, la Passe-crassane, la Louise Bonne d'Avranches, l'Alexandrine Douillard. Les noms plus anciens sont encore plus extraordinaires : la Bon Chrétien, la Messire Jean, la Mouille-bouche.

POUR 8 PERSONNES

**Eléments
de la pâte brisée (1)**
250 g de farine tamisée
125 g de beurre
1 jaune d'œuf
50 g de sucre semoule
5 g de sel fin
5 cl d'eau.

Eléments de garniture
4 belles poires
1 citron.

Eléments du sirop (2)
500 g de sucre en morceaux

1 l d'eau
1/2 gousse de vanille.

**Eléments
de l'appareil à flan**
2 dl de lait
2 dl de crème fraîche
100 g de sucre semoule
3 œufs.

**Eléments
complémentaires**
50 g de sucre glace
20 g de beurre pour graisser le moule.

1. Préparer la pâte brisée (3).

2. Confectionner le sirop avec un litre d'eau, 500 g de sucre en morceaux et une demi-gousse de vanille. Laisser bouillir 2 à 3 min.

3. Eplucher, citronner et couper les poires en deux, les faire pocher dans le sirop pendant 15 min.
Utiliser les poires après complet refroidissement.

4. Préparer la crème :
Mélanger tous les ingrédients de la crème à l'aide d'un petit fouet.

5. Abaisser la pâte et foncer un moule à tarte beurré. Piquer le fond à l'aide d'une fourchette.
Garnir avec les poires en quartiers ou émincées et compléter avec la crème.

6. Faire cuire à four très chaud pendant 10 min, puis à four chaud pendant 25 min.
Saupoudrer de sucre glace et laisser caraméliser pendant 5 min encore.
Servir tiède accompagnée d'une gelée d'abricot chaude délayée légèrement avec un peu d'alcool de poire ou de kirsch.

Vin blanc mousseux :
Vouvray.

(1) La tarte aux poires peut se faire également avec de la pâte feuilletée.
(2) Il n'est pas nécessaire de préparer un sirop si l'on utilise des poires au sirop en conserve.
(3) Voir en fin de volume les recettes des préparations de base.

215. Tarte aux pommes

Difficulté : ●●●
Coût : ●●●

ALSACE

Admirons l'économie domestique alsacienne : la maîtresse de maison, qui confectionnait chaque samedi le pain de la semaine suivante, profitait au maximum de la chaleur du grand four et des restes de pâtes. Elle préparait et cuisait donc d'un coup des tartes salées à l'oignon ou aux lardons immédiatement consommées chaudes, et des tartes aux fruits pour le jour du dimanche.

POUR 8 PERSONNES

Eléments de la pâte brisée
250 g de farine tamisée
125 g de beurre
1 jaune d'œuf
50 g de sucre semoule
5 g de sel
5 cl d'eau.

3 œufs
100 g de sucre semoule
quelques gouttes d'extrait de vanille.

Eléments de garniture
600 g de pommes.

Eléments de l'appareil à flan
2 dl de lait
2 dl de crème fraîche épaisse

Eléments complémentaires
20 g de beurre pour graisser le moule
30 g de sucre glace.

1. Préparer la pâte brisée (1).
Beurrer légèrement un moule à tarte.
Abaisser la pâte et foncer le moule.
Piquer le fond à l'aide d'une fourchette.
Réserver au frais pendant 20 min pour lui faire perdre son élasticité et éviter un rétrécissement de la pâte.

3. Confectionner l'appareil à flan :
Mettre dans une terrine le lait, la crème fraîche, les œufs, le sucre semoule, et quelques gouttes d'extrait de vanille.
Fouetter pour bien mélanger l'ensemble et passer au chinois (passoire fine).

4. Peler et couper les pommes en quartiers et les ranger en rosace ou les couper en morceaux et les répartir sur la tarte.

5. Faire cuire d'abord la tarte avec les pommes pendant 10 min à four très chaud, puis ajouter l'appareil à flan et laisser cuire ensuite pendant 30 min à four chaud.
Saupoudrer de sucre glace et faire caraméliser légèrement pendant encore 5 min au four.
Servir tiède de préférence.

(1) Voir en fin de volume les recettes des préparations de base.

Vin blanc :
Gewürztraminer.

216. Douillons aux pommes

Difficulté : ●●●
Coût : ●●

NORMANDIE

Les douillons sont
de douillets « chaussons »
qui habillent
des pommes entières.

POUR 8 PERSONNES

Eléments de la pâte brisée
250 g de farine tamisée
125 g de beurre
1 jaune d'œuf
50 g de sucre semoule
5 g de sel fin
5 cl d'eau.

Eléments de garniture
8 pommes de reinette
100 g de sucre semoule
100 g de beurre.

Elément complémentaire
1 œuf.

1. Préparer la pâte brisée (1).

2. Mélanger le beurre et le sucre semoule.
Supprimer le péricarpe et les pépins des pommes non
épluchées à l'aide d'un vide-pomme.
Ranger les pommes sur un plat allant au four.
Emplir le centre des pommes du mélange beurre et
sucre. Ajouter 2 dl d'eau au fond du plat.
Faire cuire à four moyen pendant 20 min et laisser
refroidir après cuisson.

3. Abaisser la pâte brisée.
Découper à l'aide d'un emporte-pièce cannelé de 5 cm
de diamètre 8 couvercles.
Enfermer chaque pomme dans une abaisse de pâte.
Mouiller le dessus et poser un couvercle. Souder.
Dorer à l'aide d'un pinceau avec un œuf légèrement
salé et battu.

4. Faire cuire à four chaud pendant 20 min.

(1) Voir en fin de volume les recettes des préparations de base.

Cidre doux :
de la Vallée d'Auge.

217. Gâteau breton

Difficulté : ●●●
Coût : ●●

POUR 8 PERSONNES

Eléments principaux
250 g de farine tamisée
200 g de sucre semoule
200 g de beurre
6 jaunes d'œufs
5 cl de lambic ou de

rhum
5 g de sel.

Eléments complémentaires
1 œuf
20 g de beurre.

La lente filiation des mots aboutit à de bien bons résultats. Le grec « ambix » signifiait vase à distiller, les Arabes l'ont adopté et ont dit « al inbiq », les Espagnols en ont fait « alambico », d'où le français « alambic » et le breton « lambic », eau-de-vie de cidre, joliment dénommée aussi « givin ardant », vin ardent… que le rhum peut remplacer dans cette fameuse galette, mais inexactement.

Cidre doux :
de Clohars ou de Saint-Féréou.

1. Disposer la farine en fontaine.

Mettre au centre le sel, le beurre ramolli, 6 jaunes d'œufs et l'eau-de-vie de cidre (lambic).

Mélanger rapidement du bout des doigts en incorporant peu à peu la farine.

Ne pas trop travailler.

Fraiser deux fois : prendre des parcelles de pâte en poussant et écrasant chacune devant soi avec la paume de la main.

Ramasser la pâte en boule et la laisser reposer 1 h au frais, enveloppée dans un linge ou un sac plastique.

2. Beurrer un moule.

Etaler la pâte en une abaisse de 3 cm d'épaisseur.

Dorer, à l'aide d'un pinceau, le gâteau au jaune d'œuf battu dilué avec très peu d'eau.

Quadriller la surface avec une fourchette.

3. Faire cuire à four chaud pendant 20 min environ.

218. *Flamusse bressanne*

Difficulté : ●●●
Coût : ●●

BOURGOGNE

A travers le Nivernais, le succès de la flamusse, sorte de clafoutis aux pommes, s'étend jusqu'au Morvan.

POUR 8 PERSONNES

Eléments de la pâte brisée
250 g de farine tamisée
125 g de beurre
1 jaune d'œuf
50 g de sucre semoule
5 g de sel fin
5 cl de vin blanc sec ou d'eau.

Eléments de l'appareil à flan
2 dl de lait
2 dl de crème fraîche épaisse

3 œufs
100 g de sucre semoule
quelques gouttes de vanille liquide ou un paquet de vanille.

Eléments de garniture
600 g de pommes de reinette
50 g de beurre.

Elément complémentaire
20 g de beurre pour graisser le moule.

1. Préparer la pâte brisée (1).

2. Beurrer un moule à tarte.

Abaisser la pâte et foncer le moule.

Piquer le fond à l'aide d'une fourchette.

Réserver au frais pendant 20 min.

3. Faire cuire à blanc (sans coloration) le fond de tarte

(1) Voir en fin de volume les recettes des préparations de base.

recouvert d'un disque de papier d'aluminium et de noyaux de fruits ou de légumes secs, à four chaud sans excès pendant 15 min environ.

4. Peler les pommes, supprimer le péricarpe et les pépins, et les couper en rondelles de 3 mm environ. Les faire sauter au beurre à feu vif dans une poêle assez grande.

5. Battre les œufs dans une terrine.
Ajouter le sucre, la crème, le lait et la vanille liquide. Passer au chinois (passoire fine).

6. Garnir la pâte avec les pommes dorées et recouvrir avec l'appareil à flan.
Faire cuire à four chaud pendant 25 min environ.
Démouler sur une grille et servir encore tiède.

Vin blanc mousseux :
Bourgogne.

219. Biscuit de Savoie

Difficulté : ●●●
Coût : ●

SAVOIE

Il y a longtemps que la Savoie n'est plus dans la Savoie, et que ce « biscuit » là a conquis toute la France. C'est un produit pourtant assez connu. On y ajoute une sauce anglaise ou au chocolat, une compote de fruits frais ou cuits, de la confiture.

POUR 8 PERSONNES

**Eléments
de la pâte à biscuit**
100 g de farine tamisée
100 g de fécule
7 œufs
250 g de sucre en poudre

1 paquet de sucre vanillé.

**Elément
complémentaire**
*20 g de beurre pour grais-
ser les moules.*

1. Beurrer deux moules à génoise de 25 cm de diamètre et les saupoudrer de farine. Ne plus toucher l'intérieur des moules avec les doigts.

2. Séparer soigneusement les jaunes des blancs d'œufs. Il ne doit pas subsister de jaune dans les blancs pour réussir des œufs en neige.

3. Fouetter très longuement les jaunes avec le sucre.

4. Monter les blancs en neige ferme.

5. Incorporer aux jaunes d'œufs et au sucre la farine et la fécule à l'aide d'une spatule en bois, sans travailler la composition, puis, très délicatement, ajouter les blancs en neige en coupant et en soulevant la pâte sans chercher un mélange parfait.

6. Verser aussitôt dans les moules et faire cuire à four doux (thermostat 5) pendant 30 min environ.
Démouler encore tiède.

Vin blanc :
Ripaille, Crépy, Aïze.

220. Falue

Difficulté : ●●●
Coût : ●●

NORMANDIE

La Falue, spécialité augeronne, est une sorte de brioche qui rappelle le « pain bénit » distribué autrefois au cours de la messe, à l'occasion de certaines cérémonies.

Cidre doux
de la vallée d'Auge,
poiré de Cléry.

POUR 8 PERSONNES

Eléments principaux
250 g de farine tamisée
125 g de beurre
  5 cl de crème fraîche
    épaisse
  4 œufs

8 à 10 g de levure de bière
30 g de sucre semoule
  5 g de sel fin.

Elément complémentaire
  1 œuf pour la dorure.

1. Disposer la farine en fontaine.
Faire fondre dans une terrine le sel avec 5 cl d'eau.
Ajouter le sucre, le beurre ramolli, la crème fraîche, 4 jaunes d'œufs et mélanger le tout.
Incorporer délicatement 4 blancs d'œufs battus en neige.
Verser le tout dans la fontaine.
Délayer la levure de bière dans un peu d'eau tiède et l'adjoindre également dans la fontaine.

2. Travailler longuement la pâte qui doit être mollette puis la placer dans un linge légèrement fariné.
Laisser lever dans un endroit chaud environ 1 h.

3. Rompre et diviser la pâte en 2 ou 3 morceaux.
Rouler chaque morceau pour lui donner la forme de galette longue de 4 cm d'épaisseur.
Disposer chaque galette sur la plaque et laisser lever une deuxième fois dans un endroit tempéré.
Dorer la surface à l'œuf battu à l'aide d'un pinceau et faire cuire à four chaud pendant 8 à 10 min.

221. Gâteau basque

Difficulté : ●●●
Coût : ●●●

BÉARN

L'amande ajoute de la saveur.
Le gâteau basque est généralement garni d'une crème pâtissière.
Dans la région d'Itxassou, on additionne cette crème de cerises noires, crues ou au sirop : le gâteau basque devient alors le roi de la fête aux cerises annuelle.

POUR 8 PERSONNES

Eléments de la pâte
270 g de farine tamisée
175 g de beurre
200 g de sucre semoule
  3 jaunes d'œufs
  5 g de sel
  1 citron non traité.

Eléments de la crème
2,5 dl de lait
50 g de sucre semoule

2 jaunes d'œufs
30 g de farine tamisée
30 g de poudre d'amandes
1/2 gousse de vanille
10 g de beurre.

Eléments complémentaires
  10 g de beurre pour graisser le moule
  1 œuf pour la dorure.

1. Confectionner la pâte :

Râper le zeste d'un citron.

Mettre les œufs et le sucre semoule dans une terrine et les faire blanchir (les battre au fouet pour obtenir une composition mousseuse et bien blanche).

Ajouter peu à peu le beurre en pommade par petites parcelles, le zeste de citron râpé et le sel.

Incorporer la farine.

Travailler pour obtenir une pâte bien homogène.

Laisser reposer 1/2 h au frais.

2. Préparer la crème :

Faire bouillir le lait avec la vanille.

Réunir dans une terrine 2 jaunes d'œufs et 50 g de sucre semoule.

Faire blanchir.

Ajouter la farine en pluie.

Mélanger.

Verser au-dessus le lait bouillant par petites quantités.

Retirer la vanille et fouetter.

Remettre sur le feu, dans la casserole du lait, et laisser cuire à feu doux, en remuant constamment, jusqu'à la formation de gros bouillons.

Adjoindre la poudre d'amandes hors du feu, mélanger et verser dans une terrine propre et sèche.

Tamponner la surface avec un peu de beurre pour éviter le croûtage.

3. Beurrer un moule à manquer ou à génoise.

Partager la pâte (1) en deux pâtons : 2/3 de la pâte pour l'un et 1/3 pour l'autre.

Abaisser en rond le premier pâton et garnir le fond et le bord du moule comme pour une tarte. Piquer le fond avec une fourchette.

Etaler la crème au-dessus.

Abaisser le deuxième pâton et le poser au-dessus de la crème. Mouiller et pincer les bords.

Battre un œuf (dorure) et badigeonner la surface du gâteau à l'aide d'un pinceau.

Décorer avec une fourchette de quelques stries obliques et croisées. Piquer légèrement la surface avec une grosse aiguille.

4. Faire cuire à four moyen pendant 30 min environ.

Vin blanc : *Jurançon.*

(1) Il importe que la pâte soit à une température bien fraîche et soit largement farinée pour qu'on puisse l'abaisser facilement.

222. *Kugelhopf*

Difficulté : ●●●
Coût : ●●

Le Kugelhopf est la plus
régionale des pâtisseries,
la plus traditionnelle
des pâtisseries régionales,
la plus alsacienne
des pâtisseries alsaciennes,
qui sont pourtant
très nombreuses.

POUR 8 PERSONNES

**Eléments
de la pâte à Kugelhopf**
*500 g de farine tamisée
200 g de beurre fin bien
   ramolli
  3 œufs
  25 g de levure de bière
  10 g de sel fin
100 g de sucre semoule
1,5 dl de lait tiède.*

**Eléments
complémentaires**
*125 g de raisins de Malaga
  75 g d'amandes émondées
   ou brutes
   5 cl de kirsch d'Alsace
  30 g de sucre glace.
(Laver les raisins secs et les
faire macérer la veille dans
le kirsch.)*

1. Préparer le levain :
Disposer le quart de la farine en fontaine.
Mettre, au centre, la levure et la moitié du lait tiède.
Délayer la levure, puis incorporer peu à peu la farine
pour obtenir une pâte mollette.
Rouler en boule et tracer dessus deux incisions en croix.
Ranger le levain dans une petite terrine, le couvrir avec
un linge et le tenir dans un endroit chaud (27° C maxi-
mum), à l'abri des courants d'air. (Le levain doit avoir
doublé de volume pour être utilisé.)

2. Disposer le reste de la farine en fontaine.
Mettre au centre les œufs, le sel, le sucre semoule et
délayer ces ingrédients avec le reste de lait tiède.
Incorporer la farine et travailler énergiquement la pâte.
Rompre et fouetter. La pâte doit être molle. Si la farine
a trop de force, ajouter encore un œuf. Ne pas incorpo-
rer d'eau, ni de lait, supplémentaire qui alourdirait la
pâte.
Détailler le beurre en parcelles.
Etaler sur chaque parcelle de beurre un morceau de
pâte.
Incorporer la pâte au beurre (et non le beurre à la
pâte).
Mélanger.

3. Renverser le levain sur la pâte et procéder comme
pour le beurre.
Mélanger à nouveau et déposer la pâte dans une terrine
légèrement farinée.
Couvrir d'une feuille polyéthylène ou d'un linge et laisser lever à une température douce, à l'abri des courants
d'air, pendant 1 ou 2 h.

4. Reprendre la pâte lorsqu'elle aura presque doublé
de volume et la rompre sur la table farinée en la pliant
et repliant plusieurs fois sur elle-même sans l'écraser.

5. Incorporer les raisins secs à la pâte.

6. Beurrer parfaitement le moule à Kugelhopf.
Tapisser le fond d'amandes et disposer la pâte par-dessus. Couvrir d'une feuille polyéthylène ou d'un linge. Laisser lever une deuxième fois. La pâte doit doubler de volume et dépasser légèrement les bords.

7. Faire cuire à four moyen en couvrant le dessus, si la coloration est trop forte, avec un papier sulfurisé ou d'aluminium.
Démouler et servir froid, saupoudré de sucre glace.

Vin blanc :
Gewürztraminer.

223. Pogne de Romans

Difficulté : ●●●
Coût : ●●

DAUPHINÉ

Au bord de l'Isère, Romans était déjà au Moyen Age une cité très active, presque aussi peuplée qu'aujourd'hui. Elle comptait parmi les grandes villes drapières de France. Sa prospérité d'alors a contribué à la pérennité de cette brioche qui, à l'origine, ne devait avoir que la grosseur du poing, de la pogne, devenue avec le temps, une belle couronne.

POUR 12 PERSONNES

Eléments de la pâte
550 g de farine tamisée
250 g de beurre
4 œufs
15 g de levure de bière
150 g de sucre semoule
10 g de sel fin
2 citrons (zestes)
5 cl environ d'eau

250 g de pâte à pain (1).

Eléments complémentaires
1 œuf pour la dorure
20 g de beurre pour graisser la plaque
50 g de farine pour travailler la pâte.

1. Préparer la pâte :
Procéder comme pour la pâte levée (2) avec les ingrédiens ci-dessus en ajoutant la pâte à pain en même temps que le levain.

2. Façonner :
détailler les morceaux de pâte suivant la grandeur désirée.
Bouler (former une boule) sur la table farinée.
Laisser lever quelques minutes couvert d'une feuille polyéthylène ou d'un linge.
Faire un trou au centre (3) et l'agrandir peu à peu avec les mains pour obtenir une couronne.
Badigeonner la surface à l'œuf battu légèrement salé.

3. Disposer les couronnes sur la plaque à pâtisserie à peine beurrée.
Laisser lever à température douce (27° C maximum) à couvert, à l'abri des courants d'air, et faire cuire à four doux pendant 20 à 25 min environ.

(1) La pâte à pain doit avoir fermenté pendant un minimum de deux heures avant utilisation.
(2) Voir en fin de volume les recettes des préparations de base.
(3) Le trou est formé avec le coude par les professionnels.

Vin blanc mousseux :
Clairette de Die.

224. Fouée poitevine

Difficulté : ●●●
Coût : ●●

POITOU

Fouée a la même étymologie que « foyer » – du latin « focus ».
Elle appartient à la même famille de mots que fouace, fougasse. C'était jadis une des nombreuses manières de ne laisser perdre ni les restes de pâte à pain, ni la chaleur du four – et du foyer – où, une fois par semaine, on cuisait le pain.

Vin blanc mousseux : *Saumur.*

POUR 8 PERSONNES

Eléments de la pâte à pain
500 g de pâte à pain
ou
Eléments de la pâte levée
(pour obtenir une pâte plus fine)
250 g de farine tamisée
125 g de beurre fin bien ramolli
3 œufs
12 à 18 g de levure de bière
5 g de sel fin

12 à 18 g de sucre semoule
5 cl environ d'eau ou de lait.

Eléments de garniture
2 dl de crème fraîche épaisse
80 g de sucre semoule.

Elément complémentaire
20 g de beurre pour graisser les tourtières.

1. Préparer la pâte levée la veille (1).

2. Beurrer deux tourtières.
Abaisser la pâte et garnir les tourtières.

3. Verser au-dessus la crème fraîche à peine tiède, sans la faire couler dans le moule.
Saupoudrer de sucre semoule.
Laisser reposer 15 min environ, à l'abri des courants d'air, dans un endroit tempéré.

4. Faire cuire ensuite à four très chaud pendant 8 à 10 min environ.

(1) Voir en fin de volume les recettes des préparations de base.

225. Clafoutis limousin

Difficulté : ●
Coût : ● (au début de l'été)

LIMOUSIN

Le clafoutis, sorte de tourte aux cerises, est présent dans la cuisine régionale de plusieurs provinces. Il est frère du millard d'Auvergne – qu'il ne faut pas confondre avec les millasses du Périgord. Ses cerises bien sucrées doivent ombrer la pâte de leur suc noir.

POUR 4 A 6 PERSONNES

Eléments de l'appareil
100 g de farine
100 g de sucre semoule
1 sachet de sucre vanillé
1/3 de l de lait
3 œufs entiers
30 g de beurre
1 prise de sel fin.

Elément de garniture
500 g de cerises noires (bien mûres) équeutées.

Eléments complémentaires
20 g de beurre pour graisser le plat
30 g de sucre glace.

1. Disposer la farine, le sel et le sucre dans une terrine. Incorporer les œufs un à un, en remuant avec une spatule en bois.

Ajouter le sucre vanillé et, par petites quantités, le lait froid.

Remuer pour obtenir une pâte homogène et légère. Ne pas battre la pâte.

Passer à l'étamine ou au chinois (passoire fine).

Ajouter 30 g de beurre fondu tiède.

Laisser reposer la pâte 10 min environ.

2. Beurrer grassement un plat à gratin.

Ranger les cerises dénoyautées ou non dans le plat, en une seule couche (le noyau de cerise apporte au clafoutis un goût de fruit plus prononcé).

3. Verser l'appareil délicatement au-dessus des cerises (choisir un plat permettant au clafoutis de ne pas excéder 2 cm de hauteur).

4. Faire cuire à four moyen pendant 20 min.

Saupoudrer de sucre glace ou de sucre semoule et faire cuire à nouveau à four moyen pendant 15 à 20 min.

5. Laisser tiédir, démouler et servir.

Vin blanc :
Paillé de Beaulieu.

226. *Far*

Difficulté : ●
Coût : ●

BRETAGNE

Le far breton doit-il
s'écrire fars? Les Bretons
bretonnants préfèrent fars
ou tout aussi bien farz.
Ils le font mince ou épais.
C'était le gâteau des jours
de fête et de noce,
un gâteau plutôt rare. Il exige
beaucoup d'œufs et, jadis,
« les œufs étaient trop
précieux et trop chers pour
qu'on puisse les sacrifier
pour une gourmandise »
(Jean Markalé)...
Les temps ont
tout de même changé.

Cidre doux :
*de Pleudihen ou de
Fouesnant.*

POUR 8 PERSONNES

Eléments principaux
250 g de farine tamisée (1)
125 g de beurre
200 g de sucre semoule
1 l de lait
6 œufs

100 g de raisins de Malaga
100 g de pruneaux
1 paquet de sucre vanillé.

Elément complémentaire
25 g de sucre semoule.

1. Beurrer très grassement un plat en terre.

Faire fondre doucement 125 g de beurre dans une petite casserole.

Mélanger la farine, le sucre et les œufs, puis délayer peu à peu avec le lait tiède et le sucre vanillé.

Ajouter le beurre fondu et verser la composition dans le plat en terre.

Répartir les raisins secs et les pruneaux.

2. Faire cuire à four assez chaud pendant 35 min environ.

Saupoudrer de sucre semoule après la cuisson.

(1)Pour obtenir un far plus léger, mélanger 150 g de farine tamisée avec 100 g de fécule (Maïzena).

227. Tarte aux pommes en gelée

Difficulté : ●●●
Coût : ●●●

ORLÉANAIS

POUR 6 PERSONNES

**Eléments
de la pâte brisée**

250 g de farine tamisée
125 g de beurre
1 jaune d'œuf
50 g de sucre semoule
5 g de sel

5 cl d'eau.

Eléments de garniture

5 belles pommes Golden
5 belles pommes de reinette
50 g de beurre
100 g de sucre semoule.

1. Préparer la pâte brisée (1).

2. Beurrer très grassement un moule à fond épais de 4 cm de profondeur.
Saupoudrer de 100 g de sucre semoule.
Peler les pommes et les couper en quatre.
Supprimer les pépins et le péricarpe.
Tapisser le moule d'abord avec les pommes Golden, côté extérieur posé sur le fond.
Placer les pommes de reinette, côté intérieur intercalé entre les pommes Golden.
Couvrir d'une feuille de papier d'aluminium.

3. Mettre à four chaud pendant 15 min. Les pommes de reinette doivent être presque cuites.

4. Retirer du four, enlever la feuille de papier d'aluminium et faire caraméliser lentement sur un feu moyen, sans brûler.
Laisser refroidir.

5. Recouvrir le tout d'une abaisse de pâte brisée et faire cuire à four chaud pendant 20 min environ.

6. Démouler la tarte dès la sortie du four : couvrir le moule avec un plat et retourner sur une grille.
Servir tiède.

(1) Voir en fin de volume les recettes des préparations de base.

228. Petit bonheur de Fréjus

Difficulté : ●●●
Coût : ●●●

PROVENCE

Fréjus a quelque difficulté à se souvenir qu'elle fut un grand port méditerranéen de l'empereur Auguste. On n'y mène plus guère la vie de galère, quand l'été on se dore sur sa grande plage. Cet ingénieux « petit bonheur » est bien en accord avec le nouveau destin de la ville. En forme de cœur, il doit se consommer à deux avec sa cerise, symbole du désir.

POUR 8 A 12 PERSONNES

Eléments de la pâte levée
250 g de farine tamisée
125 g de beurre fin bien ramolli
3 œufs (150 g)
8 à 12 g de levure de bière
5 g de sel fin
18 g de sucre semoule
1 dl environ de lait tiède.

Eléments de la crème pâtissière
4 dl de lait
80 g de sucre semoule
3 jaunes d'œufs
45 g de farine
10 g de beurre.

Eléments de l'appareil à florentin
75 g de beurre
75 g de glucose (ou de sucre en morceaux)
75 g de sucre semoule
1,5 dl de crème fraîche
200 g d'amandes effilées
50 g d'écorces d'orange confites
25 g de farine.

Eléments complémentaires
20 g de beurre pour graisser la plaque
1 œuf pour la dorure.

---

1. Préparer la pâte levée (1).

2. Confectionner la crème pâtissière :
Faire bouillir le lait avec la vanille.
Réunir dans une terrine 2 jaunes d'œufs et 50 g de sucre semoule.
Fouetter pour obtenir une composition blanche et mousseuse. Ajouter 30 g de farine en pluie. Mélanger.
Verser, au-dessus, le lait bouillant par petites quantités.
Retirer la vanille et fouetter.
Remettre sur le feu doux, dans la casserole du lait, et laisser cuire, en remuant constamment jusqu'à la formation de gros bouillons.
Verser dans une terrine propre et sèche.
Tamponner la surface avec un peu de beurre pour éviter le croûtage.

3. Réunir dans une casserole tous les éléments de l'appareil à florentin, sauf la farine.
Porter lentement à ébullition en remuant à l'aide d'une spatule.

Ajouter, hors du feu, la farine et mélanger.

4. Détailler la pâte en 4 ou 6 pâtons (morceaux) et les bouler (2) délicatement sans les écraser. Laisser reposer 10 min à l'abri des courants d'air et couvert d'un linge.
Abaisser finement chaque pâton en forme de cœur et le poser sur la plaque à pâtisserie légèrement beurrée.
Badigeonner, à l'aide d'un pinceau, les bords à l'œuf battu légèrement salé.
Etaler la crème pâtissière à peine tiède sur la pâte en laissant une bordure de 1 cm. Garnir avec la composition aux amandes.
Laisser pousser 10 min à l'abri des courants d'air.

5. Faire cuire les petits bonheurs, à four très chaud, pendant 9 à 10 min environ.

(1) Voir en fin de volume les recettes des préparations de base.
(2) Former en boule.
(Fabrication commerciale réservée.)

229. Gâteau de Pithiviers

Difficulté : ●●●●
Coût : ●●●

ORLÉANAIS

A environ 80 km au sud de Paris, Pithiviers (Loiret) a donné son nom à quelques-unes des plus anciennes spécialités françaises : pâtés de mauviettes et de gibier, pastilles et pain d'épice au miel du Gâtinais, et ce fameux gâteau d'amandes. Etait-ce pour protéger sa production ? Louis XI avait enserré la ville dans une enceinte quadrangulaire, transformée aujourd'hui en agréables « mails ».

Vin blanc :
Saumur mousseux.

POUR 8 PERSONNES

**Eléments
de la pâte feuilletée**
*400 g de farine
2 dl d'eau froide
300 g de beurre
8 g de sel
1 œuf pour la dorure.*

**Eléments
de la crème d'amandes**

*150 g d'amandes en poudre
150 g de sucre glace
100 g de beurre
4 jaunes d'œufs
1 dl de rhum.*

**Elément
de finition**
50 g de sucre glace.

1. Préparer la pâte feuilletée (1).

2. Mélanger la poudre d'amandes avec le sucre glace. Incorporer, dans l'ordre, les jaunes d'œufs, le beurre en pommade et le rhum.
Travailler à la spatule et réserver la crème d'amandes au frais, recouverte d'une feuille de papier sulfurisé.

3. Partager la pâte en deux pâtons.
Abaisser en ronds de mêmes dimensions chaque pâton sur une hauteur de 3 mm.

4. Mouiller légèrement la plaque du four froide et poser la première abaisse.
Badigeonner à l'eau, à l'aide d'un pinceau, le tour sur 3 cm.
Garnir le milieu de crème d'amandes et la répartir en réservant une bordure de 3 cm.
Retourner la deuxième abaisse de feuilletage et la poser sur la première.
Appuyer légèrement pour souder les deux abaisses.
Découper très régulièrement les bords à l'aide d'un couteau pour obtenir un gâteau bien rond en laissant la bordure de 3 cm à la crème d'amandes. (Utiliser pour cela un cercle de moule à tarte.)
Dorer la surface à l'œuf battu sans en faire couler sur les bords.
Dessiner, à l'aide d'un couteau, des arcs de cercle en partant du centre pour réaliser une rosace.
Piquer légèrement la surface avec une grosse aiguille.

5. Faire cuire à four très chaud pendant 10 min puis à four chaud pendant 25 min.
Saupoudrer de sucre glace et remettre encore 5 min au four. Servir tiède.

(1) Voir en fin de volume les recettes des préparations de base.

230. Flognarde aux pommes

Difficulté : ●
Coût : ●

LIMOUSIN

La flognarde
(ou flaugnarde) déborde
du Limousin en Auvergne.
Le lait, si abondant ici et là,
lui sert de base. Elle était
souvent, jadis, une sorte
de flan sans fruits aucun,
mais les pommes coupées
en tranches lui donnent
de la solidité gustative.

Vin blanc :
Paillé de Beaulieu.

POUR 4 PERSONNES

Eléments principaux
60 g de farine tamisée
100 g de sucre semoule
7,5 dl de lait bouilli et
refroidi
3 œufs.

Eléments de la garniture

300 g de pommes de reinette
30 g de beurre.

**Eléments
complémentaires**
30 g de beurre pour graisser la tourtière
50 g de sucre semoule.

1. Délayer la farine et le sucre avec le lait, dans une terrine.
Ajouter les œufs battus et bien mélanger.
Passer au chinois (passoire fine).

2. Beurrer grassement une tourtière.
Peler et émincer finement les pommes.
Les disposer dans la tourtière.
Verser la préparation au-dessus.
Parsemer de quelques noisettes de beurre.

3. Faire cuire vivement à four assez chaud, pendant 30 min environ, sans ouvrir la porte du four car cet entremets doit gonfler.
Saupoudrer de sucre semoule après cuisson et servir chaud de préférence.

231. Rigodon

Difficulté : ●
Coût : ●

BOURGOGNE

Ne nous y trompons pas.
Le rigodon est aussi,
et d'abord, une danse
ancienne qui, si l'on en
croit le « Dictionnaire
de musique »
de J.-J. Rousseau, aurait été
inventée par un certain
Rigaud. Notre rigodon
bourguignon appartient,
lui, au grand art d'utiliser
les restes ou plutôt
les brioches rassises,
autrefois
du pain rassis.

POUR 6 PERSONNES

**Eléments
de la crème renversée**
5 dl de lait
100 g de sucre semoule
3 œufs
1/2 gousse de vanille (ou un
peu de cannelle).
Eléments complémentaires

100 g de brioche rassise
10 noix sèches ou 20 fraîches
6 noisettes (facultatif)
20 g de beurre pour graisser le moule ou 50 g de
sucre pour le caraméli-
ser.

1. Faire bouillir le lait avec la gousse de vanille.
Battre les œufs dans une terrine.
Ajouter le sucre. Mélanger.

Verser au-dessus le lait bouillant en fouettant. Passer à la passoire fine.

2. Faire griller légèrement les noisettes et les hacher finement avec les noix.

Couper la brioche en dés.

Répartir dans un moule beurré ou caramélisé les dés de brioche, sans les tasser, les noix et les noisettes.

Mouiller avec un peu de crème renversée pour imbiber légèrement la brioche afin de l'empêcher de remonter à la surface pendant la cuisson.

Ajouter le reste de crème renversée.

3. Faire cuire au bain-marie dans un récipient empli d'eau bouillante jusqu'à mi-hauteur du moule, dans un four modéré, pendant 1 h environ.

Démouler après complet refroidissement.

Vin blanc :
Crémant de Bourgogne.

232. Craquelins

Difficulté : ●●
Coût : ●

BRETAGNE

Le craquelin est une spécialité de Saint-Malo. Des marins l'ont importé de Hollande dès le XIIIe siècle.

POUR 8 PERSONNES

Eléments principaux
250 g de farine tamisée
10 g de beurre
2 petits œufs
1,5 g de carbonate d'ammonium
25 g de sucre semoule

5 g de sel fin.

Eléments complémentaires
20 g de beurre pour graisser la plaque
20 g de farine.

1. Disposer la farine en fontaine.

Mettre tous les ingrédients au centre.

Mélanger, puis incorporer ensuite la farine sans trop travailler la pâte, qui doit être assez ferme.

L'envelopper dans un linge ou un sac en plastique.

Laisser reposer une bonne heure au frais.

2. Abaisser la pâte au rouleau sur une épaisseur de 2 mm environ.

Piquer à l'aide d'une fourchette.

Découper des ronds ou des carrés.

3. Faire bouillir de l'eau dans une grande casserole.

Jeter les craquelins par petites quantités.

Les retirer dès qu'ils remontent à la surface, à l'aide d'une écumoire, et les plonger dans de l'eau froide.

Egoutter et ranger sur un linge pour bien les essorer.

4. Beurrer et fariner légèrement la plaque du four.

Disposer les craquelins et les faire cuire à four chaud pendant 15 à 20 min environ.

Cidre doux.

233. Choux à la crème

Difficulté : ●●●
Coût : ●●

BÉARN

Le Béarn, en dépit de ses finesses, est un pays de gueule. Commencé avec de la garbure, le repas peut se clore par ces douceurs, devenues un des classiques de la pâtisserie française.

POUR 8 PERSONNES

Eléments de la pâte à choux
125 g de farine tamisée
100 g de beurre
4 œufs
2,5 dl de lait ou, à défaut, d'eau
2,5 g de sel fin
4 g de sucre semoule

Eléments de la crème pâtissière
7,5 dl de lait
6 jaunes d'œufs
150 g de sucre semoule
90 g de farine tamisée
1/2 gousse de vanille
10 g de beurre.

Eléments complémentaires
15 g de beurre pour graisser la plaque
50 g de sucre glace.

1. Beurrer très légèrement la plaque à pâtisserie.

2. Préparer la pâte à choux (1).

3. Mettre la pâte à choux dans une poche munie d'une douille unie de 1,5 cm de diamètre.
Fermer la poche en la tournant sur elle-même.
Pousser en pressant légèrement en haut avec la main droite, la main gauche servant de guide.
Former des petits ronds de la grosseur d'un petit œuf.
Coucher (dresser) les choux en quinconce, bien espacés.
Battre un œuf entier (dorure) et badigeonner la surface de chaque chou à l'aide d'un pinceau, sans faire couler la dorure sur la plaque.
Rayer le dessus très légèrement avec une fourchette pour obtenir un développement régulier.

4. Mettre aussitôt, sans laisser à la pâte le temps de refroidir, à cuire dans un four très chaud pendant 10 min, puis à four chaud pendant 10 min encore, avec la porte du four maintenue à peine entrouverte avec une cuillère pour dessécher les choux.

5. Confectionner la crème pâtissière :
Faire bouillir le lait avec la demi-gousse de vanille.
Réunir dans une terrine 6 jaunes d'œufs et 150 g de sucre semoule.
Blanchir (battre à l'aide d'un fouet pour obtenir une composition mousseuse et blanche).
Ajouter la farine en pluie.
Mélanger.
Verser au-dessus le lait bouillant par petites quantités.

(1) Voir en fin de volume les recettes des préparations de base.

Retirer la vanille et fouetter.

Remettre sur le feu dans la casserole du lait et laisser cuire à feu doux en remuant constamment jusqu'à la formation de gros bouillons.

Verser la crème pâtissière dans une terrine propre et surtout bien sèche.

Tamponner la surface avec un peu de beurre pour éviter le croûtage. Laisser refroidir.

6. Retirer les choux du four après la cuisson.

Trouer la base de chacun d'eux à l'aide d'un crayon.

Mettre la crème pâtissière dans une poche munie d'une douille.

Garnir les choux par le trou pratiqué dessous et les ranger sur un plat. Saupoudrer largement de sucre glace.

Vin blanc : *Jurançon.*

234. *Broyé*

Difficulté : ●●●
Coût : ●●

POITOU

Le broyé est une galette sablée, riche en beurre, légère et friable.

POUR 8 PERSONNES

Eléments principaux
250 g de farine tamisée
125 g de beurre fin
2 jaunes d'œufs
2,5 g de levure sèche
125 g de sucre semoule
10 g de sucre vanillé

zeste d'un demi-citron.

**Eléments
complémentaires**
1 œuf pour la dorure
20 g de beurre pour graisser la plaque.

1. Préparer la pâte :

Battre les œufs avec le beurre, le sucre semoule, le sucre vanillé et le zeste de citron très finement découpé, pour obtenir une composition légèrement mousseuse.

2. Mélanger la farine avec la levure sèche et l'incorporer peu à peu aux autres ingrédients, sans trop travailler la pâte.

3. Ramasser la pâte en boule et l'envelopper dans un linge ou dans un sac plastique.

Laisser reposer 1/2 h au frais.

4. Abaisser la pâte au rouleau sur une hauteur de 3 mm et découper, à l'aide d'un emporte-pièce rond, des gâteaux individuels (1).

Badigeonner la surface à l'œuf battu légèrement salé, à l'aide d'un pinceau.

5. Beurrer une plaque à pâtisserie.

Disposer les broyés et les faire cuire à four moyen pendant 20 min environ.

Vin blanc mousseux : *Saumur.*

(1) Le broyé peut également se faire dans des cercles à tarte de grande taille.

235. Echaudés

Difficulté : ●●
Coût : ●

PROVENCE

Une charte de 1202 évoque déjà ces petites délicatesses et Paris a sa « rue de l'échaudé », proche de l'abbaye de Saint-Germain-des-Prés.

Vin blanc :
Cassis, Bandol, Perlant de Provence.

POUR 8 PERSONNES

Eléments principaux
250 g de farine tamisée
60 g d'huile d'olive peu fruitée
1 jaune d'œuf
50 g de sucre semoule
5 g de sel fin
1,5 dl d'eau.

Elément complémentaire
1 filet d'huile pour graisser la plaque.

1. Faire dissoudre le sel et le sucre dans l'eau. Ajouter l'huile et remuer fortement. Disposer la farine en fontaine. Mettre au centre tous les ingrédients. Travailler rapidement du bout des doigts.
Fraiser deux fois (prendre des parcelles de pâte en poussant et écrasant chacune d'elles devant soi avec la paume de la main).
Rouler la pâte en boule et la laisser reposer 2 h au frais, enveloppée dans un sac plastique ou dans un linge.

2. Diviser ensuite la pâte en petits morceaux de 30 g environ. Façonner ces morceaux en forme de boules. Les aplatir légèrement et enfoncer 3 doigts sur le dessus pour marquer des creux.

3. Mettre de l'eau à bouillir dans une grande sauteuse. Faire pocher les échaudés par petites quantités dans l'eau bouillante et les retirer au fur et à mesure qu'ils remontent à la surface, à l'aide d'une écumoire.
Les égoutter et les placer sur un linge.
Laisser sécher pendant 2 h.

4. Huiler une plaque à pâtisserie et faire cuire à four chaud pendant 20 min environ.

236. Mont-blanc aux marrons

Difficulté : ●●●
Coût : ●●●

SAVOIE

On dit que le Suisse Vatel inventa à Vaux-le-Vicomte cette crème fouettée et mousseuse lors du fameux banquet en l'honneur de Louis XIV, qui fut si funeste à Fouquet son organisateur. Pour faire oublier le nom de Vaux, la crème de Vatel aurait pris

POUR 8 PERSONNES

Elément principal
600 g de crème de marrons.

Eléments de la chantilly
6 dl de crème fraîche (fleurette)
80 g de sucre semoule
1/2 gousse de vanille.

Elément de garniture (facultatif)
50 g de pistaches hachées.

Eléments complémentaires
20 g de beurre
20 g de sucre glace.

le nom de Chantilly,
à cause de la célébrité
gastronomique des cuisines
de ce lieu princier.
Ainsi raconte la petite
histoire, mais cette
spécialité savoyarde,
et d'autres recettes d'Ile-de-
France, paraissent
démontrer que la crème
Chantilly est antérieure
au renom culinaire
de Chantilly.

1. Beurrer puis saupoudrer de sucre glace un moule à savarin.

2. Mettre la crème de marrons bien glacée dans une poche munie d'une douille ronde unie.
Garnir le moule. La crème doit s'enchevêtrer comme pour la confection d'un nid.
Réserver au réfrigérateur pendant 1 h.

3. Préparer la crème Chantilly :
Fouetter, doucement au début, la crème fraîche bien glacée, puis plus vivement dès que la crème commence à foisonner.
Arrêter lorsque la crème est ferme.
Ajouter le sucre semoule et les graines de la gousse de vanille coupée en deux.
Mélanger très rapidement et réserver au frais. Pour obtenir une crème très ferme, mettre la chantilly sur un tamis pour la faire égoutter, au frais, pendant 1/2 h.

4. Démouler avec précaution la crème de marrons sur un plat rond bien froid en retournant le moule.
Remplir le centre avec la crème Chantilly dressée en dôme. Parsemer le dessus de pistaches hachées.

237. Gimblettes d'Albi

Difficulté : ●●
Coût : ●

LANGUEDOC

La sévère capitale
des Cathares est capable
de donner son nom à ces
menues douceurs que le vin
de Gaillac, ville proche, aide
gentiment à passer.
Il a la mousse naturelle,
tout comme la blanquette
de Limoux que les moines
de l'abbaye de Sainte-Hélène
mettaient au mois d'avril
en cruchons, pour qu'elle
pétille joyeusement.

POUR 8 PERSONNES

**Eléments
de la pâte
à choux**
  125 g de farine tamisée
  100 g de beurre
    4 œufs
  2,5 dl de lait
  4 g de sucre semoule

2,5 g de sel fin.

**Eléments
complémentaires**
  50 g d'amandes hachées
  1 œuf pour la dorure
  15 g de beurre pour graisser la plaque.

1. Beurrer très légèrement la plaque à pâtisserie.

2. Préparer la pâte à choux (1).

3. Mettre la pâte à choux dans une poche munie d'une douille unie de 1 cm de diamètre.
Fermer la poche en la tournant sur elle-même.
Pousser en pressant légèrement en haut avec la main droite, la main gauche servant de guide.

(1) Voir en fin de volume les recettes des préparations de base.

Former des petits ronds de la grosseur d'un abricot. Coucher (dresser) les gimblettes en quinconce, bien espacées.

Battre un œuf entier (dorure) et badigeonner la surface de chaque gimblette à l'aide d'un pinceau, sans faire couler la dorure sur la plaque.

Appuyer avec le bout du doigt sur les gimblettes pour les élargir sans trop les écraser.

Parsemer au-dessus les amandes hachées.

4. Mettre aussitôt à cuire dans un four très chaud pendant 10 min, sans laisser à la pâte le temps de refroidir, puis à four chaud pendant 10 min encore, avec la porte du four maintenue à peine entrouverte avec une cuillère pour dessécher les gimblettes.

Laisser refroidir sur une grille.

Vin blanc mousseux :
Blanquette de Limoux,
Gaillac.

238. Saint-Génix

Difficulté : ●●●
Coût : ●●

SAVOIE

Cette brioche est parfois dite « gâteau de Savoie », mais il convient de ne pas la confondre avec le biscuit de Savoie (v. page 293).

POUR 8 PERSONNES

**Eléments
de la pâte levée**
250 g de farine tamisée
125 g de beurre fin
3 œufs
8 à 12 g de levure de bière
5 cl d'eau ou de lait tiède.

Elément de garniture
200 g de pralines rouges (1).
**Eléments
complémentaires**
1 œuf pour la dorure
20 g de beurre pour graisser
la plaque.

1. Préparer la pâte levée (2).

2. Détailler la pâte en morceaux de 200 g ou en 8 parts.

Incorporer dans chaque morceau quelques pralines.

Bouler (former une boule) un par un les morceaux et les poser sur une plaque à pâtisserie légèrement beurrée. Badigeonner, à l'aide d'un pinceau, la surface à l'œuf battu salé.

3. Laisser lever à température douce (27° C maximum), à l'abri des courants d'air.

Badigeonner à nouveau à l'œuf.

Couper la surface de chaque brioche à l'aide de ciseaux pour faire une croix grecque.

Garnir les incisions de pralines en les enfouissant très légèrement dans la pâte.

Faire cuire à four modéré pendant 20 min environ.

Vin blanc :
Ripaille, Crépy, Aïze.

(1) Les pralines rouges tendres sont fabriquées pour cette spécialité.
(2) Voir en fin de volume les recettes des préparations de base.

239. Puits d'amour

Difficulté : ●●●●
Coût : ●

Champagne doux.

POUR 8 PERSONNES

Eléments
de la pâte feuilletée
   Détrempe
400 g de farine tamisée
200 g d'eau froide (variable suivant la qualité de la farine)
8 g de sel.
   Beurrage
300 g de beurre ou, à défaut, de margarine à feuilletage.

Dorure
1 œuf.

Eléments
de la garniture
200 g de confiture de groseilles.

Elément
complémentaire
75 g de farine pour travailler la pâte.

1. Préparer la pâte feuilletée (1).
Mouiller légèrement la plaque du four froide.

2. Abaisser la pâte sur une épaisseur de 3 à 4 mm et la détailler à l'emporte-pièce cannelé de 6 cm de diamètre.
Evider la moitié des petites abaisses avec un emporte-pièce cannelé de 3 cm de diamètre.
Poser une à une, sur la plaque, en les retournant, les abaisses non évidées.
Mouiller d'eau à l'aide d'un pinceau.
Placer les abaisses évidées, en les retournant, sur les premières.
Dorer la surface à l'œuf battu en prenant bien soin de ne pas faire couler la dorure.

3. Faire cuire à four vif.
Garnir le centre (le puits) avec de la confiture de groseilles.

(1) Voir en fin de volume les recettes des préparations de base.

240. Beignets de fleurs d'acacia

Difficulté : ●●
Coût : ●

LYONNAIS

Les petits Méridionaux croquent volontiers les fleurs de robinier, ou faux acacia, au goût sucré un peu fade. Monsieur Brun les met en beignets. Il pourrait faire tout aussi bien avec des fleurs de sureau, de courgette, ou de muflier. La cuisine des fleurs redevient à la mode...

Vin blanc :
Beaujolais supérieur.

POUR 4 PERSONNES

Eléments principaux

250 g de fleurs d'acacia
75 g de sucre semoule
5 cl de fine Champagne.

Eléments de la pâte à beignets
125 g de farine tamisée

20 g de beurre fondu
1 œuf + 1 blanc d'œuf
1,5 dl de bière
2 g de sel fin.

Eléments complémentaires
Huile de friture
75 g de sucre semoule.

1. Préparer la pâte à beignets (1).

2. Eplucher les fleurs d'acacia et les mettre dans un plat. Les saupoudrer avec 75 g de sucre semoule et les arroser avec la fine Champagne.
Laisser macérer pendant 30 min environ.

3. Faire chauffer l'huile de friture.

4. Tremper les fleurs d'acacia dans la pâte à beignets et les jeter dans la friture chaude une à une.
Egoutter sur un linge.

5. Dresser les beignets bien chauds. Saupoudrer de sucre semoule.

(1) Voir en fin de volume les recettes des préparations de base.

241. Bugnes lyonnaises

Difficulté : ●●
Coût : ●

LYONNAIS

La bugne, c'est le rectangle de pâte qui gonfle dans la friture chaude comme sur un front la beigne, ou beugne, bosse provoquée par un coup. Arrêtons-là les similitudes et les étymologies violentes. La bugne n'est que la manifestation de la joie

POUR 4 PERSONNES

Eléments de la pâte
250 g de farine tamisée
100 g de beurre
50 g de sucre semoule
1 œuf
5 g de sel
1 cuillerée à potage de

cognac ou de rhum
1 cuillerée à café de zeste de citron râpé.

Eléments complémentaires
Huile de friture
30 g de sucre glace.

lyonnaise, du goût lyonnais de la fête. La bugne célèbre le mardi gras.

1. Disposer la farine en fontaine.

Mettre au centre les œufs, le sel, le sucre, le beurre en pommade, le zeste de citron râpé et le cognac ou le rhum.

Mélanger le tout et pétrir longuement pour obtenir une pâte ferme et bien lisse. Rouler en boule.

Laisser reposer au frais, pendant 2 h, la pâte enveloppée dans un linge.

2. Faire chauffer l'huile de friture.

3. Abaisser finement la pâte au rouleau sur la table légèrement farinée.

Détailler en rectangles ou en losanges de 15 × 8 cm.

4. Jeter les bugnes dans la friture chaude sans excès, laisser cuire pendant 5 min environ.

Egoutter sur un linge. Saupoudrer de sucre glace.

Dresser en dôme sur un plat.

Vin blanc mousseux :
Clairette de Die.

242. Crêpes Grande-Chartreuse

Difficulté : ●●
Coût : ●

ROUSSILLON

Le couvent de la Grande-Chartreuse, qui inventa les célèbres liqueurs jaune et verte, est situé au cœur du Dauphiné, dans la région de Grenoble. Cette spécialité roussillonnaise serait inexplicable si l'on ne savait que les Chartreux durent longtemps émigrer à Tarragone, ville de Catalogne, tout aussi méditerranéenne que le rousillonnais Port-Vendres.

POUR 8 PERSONNES

**Eléments
de la pâte à crêpes**
200 g de farine tamisée
60 g de sucre semoule
10 g de sucre vanillé
5 œufs
5 dl de lait cru
3 g de sel fin (une pincée).
**Eléments du beurre
Grande-Chartreuse**

7,5 cl de chartreuse verte
120 g de sucre semoule
120 g de beurre.

**Eléments
complémentaires**
40 g de beurre fondu pour
faire cuire les crêpes
20 g pour beurrer le plat
20 g de sucre glace.

1. Préparer la pâte et faire sauter les crêpes (1).

2. Confectionner le beurre Grande-Chartreuse : travailler le beurre en pommade.

Incorporer la chartreuse verte et le sucre semoule.

3. Badigeonner les crêpes avec le beurre Grande-Chartreuse à l'aide d'un pinceau et les ranger sur un plat beurré. Saupoudrer de sucre glace et les passer rapidement au four chaud. Servir aussitôt.

Vin blanc :
Muscat de Rivesalte.

(1) Voir en fin de volume les recettes des préparations de base.

243. Gaufres flamandes

Difficulté : ●●
Coût : ●

FLANDRE

Gaufre tire son nom
du même met néerlandais
wafel, qui signifie rayon
de miel et gaufre. Lille est
la capitale française
de la gaufre qui règne
dans le Nord, quasiment
jusqu'à la Baltique.

Cidre doux.

POUR 8 PERSONNES

Eléments de la pâte
250 g de farine tamisée
60 g de beurre
25 g de sucre semoule
2 œufs
20 g de levure de bière
5 cl de lait
5 g de sel fin

quelques gouttes de vanille.

Eléments complémentaires
50 g de sucre glace
30 g de beurre pour graisser le gaufrier.

1. Disposer la farine dans une terrine.
Délayer la levure dans le lait un peu tiède et verser au centre de la farine.
Ajouter les œufs battus, le sel et le sucre semoule.
Mélanger, en ajoutant peu à peu le beurre fondu, puis quelques gouttes de vanille. La pâte doit être lisse et un peu liquide. Couvrir avec un linge et laisser reposer dans un endroit tempéré (tiède sans excès).
Attendre que la pâte double de volume.

2. Beurrer légèrement et chauffer le gaufrier.
Verser la pâte à la louche et faire cuire les gaufres environ 2 min de chaque côté.

3. Servir encore chaudes, saupoudrées de sucre glace, ou garnies de chantilly ou de confiture.

244. Farçon

Difficulté : ●
Coût : ●

SAVOIE

Le plaisant critique
gastronomique Francis
Amunategui a pu écrire :
« La Savoie a certaines
réparations
admirablement
fourratives, faites pour
l'existence d'hommes
intrépides qui ont à lutter
contre le froid et l'altitude.
Le farçon est
de celles-là... » ... Aujourd'hui
un dessert de skieurs.

POUR 4 PERSONNES

Eléments principaux
800 g de pommes de terre
60 g de beurre
50 g de sucre semoule
20 g de farine
2 œufs entiers ou
4 jaunes.

Eléments de garniture

200 g de pruneaux
50 g de raisins secs
2 dl de vin blanc sec
5 cl d'eau-de-vie.

Elément complémentaire
20 g de beurre pour graisser le plat.

1. Mettre à tremper, la veille, les pruneaux dans le vin blanc et les raisins secs dans l'eau-de-vie.

2. Faire cuire lentement, à l'eau légèrement salée (1), les pommes de terre, avec leur peau.

Les peler encore chaudes et les passer au moulin à légumes.

Incorporer, dans l'ordre, le beurre, la farine, le sucre, les œufs puis ajouter les pruneaux dénoyautés et les raisins secs.

3. Beurrer largement un plat en terre et le garnir avec la pâte. Faire cuire à four moyen.

Former une croix au-dessus à l'aide d'un couteau, dès qu'une croûte se forme et laisser bien cuire.

4. Retourner le farçon après refroidissement.

Variantes : Elles sont nombreuses mais la base reste une pâte faite à partir de la pulpe de pommes de terre. Les blancs d'œufs montés en neige et incorporés délicatement à la composition améliorent et rendent plus léger, le farçon.

(1) Il est préférable de faire cuire les pommes de terre à la vapeur.

Vin blanc :
Seyssel, Frangy, Marestel, Monthoux.

245. *Milliassons de Bigorre*

Difficulté : ●
Coût : ●●

BIGORRE

Le maïs intervient dans la cuisine du Sud-Ouest. Il avait été introduit dans ces régions chaudes dès la conquête de l'Amérique, pour juguler les famines ; il y a tenu jusqu'au XXᵉ siècle un rang modeste, mais sûr. Grâce aux hybrides et à la mécanisation, il est devenu une richesse essentielle de l'Aquitaine, et de bien d'autres régions.

POUR 4 PERSONNES

Eléments principaux
5 dl de lait
100 g de beurre
  5 œufs
100 g de farine de maïs très fine
100 g de sucre semoule

1 citron non traité
1/2 gousse de vanille.

Eléments complémentaires
10 g de beurre pour graisser la tourtière
25 g de sucre semoule.

1. Faire bouillir le lait avec une demi-gousse de vanille. Ajouter, hors du feu, dans le lait bouillant, la farine de maïs.

Remuer vivement.

Laisser refroidir (tiédir).

2. Incorporer un à un les œufs, le sucre semoule et le beurre en pommade, par petites parcelles.

Parfumer avec le zeste râpé d'un demi-citron.

3. Beurrer une tourtière et la remplir avec la composition.

Faire cuire à four doux pendant 45 min environ.

4. Saupoudrer la surface de 25 g de sucre semoule en sortant les milliassons du four.

Vin blanc :
Jurançon, Sauternes.

246. Poires au vin

Difficulté : ●
Coût : ●●

BOURGOGNE

POUR 4 PERSONNES

Eléments principaux
   8 poires à chair ferme
7,5 dl de bourgogne rouge

200 g de sucre en morceaux
2,5 dl d'eau
   cannelle
   zeste de citron.

1. Éplucher les poires en leur laissant la queue.

2. Porter à ébullition le vin rouge, l'eau, le sucre, la cannelle et le zeste de citron, dans une casserole à fond large.

3. Ajouter les poires et les faire pocher pendant 15 min environ (le liquide doit recouvrir les poires).
Laisser refroidir après la cuisson.

4. Retirer les poires et les mettre dans un plat creux. Les arroser avec le sirop réduit de moitié.
Servir frais.

Variantes : Certains préfèrent les poires macérées pendant 24 h dans le sirop. Dans ce cas, doubler la quantité de sucre et ne pas faire réduire le sirop.
Un filet d'alcool de poire dans le sirop froid renforce agréablement le parfum des fruits.

Vin blanc :
Crémant de Bourgogne.

247. Soufflé de marrons d'Aurillac

Difficulté : ●●●
Coût : ●●

AUVERGNE

POUR 8 PERSONNES

Le marron se distingue de la châtaigne parce qu'il n'est pas compartimenté intérieurement et qu'il est donc beaucoup plus facile à cuisiner. Toute une partie de la France rurale, surtout le Centre, a vécu pendant des siècles sur ses réserves de châtaignes ou de marrons. A côté de préparations très simples, ce soufflé-là est presque luxueux.

Eléments de la purée de marrons
500 g de châtaignes (marrons)
   5 dl de lait
1/2 gousse de vanille
   5 cl de rhum.

Eléments complémentaires
   3 œufs (2 jaunes et 3 blancs)
120 g de sucre semoule
   20 g de beurre
   20 g de sucre glace.

1. Beurrer deux moules à soufflé.
Sucrer l'intérieur avec 40 g de sucre semoule et retour-

ner les moules pour enlever l'excédent de sucre. Réserver au froid sans toucher avec les doigts le beurre et le sucre.

2. Fendre légèrement l'écorce des châtaignes du côté bombé, les poser sur une plaque avec un peu d'eau et les mettre au four pendant 8 min environ. Cette opération facilite l'épluchage.

Décortiquer aussitôt les marrons.

Faire bouillir de l'eau et les plonger quelques minutes pour enlever la seconde peau.

3. Porter à ébullition le lait avec la gousse de vanille. Ajouter les marrons et les faire cuire à simple frémissement.

Passer au tamis ou au moulin à légumes après cuisson. Adjoindre 80 g de sucre semoule et remettre sur un feux doux pendant 5 min en remuant constamment. Laisser refroidir. Additionner le rhum à la purée.

4. Fouetter les blancs d'œufs en neige ferme.

Mélanger les jaunes d'œufs et la purée de marrons. Incorporer très délicatement les blancs en neige, en coupant et en soulevant la purée.

5. Emplir au 3/4 les moules à soufflé.

Faire cuire à four moyen pendant 20 min environ. Saupoudrer de sucre glace et servir aussitôt.

248. Soupe aux cerises

Difficulté : ●●
Coût : ●●

POUR 4 PERSONNES

Eléments principaux
800 g de cerises
250 g de sucre semoule
1 citron
5 dl de vin rouge (Montigny)

5 cl de kirsch
15 g de fécule
1 petit bâton de cannelle.

Eléments de garniture
4 croûtons frits au beurre.

1. Dénoyauter 700 g de cerises et conserver 100 g pour la garniture.

2. Broyer la moitié des noyaux au mortier.

Faire bouillir le vin rouge. Ajouter les noyaux concassés, 5 cl de kirsch, et laisser infuser 20 min à couvert.

3. Réunir dans une casserole les cerises dénoyautées, le zeste de citron, le sucre semoule, un petit bâton de cannelle, et mouiller avec 7,5 dl d'eau.

Faire bouillir vivement pendant 8 min.

4. Retirer la cannelle, le zeste de citron et passer les cerises au tamis fin. Remettre sur le feu et faire bouillir. Délayer dans un bol la fécule avec un peu d'eau froide et la joindre à la soupe bouillante.

Ajouter les 100 g de cerises réservées pour la garniture et donner quelques bouillons pendant 5 min.

5. Passer l'infusion de noyaux à travers une mousseline et l'ajouter à la soupe.

6. Mettre les croûtons frits au beurre dans la soupière et verser la soupe au-dessus.

249. *Teurgoule*

Difficulté : ●
Coût : ●

NORMANDIE

Ce plat de riz, longuement mitonné au four et aromatisé à la cannelle, est une spécialité longtemps oubliée du pays d'Auge. L'unique boulanger de Beuvron-en-Auge a entrepris de la ressusciter. Elle date d'un temps où la chaleur des fours devait durer...

Cidre doux : *Poiré d'Argentan.*

POUR 6 PERSONNES

Eléments principaux
150 g de riz rond
2 l de lait
125 g de sucre en morceaux
   (25 morceaux)

2 cuillerées à café de cannelle
50 g de beurre
1 gousse de vanille fendue en deux
une pincée de sel fin.

1. Faire chauffer le lait avec la gousse de vanille jusqu'à ébullition, puis ajouter le sucre, le sel, le riz (1) et la cannelle.

2. Retirer du feu et incorporer 30 g de beurre.

3. Beurrer un plat à gratin et y verser la composition. Faire cuire la teurgoule à feu très doux 5 h au four.

(1) Dans cette recette, il ne faut pas faire « crever » le riz à l'eau.

250. *Croissants de Provence*

Difficulté : ●
Coût : ●●●

PROVENCE

La Provence est friande de ces petites pâtisseries sèche qui mettent en valeur les produits locaux et qui se conservent bien en boîte métallique fermée.

POUR 8 PERSONNES

Eléments de la pâte
175 g d'amandes en poudre
150 g de sucre semoule
  2 blancs d'œufs
75 g d'amandes effilées ou hachées
  1 cuillerée à potage de marmelade ou confiture d'abricots

quelques gouttes de vanille liquide.

Eléments complémentaires :
50 g de farine
5 cl de lait
30 g de sucre semoule
15 g de beurre pour graisser la plaque.

1. Beurrer légèrement une plaque à pâtisserie.

2. Battre les blancs d'œufs sans les monter en neige.

Mettre les amandes en poudre avec le sucre dans une terrine. Ajouter la marmelade passée au tamis.

Mélanger en incorporant, peu à peu, les 2/3 des blancs d'œufs pour obtenir une pâte assez épaisse, permettant d'être travaillée à la main.

3. Diviser la pâte en morceaux de la grosseur d'une noix. Fariner très légèrement la table de travail.

Rouler chaque morceau en forme de bâtonnet de 8 cm de long environ. Badigeonner la surface de chaque bâtonnet au blanc d'œuf, à l'aide d'un pinceau, et rouler les bâtonnets dans les amandes effilées ou hâchées. Poser les bâtonnets sur la plaque beurrée en leur donnant la forme de croissants.

4. Faire cuire à four moyen pendant 10 min.

5. Mélanger le lait avec 30 g de sucre semoule. Badigeonner, aussitôt cuits, les petits croissants avec le lait sucré pour leur donner un bel aspect brillant. Laisser refroidir.

251. Riz à l'impératrice

Difficulté : ●●●●
Coût : ●●●

POUR 8 PERSONNES

Éléments pour le gâteau de riz
  5 dl de lait
  75 g de sucre en morceaux
125 g de riz caroline
1/4 de gousse de vanille
  20 g de beurre.

Éléments de l'appareil à Bavarois
    crème anglaise collée
    5 dl de lait
    5 jaunes d'œufs

125 g de sucre semoule
  6 feuilles de gélatine.
  Crème fouettée
  2,5 dl de crème fraîche
  (fleurette).

Éléments complémentaires
200 g de fruits confits
  1,5 dl de kirsch
  10 g de sucre glace
    1 dl de gelée de groseille
    ou de marmelade d'abricots.

1. Garnir un moule à soufflé de gelée de groseille et laisser bien prendre au froid.

2. Laver le riz et le mettre dans une casserole, largement couvert d'eau froide.

Porter vivement à ébullition et laisser bouillir pendant 2 min. Rafraîchir et égoutter le riz.

3. Faire bouillir 5 dl de lait avec le sucre en morceaux. Ajouter le riz et porter à nouveau à ébullition. Adjoindre la vanille et une prise de sel.

Beurrer la surface du riz et le faire cuire à couvert dans un four moyen pendant 35 à 45 min environ sans le remuer. Laisser refroidir.

4. Faire tremper les feuilles de gélatine à l'eau froide.

5. Préparer la crème anglaise (1).

6. Presser les feuilles de gélatine et les adjoindre à la crème anglaise.

Remuer et passer au chinois ou à l'étamine (passoire fine).

Laisser refroidir sans faire prendre en gelée et parfumer avec 5 cl de kirsch.

7. Fouetter, doucement au début, la crème fraîche bien glacée, puis plus vivement dès que la crème commence à foisonner.

Arrêter lorsque la crème est ferme, et la mettre sur un tamis pour la faire égoutter, au frais, pendant 1/2 h.

8. Mélanger le riz froid et la crème anglaise.

Incorporer les fruits confits coupés en morceaux (en réserver pour le décor).

Refroidir cette composition sur la glace ou au réfrigérateur. Incorporer les 3/4 de crème fouettée dès que la gelée commence à prendre.

9. Verser le riz dans le moule et laisser bien prendre au froid pendant 2 h.

10. Démouler et décorer avec le reste de crème fouettée mélangée avec 10 g de sucre glace et des fruits confits.

(1) Voir en fin de volume les recettes des préparations de base.

Vin blanc mousseux :
Clairette de Dié.

252. Croquignoles de Chartres

Difficulté : ●●
Coût : ●●●

ORLÉANAIS

Une douceur croquante, aussi ancienne que le Moyen Age, pour laquelle chaque région a ses recettes et ses préférences, croquignolettes.

POUR 6 PERSONNES

Eléments principaux

75 g d'amandes (1) émondées
250 g de sucre semoule
300 g de farine tamisée
4 œufs
50 g de beurre

1 citron non traité
5 g de sel fin.

Eléments complémentaires

1 œuf pour la dorure
20 g de beurre pour graisser la plaque.

1. Piler les amandes.
Ajouter le sucre semoule et 2 œufs entiers.

(1) Mélanger 5 g d'amandes amères à 75 g d'amandes douces si possible.

Travailler et battre le tout en incorporant, peu à peu, encore 2 œufs.

Adjoindre la farine, le sel, quelques zestes de citron finement hachés et le beurre ramolli.

2. Beurrer une plaque.

Mettre la composition dans une poche à douille unie et dresser des petits ronds pas plus gros qu'une cerise. Dorer au pinceau avec un œuf battu.

3. Faire cuire à four doux.

253. Barquettes au chocolat

Difficulté : ●●●
Coût : ●●●

ANGOUMOIS

Il est normal
que les marins charentais
aient ramené des Amériques,
dans leurs bagages,
ce cacao dont les Aztèques
faisaient un breuvage sacré.
Le cognac y ajoute une saveur
qui n'a rien d'aztèque.

POUR 24 BARQUETTES

Eléments de la pâte sucrée
250 g de farine tamisée
125 g de beurre
125 g de sucre semoule
 1 œuf entier.

**Eléments
de la crème ganache**
250 g de chocolat à cuire
100 g de lait condensé non
sucré
125 g de beurre
3 cl de cognac.

Elément de garniture
50 g d'angélique.

Elément complémentaire
20 g de beurre pour grais-
ser les moules.

1. Préparer la pâte sucrée (1).
Beurrer 24 petits moules à barquette.

2. Abaisser finement la pâte. Ranger les moules en quinconce sur la table. Poser l'abaisse de pâte au-dessus. Tamponner avec un petit morceau de pâte pour foncer les barquettes, passer le rouleau et disposer les moules sur la plaque à pâtisserie. Piquer les fonds à l'aide d'une fourchette. Laisser reposer 20 min environ.

3. Garnir ensuite avec des noyaux de fruits (ou des haricots secs) et faire cuire à four chaud sans excès pendant 10 min. La pâte ne doit pas prendre de couleur. Enlever les noyaux, démouler et laisser refroidir complètement les fonds de tarte sur une grille.

4. Préparer la crème ganache :
Faire fondre, au bain-marie, le chocolat. Retirer du feu.

Travailler au fouet en incorporant peu à peu, le lait, puis le beurre en pommade et, pour terminer, le cognac.

(1) Voir en fin de volume les recettes des préparations de base.

Fouetter longuement pour obtenir une crème légère.

5. Mettre la ganache dans une poche avec une douille cannelée et garnir chaque petite barquette.

Poser au-dessus, un petit morceau d'angélique.

254. Tartelettes au chocolat de Royat

Difficulté : ●●●
Coût : ●●●

AUVERGNE

Les eaux thermales et les bains de Royat étaient connus des Romains, mais sûrement pas le chocolat. On peut imaginer que cette industrie gourmande dont la matière première vient de si loin, s'est implantée ici pour remédier à la monotonie des cures et des absorptions d'eau minérale. Elle y a très bien réussi, quoique le chocolat soit hypercalorique.

POUR 8 PERSONNES

Eléments de la pâte sucrée
250 g de farine tamisée
125 g de beurre
80 g de sucre semoule (1)
1 œuf entier.

Eléments de garniture
100 g de chocolat à croquer
150 g de beurre

100 g de sucre glace
2 jaunes d'œufs
3 cl de rhum.

Eléments complémentaires
150 g de noix hachées
24 cerneaux de noix
20 g de beurre pour graisser les moules.

1. Préparer la pâte sucrée (2).

2. Abaisser la pâte et foncer des petits moules à tartelette beurrés. Piquer le fond à l'aide d'une fourchette.
Répartir au-dessus des noyaux de fruits pour empêcher la pâte de gonfler pendant la cuisson.

3. Mettre à four chaud sans excès et faire cuire à blanc (sans coloration) pendant 10 min environ.
Retirer du four et retourner aussitôt les tartelettes et les démouler. Laisser refroidir sur une grille.

4. Couper le chocolat en morceaux dans une casserole et le faire fondre au bain-marie à faible température.
Mélanger dans une terrine le beurre en pommade et le sucre glace. Ajouter les deux jaunes d'œufs.
Verser au-dessus le chocolat fondu. Bien remuer. Laisser refroidir. Parfumer au rhum.

5. Remplir les tartelettes avec la crème au chocolat et lisser à l'aide d'une spatule.
Rouler les bords des tartelettes dans les noix hachées et mettre au centre un cerneau de noix (3).
Ces délicieuses tartelettes ne peuvent se conserver plus de 24 h.

(1) La pâte doit être moins sucrée que d'habitude.
(2) Voir en fin de volume les recettes des préparations de base.
(3) Le cerneau de noix peut être trempé dans du caramel.

255. Mousse de chocolat au cognac

Difficulté : ●●●
Coût : ●●

ANGOUMOIS

La durée de conservation de cette mousse délicate n'excède pas vingt-quatre heures ; les gourmands estiment déjà ce temps trop long...

POUR 6 PERSONNES

Eléments principaux
200 g de chocolat à cuire
2,5 cl de lait
50 g de sucre semoule

5 dl de crème fraîche épaisse
5 œufs
2,5 cl de cognac
1 pincée de sel fin.

1. Couper le chocolat en morceaux et le faire fondre avec le lait, au bain-marie, sur un feu très doux.
Remuer avec une spatule en bois pour obtenir une pâte lisse. Retirer hors du feu.

2. Séparer les jaunes des blancs d'œufs dans deux récipients différents.

3. Ajouter le sucre aux jaunes d'œufs et fouetter (la composition doit mousser et devenir plus blanche).

4. Verser le chocolat encore tiède sur les jaunes en mélangeant bien. Incorporer la crème fraîche et remuer.
Laisser refroidir. Adjoindre le cognac. Mélanger.

5. Battre les blancs d'œufs avec une prise de sel fin, en neige ferme. Ajouter les œufs en neige au chocolat en coupant et soulevant pour bien répartir le chocolat sans faire tomber les blancs. Ne jamais fouetter.

6. Verser la mousse dans les coupelles individuelles ou dans une grande coupe.
Mettre au froid, pour faire prendre la mousse 4 h.

256. Massepains d'Arnay-le-Duc

Difficulté : ●
Coût : ●●

BOURGOGNE

Dans le passé, Arnay-le-duc s'illustra aussi par la bataille que 5 000 à 6 000 protestants remportèrent sur 12 000 catholiques qui voulaient leur barrer la

POUR 4 PERSONNES

Eléments principaux
250 g d'amandes douces mondées et, si possible, 4 ou 5 amandes amères
250 g de sucre semoule
2 ou 3 blancs d'œufs (sui-

vant grosseur)
quelques gouttes de vanille et d'eau de fleur d'oranger
10 g de beurre pour graisser le papier.

route du Midi. Dans le parti, victorieux, de Coligny, le futur Henri IV, alors âgé de seize ans, ouvrit son premier feu.

Recette de la glace royale : **Mélanger dans un bol 1/2 blanc d'œuf avec 125 g de sucre glace. Travailler la composition pendant 2 à 3 min à l'aide d'une spatule en bois, ajouter 5 gouttes de citron. Napper chaque massepain de glace royale, avant d'enfourner.**

1. Piler finement les amandes.
Ajouter le sucre par petites quantités.
Incorporer peu à peu les blancs d'œufs et parfumer.
Laisser reposer au frais 5 min, recouvert d'une feuille de papier sulfurisé.

2. Abaisser la pâte à 3 mm d'épaisseur et la découper à l'emporte-pièce rond de 4 à 5 cm de diamètre.
Placer les abaisses en quinconce sur une feuille de papier sulfurisé beurré posé sur une plaque.

3. Faire cuire à four doux.
Humecter légèrement le papier pour détacher facilement chaque massepain.
Le massepain est parfois glacé avec de la glace royale.

(Voir recette ci-contre.)

257. *Visitandines*

Difficulté : ●●
Coût : ●●

LORRAINE

La cuisine régionale doit beaucoup aux monastères. Qu'auraient été les fromages et les vins français sans eux? Cette petite douceur porte le nom de l'ordre de la Visitation, fondé en 1610 par saint François de Sales et sainte Jeanne de Chantal, qui n'avaient pourtant rien de commun avec les confréries gourmandes.

Eléments principaux
125 g d'amandes en poudre
125 g de sucre semoule
40 g de farine
5 blancs d'œufs

175 g de beurre.

Elément complémentaire
20 g de beurre pour graisser les moules.

1. Beurrer des petits moules à barquette.

2. Mettre dans une terrine les amandes en poudre, le sucre semoule et la farine.
Ajouter 3 blancs d'œufs non fouettés et travailler à la spatule en bois pendant 10 min environ.

3. Faire fondre le beurre et l'adjoindre en mélangeant bien le tout.

4. Monter 2 blancs d'œufs en neige ferme et les incorporer délicatement, sans fouetter, en coupant et en aérant.

5. Mettre la composition dans une poche avec une douille et garnir les petits moules.

6. Faire cuire à four chaud.
Laisser refroidir et démouler.
Cette spécialité se conserve bien dans une boîte hermétique à l'abri de l'humidité.

258. Nougat au miel

Difficulté : ●
Coût : ●●●●

PROVENCE

Le miel, on l'oublie en nos temps de consommation trop facile, fut la seule matière sucrée employée avant l'apparition du sucre de canne au XVIIe siècle et, surtout, avant la découverte de la préparation du sucre de betterave sous Napoléon Ier. Les Provençaux n'ont oublié ni son passé, ni ses vertus d'aujourd'hui.

POUR 2 KG DE NOUGAT

Eléments principaux
1 kg de miel

1 kg d'amandes
papier d'hostie
3 cl d'huile.

1. Faire chauffer le miel dans une bassine en cuivre ou dans une casserole en inoxydable, sur un feu doux.
Remuer souvent à l'aide d'une spatule en bois.
Ajouter les amandes mondées ou non, dès l'ébullition du miel.

2. Retirer hors du feu la casserole lorsque les amandes crépitent et que le miel prend une couleur légèrement brune.
Remuer encore pendant 2 à 3 min et verser à l'intérieur d'un cadre de bois huilé posé sur du papier hostie.
Recouvrir également le dessus avec du papier hostie.
Poser une planchette avec un poids pour presser légèrement le nougat.
Laisser refroidir complètement, démouler et découper.

259. Nougatine nivernaise

Difficulté : ●●●
Coût : ●●

NIVERNAIS

Les anciens prétendaient que l'amande « augmente la substance du cerveau ». La nougatine ne serait-elle réservée qu'aux « grosses têtes »? Le premier ministre du pharaon en raffolait, bien avant que, sous le règne de Napoléon III, les Nivernais inventassent d'en faire de la nougatine, à l'usage de tous.

Eléments principaux
500 g de sucre semoule
100 g de glucose (1)
300 g d'amandes effilées ou

hachées.

Elément complémentaire
1 dl d'huile.

1. Huiler une plaque de 40 × 60 cm.

2. Frotter une bassine demi-ronde, en cuivre, avec du sel et du vinaigre (2). Rincer et essuyer.

3. Faire chauffer, à feu doux, la bassine contenant le glucose. Laisser fondre complètement.
Ajouter peu à peu le sucre.
Remuer à l'aide d'une spatule en bois bien sèche.
Racler le sucre non fondu sur les bords de la bassine.

4. Faire chauffer les amandes au four.
Adjoindre celles-ci au sucre fondu et bien doré.

Augmenter le feu.

Mélanger le tout et verser presque aussitôt sur la plaque huilée.

5. Retourner la masse à plusieurs reprises pour éviter une trop grande différence de chauffe entre l'intérieur et l'extérieur.

Disposer le tout devant la bouche du four chaud.

Huiler très légèrement la table de travail ainsi que tous les ustensiles servant au découpage.

Abaisser la nougatine au rouleau huilé et la découper.

Remettre les chutes sur la plaque et les refondre.

Travailler de très petites quantités à la fois.

(1) A défaut de glucose, remplacer par du sucre semoule.
(2) La bassine en cuivre peut être remplacée par une casserole en inoxydable.

260. Sorbet au champagne

Difficulté : ●
Coût : ●●●

CHAMPAGNE

Il faut terminer cette longue et merveilleuse série de chefs-d'œuvre régionaux par une recette significative de la qualité et de l'équilibre de la gastronomie française. La voici... Elle emprunte l'essentiel au meilleur suc de nos terroirs : le champagne.

POUR 6 PERSONNES

Eléments principaux
   5 dl de champagne

250 g de sucre semoule
3 dl d'eau
2 citrons.

1. Préparer un sirop avec le sucre et l'eau et faire bouillir dans une petite casserole.
Écumer.
Laisser refroidir.

2. Presser le jus de deux citrons et l'ajouter, avec le champagne, au sirop froid.

3. Faire prendre la composition dans la sorbetière.

4. Dresser dans des coupes individuelles et arroser d'un peu de champagne.

Chapitre X

PRÉPARATIONS DE BASE

L'AILLOLIS

HISTOIRE ANECDOTIQUE DE L'ALIMENTATION

261. Fonds de volaille

Difficulté : ●
Coût : ●

POUR 1/2 LITRE

Eléments principaux
abattis et carcasse d'une volaille
80 g de carottes
40 g d'oignons
40 g de blanc de poireau
1 bouquet garni avec une branche de céleri
1 l d'eau.

Assaisonnements et condiments
Sel, clou de girofle.

1. Concasser la carcasse et la mettre avec les abattis dans une casserole avec 1 l d'eau froide.

2. Porter vivement à ébullition.
Écumer très soigneusement et à fond.
Adjoindre les carottes, un oignon piqué d'un clou de girofle, le poireau et le bouquet garni.
Saler très légèrement.
Laisser cuire lentement à moitié couvert pendant 1 h environ.
Passer le fonds au chinois (passoire fine).

262. Fumet de poisson

Difficulté : ●●
Coût : ●

POUR 8 PERSONNES

Eléments principaux
600 g d'arêtes de poisson
100 g d'oignons
50 g d'échalotes
50 g de carottes
50 g de beurre
parures de champignons (facultatif)
1/2 jus de citron
bouquet garni
7,5 dl d'eau
1 dl de vin blanc sec.

Assaisonnements et condiments
Sel, 5 grains de poivre.

1. Ciseler les oignons et les échalotes.
Émincer finement les carottes.

2. Faire suer au beurre les légumes pendant 5 min.
Ajouter les arêtes concassées en menus morceaux et faire également suer avec les légumes pendant 3 min.
Mouiller avec 7,5 dl d'eau froide.
Ajouter le bouquet garni, les parures de champignon, 1 dl de bon vin blanc sec et le jus d'un demi-citron. Saler très légérement. Porter vivement à ébullition, écumer à fond et tenir à simple frémissement à découvert pendant 20 min.
Adjoindre le poivre en grains 5 min avant la fin de la cuisson.
Passer au chinois (passoire fine).

263. Sauce bourguignonne

Difficulté : ●●
Coût : ●●

POUR 4 PERSONNES

Eléments principaux
50 g d'échalotes
5 dl de vin de Bourgogne rouge
50 g de beurre
1 bouquet garni.

Eléments du beurre manié
20 g de beurre
20 g de farine.

Assaisonnements et condiments
Sel, poivre de Cayenne.

1. Émincer finement les échalotes et les mettre dans une petite sauteuse.
Mouiller avec le vin rouge.
Ajouter le bouquet garni.

2. Porter à ébullition et laisser réduire de moitié.

3. Passer au chinois (passoire fine) et lier avec le beurre manié (beurre et farine mélangés) incorporé peu à peu à la sauce en fouettant.
Assaisonner.

4. Incorporer, hors du feu, 50 g de beurre par petites parcelles.

Variantes :
Faire suer les échalotes au beurre. Singer (ajouter la farine). Mouiller avec du vin rouge et monter au beurre.

Facultatif : Ajouter à la sauce une cuillerée à café de moutarde forte de Dijon, au moment de servir.

264. Sauce Béchamel

Difficulté : ●
Coût : ●

POUR UN LITRE DE LAIT

Eléments principaux :
 1 l de lait
 70 g de beurre
 70 g de farine tamisée.

Elément complémentaire
 25 g de beurre.

Assaisonnements et condiments
Sel, poivre de Cayenne, noix muscade.

1. Préparer un roux blanc :
Faire fondre 70 g de beurre dans une sauteuse à feux doux.
Ajouter la farine dans le beurre fondu.
Remuer constamment à l'aide d'une spatule en bois.
Laisser cuire pendant 4 à 5 min à feu doux jusqu'à ce que la composition mousse et devienne plus blanche.
Laisser refroidir.

2. Faire bouillir le lait et le verser totalement sur le roux froid.
Fouetter pour obtenir une sauce homogène sans grumeaux.
Porter à ébullition sans précipitation et faisser cuire pendant 10 min à feu doux en remuant très souvent.
Assaisonner de sel, de poivre de Cayenne et de quelques râpures de noix muscade.

3. Passer au chinois (passoire fine) si nécessaire et fouler à l'aide d'une louche.
Tamponner la surface avec 25 g de beurre pour éviter toute formation de peau.

265. Sauce Nantua

Difficulté : ●●●
Coût : ●●●●

POUR 1/2 LITRE DE SAUCE

Eléments du beurre d'écrevisse
 12 écrevisses de 40 g chacune
 50 g de carottes
 50 g d'oignons
100 g de beurre
 1 dl de crème fraîche (1).

Eléments de la sauce Béchamel
 35 g de beurre
 35 g de farine
 5 dl de lait.

Assaisonnements et condiments
Sel, poivre de Cayenne, noix muscade.

1. Laver et châtrer (2) les écrevisses.

(1) La crème fraîche, ajoutée au beurre, permet de mieux extraire le beurre d'écrevisse, tout en donnant à la sauce une plus belle coloration.
(2) Arracher la nageoire caudale (queue) centrale en entraînant le boyau intestinal.

Tailler très finement les légumes en mirepoix et les colorer dans 25 g de beurre pendant 3 min environ.

Ajouter les écrevisses et les faire sauter pour obtenir une coloration bien rouge, sans brûler le beurre.

Assaisonner.

Décortiquer les écrevisses.

Réserver les queues pour la garniture.

Piler finement au mortier les débris d'écrevisses et les mettre dans une casserole avec 75 g de beurre en pommade sur un feu doux.

Ajouter 1 dl de crème fraîche dès que le beurre est fondu et que l'écume monte à la surface.

Porter à ébullition et passer aussitôt le tout sur un linge pour exprimer le liquide. Tordre le linge fortement.

Mettre au réfrigérateur pour recueillir plus facilement le beurre d'écrevisse.

Réserver la crème fraîche qui sera incorporée à la sauce.

2. Préparer 5 dl de sauce Béchamel. (Voir la recette N° 264.)

3. Adjoindre la crème fraîche et porter à ébullition sur un feu doux, en remuant assez souvent.

Laisser cuire et réduire pendant 5 min environ.

Rectifier l'assaisonnement.

Ajouter, hors le feu, le beurre d'écrevisse.

Garnir avec les queues décortiquées.

Assaisonnements et condiments
Sel, poivre de Cayenne ou poivre blanc.

1. Séparer les jaunes des blancs d'œufs. Supprimer le germe des jaunes.

Mettre les blancs dans un bol et les réserver pour un autre usage et les jaunes dans un légumier en ayant soin de casser les œufs un à un dans un ramequin avant de les verser dans le bol ou le légumier, afin d'éviter d'incorporer un œuf mauvais ou douteux.

Assaisonner les jaunes de sel fin, de poivre de Cayenne.

Ajouter la moutarde et le vinaigre.

2. Mélanger à l'aide d'un petit fouet. Incorporer l'huile goutte à goutte au début, en mélangeant rapidement, puis en petit filet, quand la sauce commence à se lier. Relâcher la sauce, si nécessaire, avec quelques gouttes de vinaigre. Rectifier l'assaisonnement.

Une huile trop froide, une incorporation trop importante d'huile au début, une quantité d'huile supérieure à 1,75 dl par jaune d'œuf (ou 2 dl par jaune pour un emploi immédiat) sont les trois causes principales de la dissociation des éléments de la mayonnaise.

(1) Pour obtenir une sauce plus blanche, remplacer le vinaigre par du jus de citron.

266. *Sauce mayonnaise*

Difficulté : ●●●
Coût : ●●

POUR 4 PERSONNES

Eléments principaux :
 2 jaunes d'œufs
 3,5 dl d'huile
 1/2 cuillerée à café de vinaigre (1)
 1/2 cuillerée à café de moutarde.

267. *Ailloli*

Difficulté : ●●●
Coût : ●●

POUR 8 PERSONNES

Eléments principaux
 20 g d'ail
 6 jaunes d'œufs
 7 dl d'huile d'olive non fruitée.

Assaisonnements et condiments
Sel.

Broyer finement l'ail (1) au mortier.

Adjoindre une pincée de sel et 6 jaunes d'œufs (dans certaines régions, une pomme de terre cuite écrasée est ajoutée aux jaunes d'œufs).

Mélanger et travailler vivement comme une mayonnaise (2) en ajoutant peu à peu 7 dl d'huile d'olive non fruitée, sans cesser de remuer.

(1) Éliminer le germe de chaque gousse d'ail.
(2) Voir la recette de la mayonnaise.

268. Rouille

Difficulté : ●●●
Coût : ●●

POUR 8 PERSONNES

Eléments principaux
2 gousses d'ail
2 piments rouges d'Espagne
1 tranche de pain
2 dl d'huile d'olive non fruitée
3 à 4 cuillerées à potage de bouillon de poisson.

Assaisonnements et condiments
Sel, poivre de Cayenne.

Piler finement au mortier 2 gousses d'ail (1) avec deux piments rouges d'Espagne.

Adjoindre de la mie de pain trempée et fortement pressée.

Mélanger, assaisonner et travailler comme une mayonnaise (2) en ajoutant peu à peu environ 2 dl d'huile d'olive.

Lorsque la sauce est bien liée, incorporer petit à petit quelques cuillerées de bouillon de poisson.

Rectifier l'assaisonnement.

Variante :
Ajouter 2 jaunes d'œufs avec la mie de pain pressée, les piments et l'ail.

(1) Éliminer le germe de chaque gousse d'ail.
(2) Voir la recette de la mayonnaise.

Monter à l'huile d'olive et détendre avec 1 cuillerée à potage de bouillon de poisson.

269. Sauce hollandaise

Difficulté : ●●●●
Coût : ●●●

POUR 6 PERSONNES

Eléments principaux
300 g de beurre
5 jaunes d'œufs
1/2 citron
2 cuillerées à potage de vinaigre blanc de bonne qualité (facultatif).

Assaisonnements et condiments
Sel, poivre de Cayenne, poivre concassé.

1. Clarifier le beurre :
Faire fondre le beurre sans le remuer dans une petite casserole inoxydable.

2. Décanter le beurre clarifié :
Écumer complètement le beurre, le verser dans un bol en éliminant le petit lait déposé dans le fond de la casserole.

3. Facultatif : Mettre dans une petite sauteuse inoxydable 3 g de poivre concassé et 2 cuillerées à potage de vinaigre blanc.
Faire réduire presque à sec.
Laisser refroidir.

4. Séparer les jaunes des blancs d'œufs.
Réserver les blancs pour un autre usage.
Ajouter les jaunes à la réduction froide avec trois cuillerées à potage d'eau froide.
Travailler vivement au fouet pour obtenir un mélange mousseux.

5. Faire cuire au bain-marie ou sur un feu très doux sans cesser de remuer.

Attention : Ne pas dépasser une température de 65° C environ.

6. Retirer hors du feu dès que l'émulsion prend une consistance crémeuse, légèrement épaisse. Ajouter quelques gouttes d'eau si la consistance est trop épaisse. Incorporer le beurre goutte à goutte au début en mélangeant rapidement, puis en petit filet quand la sauce commence à se lier. Pratiquer comme pour une mayonnaise.

Ajouter de temps en temps quelques gouttes d'eau pour relâcher la sauce si nécessaire.

Assaisonner de sel fin et de poivre de Cayenne, sans excès.

7. Passer la sauce à l'étamine ou au chinois (passoire fine) sur un petit légumier inoxydable en foulant à l'aide d'une petite louche.

Réserver dans un endroit chaud à couvert, sans remettre sur le feu, ni au bain-marie, ni trop près du feu.

8. Incorporer délicatement, juste au moment de servir, le jus d'un demi-citron.

La sauce hollandaise est quelquefois préparée sans réduction de vinaigre, avec le poivre concassé. La recette ainsi simplifiée est moins relevée, mais reste tout aussi onctueuse.

270. Sauce béarnaise

Difficulté : ●●●●
Coût : ●●●

POUR 6 PERSONNES

Eléments principaux
300 g de beurre
5 jaunes d'œufs
1/2 citron
1 dl de vinaigre blanc de bonne qualité
50 g d'échalotes
1 cuillerée à café d'estragon ciselé

Eléments de finition
1 cuillerée à café de cerfeuil et d'estragon ciselés.

Assaisonnements et condiments
Sel, poivre de cayenne, poivre concassé.

1. Clarifier le beurre :
Faire fondre le beurre sans le remuer dans une petite casserole inoxydable.

2. Décanter le beurre clarifié :
Écumer complètement le beurre, le verser dans un bol en éliminant le petit lait déposé dans le fond de la casserole.

3. Ciseler finement les échalotes.
Mettre dans une petite sauteuse inoxydable 3 g de poivre concassé, l'estragon, les échalotes et le vinaigre.
Faire réduire presque à sec.
Laisser refroidir.

4. Séparer les jaunes des blancs d'œufs.
Réserver les blancs pour un autre usage.
Ajouter les jaunes à la réduction froide avec trois cuillerées à potage d'eau froide.
Travailler vivement au fouet pour obtenir un mélange mousseux.
5. Faire cuire au bain-marie ou sur un feu très doux sans cesser de remuer.
Attention : Ne pas dépasser une température de 65° C environ.

6. Retirer hors du feu dès que l'émulsion prend une consistance crémeuse, légèrement épaisse. Ajouter quelques gouttes d'eau si la consistance est trop épaisse. Incorporer le beurre goutte à goutte au début en mélangeant rapidement, puis en petit filet quand la sauce commence à se lier.

Pratiquer comme pour une mayonnaise. Ajouter de temps en temps quelques gouttes d'eau pour relâcher la sauce si nécessaire.

Assaisonner de sel fin et de poivre de Cayenne, sans excès.

7. Passer la sauce à l'étamine ou au chinois (passoire fine) sur un petit légumier inoxydable en foulant à l'aide d'une petite louche.

Réserver dans un endroit chaud à couvert, sans remettre sur le feu, ni au bain-marie, ni trop près du feu.

8. Incorporer délicatement, juste au moment de servir, le jus d'un demi-citron et saupoudrer de cerfeuil et d'estragon ciselé.

271. Beurre blanc nantais

Difficulté : ●●●
Coût : ●●●

POUR 4 PERSONNES

Eléments principaux
    1 dl de bon vin blanc
    5 cl de vinaigre blanc ou de jus de citron
    50 g d'échalotes
    200 g de beurre salé bien froid coupé en petits dés.

Assaisonnements et condiments
Sel, poivre concassé, poivre blanc.

1. Ciseler très finement les échalotes.

2. Faire réduire à feu vif le vin, le vinaigre, les échalotes et le poivre concassé presque entièrement.
Laisser refroidir.

3. Remettre sur un feu extrêmement doux avec une cuillerée à potage d'eau froide.
Ajouter le beurre par petites quantités en fouettant vivement pendant toute l'opération, en prenant garde de ne jamais faire bouillir.
Assaisonner de sel et de poivre blanc fraîchement moulu.

4. Passer à l'étamine ou au chinois (passoire fine) et mettre aussitôt dans une saucière.

Le beurre blanc accompagne généreusement tous les poissons grillés, pochés ou au court-bouillon.

Il est nécessaire de travailler le beurre très vivement et de ne jamais le soumettre à une température supérieure à 80 °C.

272. Escargots « préparation »

POUR 4 PERSONNES

Eléments principaux
    4 dz d'escargots
    gros sel
    vinaigre
    farine.

Eléments du court-bouillon
    80 g de carottes
    80 g d'oignons
    50 g d'échalotes
    1 fort bouquet garni
    5 dl de vin blanc sec
    5 dl d'eau.

Assaisonnements et condiments
Sel, poivre en grains.

1. Faire jeûner les escargots pendant deux jours (1).

2. Mettre à dégorger ensuite pendant 2 h. avec du gros sel, du vinaigre et une pincée de farine.

3. Laver à grande eau plusieurs fois pour les débarrasser de toute mucosité.

4. Blanchir : les plonger dans l'eau bouillante pendant 5 min.

5. Egoutter, rafraîchir et les sortir des coquilles en supprimant le bout noir qui, en été, risque d'être amer et terreux.

6. Réunir dans une casserole le vin blanc, l'eau, les escargots, les carottes, les oignons, les échalotes et le bouquet garni. Saler.

(1) En hiver, il n'est pas nécessaire de faire jeûner les escargots.

Porter à ébullition, écumer et laisser cuire à très léger frémissement pendant 3 à 4 h. Ajouter 5 grains de poivre 5 min avant la fin de la cuisson.

Réserver dans une terrine et laisser refroidir les escargots dans leur eau de cuisson.

7. Laver et faire bouillir les coquilles vides pendant 30 min à l'eau additionnée de cristaux de soude. Les égoutter et bien les laver à nouveau à l'eau froide, puis les faire sécher sur un tamis.

273. Pistou

Difficulté : ●
Coût : ●

Eléments principaux
500 g de basilic
100 g d'ail
2,5 dl d'huile d'olive.

Laver le basilic et le laisser sécher pendant 24 h.

Hacher ou piler très finement l'ail et le basilic.

Remplir des petits bocaux.

Recouvrir largement d'huile d'olive.

Fermer hermétiquement et réserver dans un endroit très frais.

Le pistou peut également se conserver avec du lard gras très frais.

Dans ce cas, hacher ou piler tous les ingrédients, remplir les bocaux, verser au-dessus une pellicule de paraffine et tenir au frais.

274. Pâte à beignets

Difficulté : ●●
Coût : ●

POUR 4 PERSONNES

Eléments de la pâte à beignets
125 g de farine tamisée
20 g de beurre fondu
1 œuf + 1 blanc d'œuf
1,5 dl de bière
2 g de sel fin.

1. Disposer la farine en fontaine dans un saladier ou une terrine. Délayer au centre le sel et la bière.

Ajouter le jaune d'un œuf.

Mélanger avec une spatule en incorporant peu à peu la farine. La pâte doit être molle.

Arroser la surface avec le beurre fondu et laisser fermenter 20 min.

2. Monter deux blancs d'œufs en neige ferme et les adjoindre à la pâte très délicatement, en la coupant et en la soulevant.

Utiliser aussitôt.

275. Pâte brisée

Difficulté : ●●●
Coût : ●●●

POUR 8 PERSONNES

Eléments principaux
250 g de farine tamisée
125 g de beurre
1 jaune d'œuf
50 g de sucre semoule (1)
5 g de sel fin
5 cl d'eau froide.

(1) Supprimer le sucre pour la pâte brisée salée.

1. Disposer la farine tamisée en fontaine.

Mettre au centre le jaune d'œuf, le sucre semoule, le beurre préalablement ramolli et détaillé en petites parcelles et le sel délayé dans 5 cl d'eau froide.

2. Mélanger rapidement du bout des doigts tous les ingrédients en incorporant peu à peu la farine. Ne pas trop travailler.

3. Fraiser deux fois :

Prendre des parcelles de pâte, les pousser et les écraser devant soi avec la paume de la main.

Ramasser la pâte en boule et la placer dans un linge ou dans un sac plastique.

4. Laisser reposer une bonne heure au frais.

276. Pâte à choux

Difficulté : ●●●
Coût : ●●

POUR 8 PERSONNES

Eléments principaux
125 g de farine tamisée
100 g de beurre
4 œufs
2,5 dl de lait ou, à défaut, d'eau
4 g de sucre semoule
2,5 g de sel fin.

1. Réunir dans une casserole le lait ou l'eau, le beurre, le sel et éventuellement le sucre semoule (1).

Porter à ébullition sur un feu pas trop vif pour éviter une trop forte évaporation du liquide.

Faire fondre complètement le beurre.

Retirer le récipient du feu.

2. Ajouter la farine tamisée en une seule fois.

Remuer vivement à l'aide d'une spatule en bois.

Remettre la casserole sur le feu et faire dessécher la pâte en la travaillant constamment jusqu'à ce qu'elle se détache des parois et du fond de la casserole en une boule homogène.

3. Ajouter, hors du feu, un œuf et bien l'incorporer à la pâte avant d'en ajouter un autre.

Procéder de même avec tous les œufs.

La pâte ne doit être ni trop dure ni trop coulante.

Utiliser rapidement la pâte à choux et l'enfourner encore tiède.

277. Crêpes

Difficulté : ●
Coût : ●

POUR 8 PERSONNES

Eléments de la pâte à crêpes (1)
200 g de farine tamisée
60 g de sucre semoule (2)
10 g de sucre vanillé (2)
5 œufs
5 dl de lait cru
3 g de sel fin
parfum au choix.

Elément complémentaire
40 g de beurre fondu pour cuire les crêpes.

1. Mettre dans une terrine 200 g de farine en fontaine.

Ajouter, au centre, une pincée de sel fin, le sucre semoule et vanillé et les œufs. Mélanger ces ingrédients en incorporant, petit à petit, la farine puis le lait cru.

Passer au chinois (passoire fine) et réser-

---

(1) Pour la pâte à choux salée, supprimer le sucre et ajouter un soupçon de poivre de Cayenne et quelques râpures de noix muscade.

(1) Pâte à crêpes ou appareil à crêpes.
(2) Supprimer le sucre semoule et le sucre vanillé pour la pâte à crêpes salée.

ver au frais pendant au moins 20 min.

2. Beurrer très légèrement les poêles parfaitement propres (3).

Verser un peu de pâte dans la matière grasse chaude sans excès, en remuant la poêle dans tous les sens (les crêpes doivent être minces et sans trou).

Faire sauter ou retourner dès que la première face est dorée. Cuire la deuxième face.

3. Ranger les crêpes sur une assiette en les empilant les unes sur les autres.

Tenir constamment couvert d'une feuille de papier sulfurisé beurrée ou d'aluminium.

Réserver dans un endroit tiède.

4. Servir bien chaudes, plier en quatre, saupoudrer de sucre ou garnir de confiture ou de crèmes diverses pour les crêpes sucrées.

(3) Piquer une fourchette dans une demi-pomme de terre épluchée. Tremper la pomme de terre dans le beurre fondu et graisser la poêle.

278. Pâte feuilletée

Difficulté : ●●●●
Coût : ●●●

POUR 8 PERSONNES

Eléments de la pâte feuilletée
Détrempe
400 g de farine tamisée
2 dl d'eau froide (variable suivant la qualité de la farine)
8 g de sel fin.
Beurrage
300 g de beurre ou, à défaut, de margarine à feuilletage.
Dorure
1 œuf.

Elément complémentaire :
75 g de farine pour travailler la pâte.

1. Faire la détrempe :

Tamiser 400 g de farine sur la table.

Faire une fontaine et mettre au centre le sel dissous dans les 3/4 de l'eau froide (1,5 dl).

Mélanger rapidement avec le bout des doigts sans serrer la pâte.

Ajouter le reste d'eau petit à petit si nécessaire.

Former une boule ferme mais pas trop dure. Ne pas trop travailler la pâte.

Faire une incision en croix sur le dessus à l'aide d'un couteau (fig. 1).

Envelopper la détrempe dans un linge ou dans un sac plastique.

Laisser reposer 15 min au frais.

2. Donner le premier et le deuxième tour :

travailler le beurre ou la margarine (la matière grasse doit avoir la même consistance que la détrempe. Le beurre doit être homogène tout en restant ferme).

Former avec le beurre une plaquette carrée de 10 cm de côté sur 3 cm d'épaisseur.

Saupoudrer la table d'un peu de farine.

Étaler la détrempe en croix en laissant le centre beaucoup plus épais (fig. 2).

Poser la plaquette de beurre au centre (fig. 3).

Envelopper le beurre en repliant les quatre coins de la pâte au-dessus (fig. 4).

Tapoter légèrement le dessus du pâton à l'aide du rouleau à pâtisserie pour lui donner une forme carrée (fig. 5).

Abaisser délicatement le pâton en une bande rectangulaire de 1,5 à 2 cm d'épaisseur, trois fois plus longue que large. (Abaisser en allant du bas vers le haut) (fig. 6).

Égaliser les bords à l'aide du rouleau à pâtisserie.

Éliminer la farine se trouvant en excédent sur la pâte à l'aide d'une brosse à farine.

Plier en trois parties égales en commençant par le bas (fig. 7 et 8) (plier sur la partie centrale, éliminer le surplus de farine, puis rabattre le haut sur les deux couches précédemment formées).

Faire pivoter le pâton d'un quart de tour à gauche, l'ouverture est alors à droite (fig. 9). (Le rabat supérieur est disposé comme la page d'un livre.) Le premier tour est réalisé.

Abaisser à nouveau et procéder comme pour le premier tour (fig. 6.7.8.9.). Appuyer légèrement deux doigts sur le coin de la pâte pour bien marquer que le pâton a deux tours.

Envelopper le pâton et laisser reposer pendant 10 min au frais.

3. Donner le 3e et le 4e tour : saupoudrer la table d'un peu de farine.

Disposer le pâton ouverture à droite. Abaisser et procéder comme pour les deux autres tours (fig. 6.7.8.9.).

Marquer légèrement le pâton avec les 4 doigts pour indiquer le nombre de tours.

Envelopper et réserver à nouveau au frais pendant 10 min.

4. Donner le 5e et le 6e tour :
Procéder comme pour les autres tours. (La pâte feuilletée est terminée et prête à être utilisée.)

1. Détrempe incisée en croix.

2. Étaler la détrempe en croix.

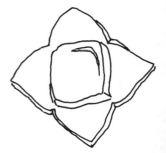

3. Poser la plaquette de beurre au centre.

4. Envelopper le beurre.

5. Pâton de forme carrée.

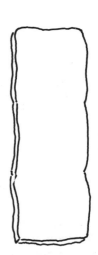

6. Abaisser le pâton. La longueur égale trois fois la largeur.

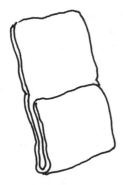

7. Rabattre le bas sur la partie centrale.

8. Rabattre le haut sur les deux autres couches.

9. Faire pivoter d'1/4 de tour : l'ouverture est à droite.

279. Pâte sucrée

Difficulté : ●●●
Coût : ●●●

POUR 8 PERSONNES

Eléments principaux
250 g de farine tamisée
125 g de beurre
1 œuf entier ou 2 jaunes d'œufs
125 g de sucre semoule.

1. Disposer la farine en fontaine.

Mettre au centre l'œuf battu, le sucre semoule et le beurre ramolli coupé en petits dés.

Mélanger rapidement du bout des doigts en incorporant peu à peu la farine. Ne pas trop travailler.

2. Fraiser deux fois : prendre des parcelles de pâte en poussant et écrasant chacune devant soi avec la paume de la main.

3. Ramasser la pâte en boule et l'envelopper dans un linge ou un sac plastique. Laisser reposer 1 h au frais.

Pour obtenir une pâte plus friable, ajouter 2 g de levure sèche mélangée à la farine.

280. Pâte levée

Difficulté : ●●●
Coût : ●●●

POUR 8 PERSONNES

Eléments principaux
250 g de farine tamisée
125 g de beurre fin bien ramolli
3 œufs (150 g)
8 à 12 g de levure de bière
5 g de sel fin
12 à 18 g de sucre semoule (1)
1 dl environ d'eau ou de lait tiède.

(1) Réduire de moitié le sucre semoule pour la pâte levée salée. Le sucre permet une meilleure fermentation de la pâte.

1. Préparer le levain :
Disposer 65 g de farine en fontaine.

Mettre au centre 8 à 12 g de levure et environ 5 cl d'eau ou de lait tiède.

Délayer la levure puis incorporer peu à peu la farine pour obtenir une pâte mollette.

Rouler en boule et tracer au-dessus deux incisions en croix.

Ranger le levain dans une petite terrine, le couvrir avec un linge et le tenir dans un endroit chaud, à l'abri des courants d'air (le levain doit avoir doublé de volume pour être utilisé).

2. Disposer le reste de la farine en fontaine.

Mettre au centre 2 œufs, le sel, le sucre semoule et délayer ces ingrédients avec un peu d'eau ou de lait tiède.

Incorporer la farine et travailler énergiquement la pâte.

Rompre et fouetter.

Ajouter le dernier œuf sans cesser de travailler.

(La pâte doit être molle. Si la farine a trop de force, ajouter encore un œuf. Ne pas incorporer d'eau qui alourdirait la pâte.)

Détailler le beurre en parcelles.

Etaler sur chaque parcelle de beurre un morceau de pâte.

Mélanger.

3. Renverser le levain sur la pâte et procéder comme pour le beurre.

Mélanger à nouveau et déposer la pâte dans une terrine légèrement farinée.

Couvrir avec un linge et laisser lever à une température douce (27° C maximum) à l'abri des courants d'air, pendant 1 ou 2 h.

4. Reprendre la pâte lorsqu'elle aura presque doublé de volume et la rompre sur la table farinée en la pliant et repliant plusieurs fois sur elle-même sans l'écraser.

Réserver ensuite au réfrigérateur pendant toute une nuit, recouverte d'un linge.

5. Rompre une deuxième fois.

Façonner ou mouler suivant l'utilisation.

281. Crème anglaise

Difficulté : ●●
Coût : ●●

POUR 8 PERSONNES

Eléments principaux
5 dl de lait
5 jaunes d'œufs
125 g de sucre semoule
   parfum au choix.

1. Faire bouillir le lait dans une casserole, de préférence inoxydable.

2. Travailler dans une terrine les jaunes d'œufs avec le sucre semoule à l'aide d'une spatule en bois, jusqu'à ce que la composition devienne blanche.

3. Verser, peu à peu, au-dessus, le lait bouillant sans cesser de remuer vivement.

4. Remettre sur un feu doux en remuant constamment, jusqu'à la « nappe » (les jaunes épaississent à une température de 75° C à 80° C).
Arrêter aussitôt la cuisson, une température supérieure ferait coaguler les jaunes et la crème serait tournée.

5. Verser immédiatement dans une terrine en passant la crème au chinois ou à l'étamine (passoire fine).
Laisser refroidir en vannant (tournant) de temps en temps la crème pour l'empêcher de croûter.

Pour rattraper une crème qui a un peu trop chauffé, il faut la battre très vigoureusement au fouet.

Tableau des équivalences de réglage du four

Four très doux	150 ° C	thermostat	3-4
Four doux	170 ° C	thermostat	4-5
Four moyen, modéré	200 ° C	thermostat	5-6
Four chaud	220 ° C	thermostat	6-7
Four très chaud	240 ° C	thermostat	7-8
Four vif	250 ° C	thermostat	9-10

VOCABULAIRE CULINAIRE

TABLE DES RECETTES

INDEX ALPHABÉTIQUE
DES RECETTES

VOCABULAIRE CULINAIRE

ABAISSE : Morceau de pâte, aminci à l'épaisseur désirée, à l'aide d'un rouleau à pâtisserie, scrvant à faire le fond d'un moule, d'un pâté, d'une tarte, de tartelettes, ou utilisé pour toute autre préparation en pâtisserie.

ABAISSER : Étendre une pâte, à l'aide d'un rouleau à pâtisserie, pour la découper ou pour former le fond d'un pâté ou d'une tarte.

ABATIS ou ABATTIS : Ensemble des pattes, tête, cou, ailerons, foie et gésier d'une volaille.

APPAREIL : Composition. Préparation simple ou composée, servant à la réalisation d'un mets.

BAIN-MARIE : Cuisson dans un récipient plongé dans un autre récipient (caisse à bain-marie), empli d'eau bouillante.

BARDER : Envelopper une pièce de viande, une volaille, un gibier, ou un poisson, d'une mince tranche de lard.

BEURRE MANIE : Beurre ramolli en pommade, mélangé à froid à la farine, utilisé pour lier rapidement une sauce.

BLANCHIR :
a) Mettre un aliment dans de l'eau froide, et porter celle-ci vivement à ébulli-

tion. Cuire plus ou moins longtemps à l'eau bouillante.
Dans certains cas, les aliments doivent être plongés dans de l'eau froide.
b) Blanchir signifie aussi, travailler ensemble des jaunes d'œufs avec du sucre semoule, jusqu'à ce que le mélange devienne plus blanc et mousseux.

BLONDIR : Faire revenir légèrement.

BOUQUET GARNI : Petit bouquet ficelé, composé de brindilles de thym et de feuilles de laurier, entourées de queues (tiges) de persil, auquel il est parfois ajouté une branche de céleri ou du vert de poireau.

BRIDER : Attacher les membres d'une volaille avec une ficelle, à l'aide d'une aiguille à brider.

CANNELER : Orner, à l'aide d'un petit couteau ou d'un canneleur, des légumes, des champignons, des fruits, de cannelures peu profondes.

CHATRER : Arracher la nageoire caudale centrale (queue), en entraînant le boyau intestinal d'une écrevisse.

CHINOIS : Passoire métallique fine en forme de cône.

CISELER :
a) Couper certains légumes (chou, salade, épinards...) en fines lanières. Couper les oignons ou les échalotes en tout petits dés.
b) Inciser légèrement un poisson pour éviter qu'il ne se déchire pendant la cuisson.

CLARIFIER :
a) Rendre clair un liquide trouble.
b) Débarrasser le petit lait du beurre, par fusion et décantation.
c) Séparer le blanc, d'un jaune d'œuf.

CONCASSER : Hâcher ou couper grossièrement.

COUCHER : Mettre une pâte à chou, à biscuit, à meringue ou un appareil à pomme duchesse, dans une poche à douille et pousser pour façonner directement sur une plaque ou un plat.

DECANTER : Laisser reposer un liquide trouble, afin de séparer la partie claire, du dépôt restant au fond, et le transvaser délicatement ensuite, dans un autre récipient.

DÉGLACER : Faire dissoudre les sucs caramélisés au fond du récipient en ajoutant un liquide (fonds, vin, eau, bière...).

DÉGORGER (faire) :
a) Mettre de la viande ou du poisson plus ou moins

longtemps dans de l'eau froide courante pour leur faire perdre le sang ou les impuretés qu'ils contiennent.

b) Saupoudrer de sel certains aliments, pour leur faire perdre l'eau ou rendre la bave qu'ils contiennent.

DORER : Étendre sur une pâte de l'œuf battu, à l'aide d'un pinceau. Parfois l'œuf battu est remplacé, suivant l'utilisation, par du lait sucré.

DRESSER : Placer harmonieusement et correctement sur un plat, les divers éléments d'une préparation.

ÉBARBER : Supprimer, à l'aide de ciseaux, les barbes ou les nageoires d'un poisson, ou les filaments d'un œuf poché.

ÉCALER : Enlever la coquille d'un œuf dur ou mollet.

ÉMINCER : Couper en tranches fines.

ESCALOPER : Couper, en biais, des tranches plus ou moins fines de viande, de poisson, de légumes, de champignon...

ÉTUVER : Faire cuire très doucement à couvert, un aliment, dans une petite quantité de corps gras, sans mouillement.

FLAMBER : a) Passer à la flamme une volaille ou un gibier plumé, pour le débarrasser du duvet.
b) Arroser d'alcool une préparation culinaire chaude, ou faire réduire du vin ou du champagne et y

mettre le feu, en retirant le récipient de cuisson du fourneau.

FOISONNER : Une préparation simple ou composée foisonne lorsqu'on la fouette fortement et vivement pour en augmenter le volume.

FONCER :
a) Garnir le fond d'un récipient avec des couennes, du lard, du jambon, des légumes, pour faire braiser un aliment.
b) Garnir le fond d'un moule avec de la pâte.

FONTAINE : Creux formé au milieu d'un tas de farine dans lequel sont disposés les éléments nécessaires à la confection de la pâte.

FRAISER : Prendre une parcelle de pâte en la poussant et en l'écrasant devant soi, avec la paume de la main.

FUMET : Fonds de poisson, de gibiers ou de champignons.

GLACER :
a) Napper un mets d'une sauce et le passer au four ou sous le gril pour lui donner une belle couleur dorée, ou pour obtenir une couche brillante en l'arrosant constamment avec son jus.
b) Saupoudrer une pièce de sucre glace, et la faire caraméliser au four.

JULIENNE : Éléments coupés en très fines lanières (filaments) de 3 à 4 cm de longueur.

LIER : Donner de la consistance à une sauce, un potage ou une crème...

LUSTRER : Donner un aspect brillant, en recouvrant une préparation de beurre fondu ou de gelée.

LUTER : Fermer hermétiquement le couvercle d'un récipient avec un cordon de pâte, composée de farine diluée à l'eau.

MARINER : Laisser tremper dans une solution aromatisée, une viande ou un poisson, pendant un temps plus ou moins long.

MASSE : Composition servant de base à d'autres préparations.

MIJOTER : Cuire à tout petit feu.

MIREPOIX : Mélange de légumes et d'aromates, ajouté à une préparation culinaire pour en corser la saveur.

MONDER : Débarrasser la peau, la pellicule ou l'enveloppe de certains aliments, principalement les amandes, les noix, les noisettes, les pistaches, les tomates...

MONTER : Battre vivement des blancs d'œufs ou de la crème.

MOUILLER : Ajouter la quantité de liquide (eau, bouillon, consommé, vin, lait...) nécessaire pour faire cuire un mets.

NAPPER : Recouvrir un mets d'une sauce, d'une gelée ou d'une crème.

PANER : Enrober un aliment de mie de pain fraîche ou de chapelure avant de le faire frire ou sauter.

PARER : Supprimer les éléments inutiles à la cuisson ou à la présentation d'un plat.

PASSER : Verser un potage, une sauce, un légume, une crème... à travers un tamis, une passoire, ou un chinois.

PINCER : Décorer les bords d'une tarte à l'aide d'une pince spéciale.

PIQUER :
a) Garnir de petites lanières de lard, de truffes, ou de langue écarlate, à l'aide d'une aiguille à piquer ou d'une lardoire, une viande, une volaille, un gibier..., en traversant en surface et horizontalement dans le sens du fil de la viande, et en laissant le lard ou la langue dépasser à chaque bout de 1,5 cm environ.
b) Piquer une abaisse de pâte, à l'aide d'une fourchette, pour l'empêcher de gonfler, pendant la cuisson.

POCHER : Mettre un aliment dans un liquide chaud ou froid, selon l'élément en traitement, et le tenir ensuite, pendant quelques minutes, à simple frémissement.

RAIDIR : Passer vivement un aliment dans une petite quantité de corps gras chaud, sans le colorer.

RÉDUIRE (faire) : Faire bouillir jusqu'à consistance sirupeuse.

REVENIR (faire) : Mettre un aliment dans une petite quantité de corps gras bien chaud et le faire dorer.

RISSOLER : Faire colorer vivement des aliments dans une petite quantité de corps gras bien chaud (synonyme de REVENIR).

ROMPRE : Plier et replier la pâte plusieurs fois sur elle-même.

SANGLER : Abaisser la température d'un appareil à glace pour lui faire prendre consistance.

SAUTER (faire) : Cuire vivement dans une sauteuse ou dans une poêle, des petites pièces, avec un peu de corps gras, en les faisant sauter de temps en temps.

SINGER : Saupoudrer de farine un aliment, pour lier la sauce.

SUER (faire) : Mettre un aliment dans une petite quantité de corps gras chaud, et cuire à couvert, pour extraire l'eau de végétation.

TROUSSER : Replier et introduire les jointures du pilon ou de la cuisse dans les flancs d'une volaille ou d'un gibier à plumes.

VANNER : Remuer de temps en temps, à l'aide d'une spatule, une sauce ou une crème, pendant tout son refroidissement pour éviter la formation d'une peau à la surface et obtenir une préparation bien homogène.

TABLE
DES RECETTES

VIANDES

VOLAILLES, GIBIERS, VENAISONS

INDEX ALPHABÉTIQUE
DES RECETTES

(Le premier numéro est celui de la recette, le second celui de la page.)

Achevé d'imprimer le 20 septembre 1979
sur les presses de Maury-Imprimeur S.A.
45330 Malesherbes
Dépôt légal : 3e trimestre 1979
N° d'imprimeur : L78/6334

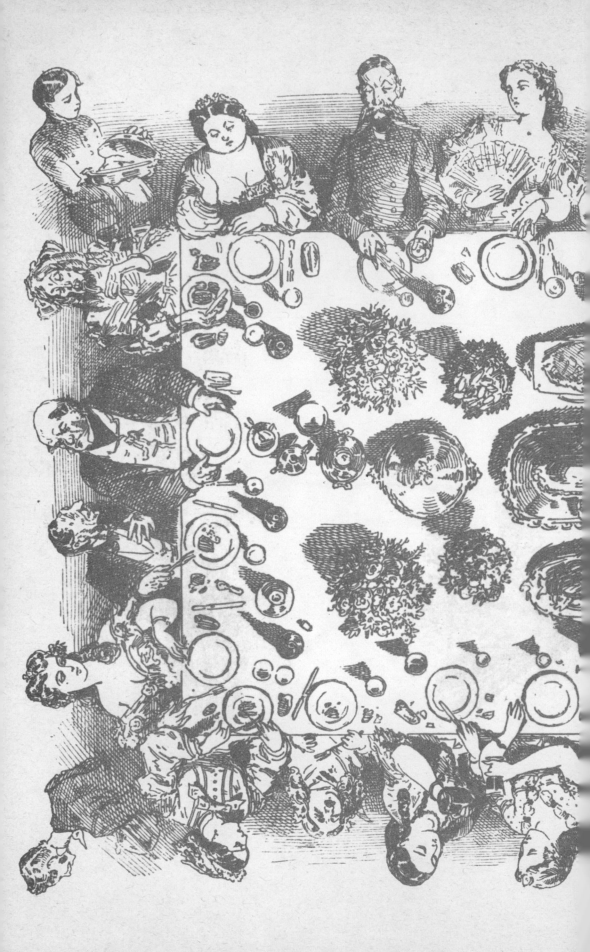